Popol Vuh

Popol Vuh

Edición de Cristina Vidal Lorenzo
y Miguel Rivera Dorado

Alianza editorial
El libro de bolsillo

Diseño de colección: Estudio de Manuel Estrada con la colaboración de Roberto Turégano y Lynda Bozarth
Diseño de cubierta: Manuel Estrada
Ilustración de cubierta: Ocarina maya (terracota) proveniente de Quiche, Neba, Guatemala
© Getty Images
Selección de imagen: Carlos Caranci Sáez

© de la edición: Cristina Vidal Lorenzo y Miguel Rivera Dorado, 2017
© Alianza Editorial, S. A., Madrid, 2017
  Calle Juan Ignacio Luca de Tena, 15
  28027 Madrid
  www.alianzaeditorial.es

ISBN: 978-84-9104-924-1
Depósito legal: M. 23.694-2017
Printed in Spain

Si quiere recibir información periódica sobre las novedades de Alianza Editorial, envíe un correo electrónico a la dirección: alianzaeditorial@anaya.es

Índice

11 Introducción
11   1. Los mayas y la renovación del cosmos
14   2. *Popol Vuh:* historia de un manuscrito
25   3. Estructura del texto
28   4. Los principales personajes del poema (por orden de aparición)
38   5. Geografías míticas y otros espacios sagrados
50   6. Síntesis del contenido argumental
62   7. La vasija perforada de Ixmucané o la consideración de la mujer en el *Popol Vuh*
71   8. El *Popol Vuh* y el arte
84   9. El *Popol Vuh* y otros mitos sobre la creación

93 Referencias bibliográficas

Popol Vuh

101 Preámbulo

Primera parte
105   1. Caos y creación
116   2. La historia del pájaro de fuego
123   3. Los hijos de Vucub Caquix

Segunda parte
135   4. El padre de los gemelos divinos
139   5. La muerte de Hun Hunahpú
146   6. La historia de Ixquic

151 7. Ixquic e Ixmucané
154 8. Hermanos artistas
160 9. La juventud de los héroes
167 10. La llamada de Xibalbá

Tercera parte
175 11. El país de la penumbra
179 12. Las primeras pruebas de Xibalbá
186 13. La muerte de Hunahpú
192 14. El sacrificio de los dioses
195 15. Resurrección y transfiguración
201 16. La derrota de Xibalbá y el advenimiento del sol

Cuarta parte
207 17. La creación del hombre
209 18. Los nombres de los primeros seres humanos
215 19. La migración. El viaje a Tulán
218 20. El fuego y la sangre
222 21. Los sacrificios y el escondite de los dioses
229 22. El nacimiento de la luz
235 23. Ofrendas de sangre
237 24. La guerra de los dioses
249 25. La muerte de los padres
252 26. El viaje a Oriente
256 27. Izmachí y Gumarcah
261 28. Los reyes maravillosos
264 29. Los reyes de la sexta generación
269 30. La casa del dios y la condición de los reyes
274 31. El orden de los reinados

279 Notas
357 Bibliografía general

La vida, sin nombre, sin memoria, estaba sola. Tenía manos, pero no tenía a quién tocar. Tenía boca, pero no tenía con quién hablar. La vida era una, y siendo una era ninguna.

Entonces el deseo disparó su arco. Y la flecha del deseo partió la vida al medio, y la vida fue dos.

Los dos se encontraron y se rieron. Les daba risa verse, y tocarse también.

Eduardo Galeano, *Espejos. Una historia casi universal.*

Introducción

1. Los mayas y la renovación del cosmos

La civilización maya concedió extraordinaria importancia a los rituales y ceremonias dedicados a conmemorar los sucesos del pasado y, muy especialmente, los cambios de ciclo y la renovación del cosmos.

Para explicar esos excepcionales acontecimientos y transmitirlos a las diferentes generaciones, los mayas acudieron al mito, es decir, al conjunto de narraciones sagradas que, a través de un lenguaje rico en imágenes y símbolos, relatan cómo una situación pasó a ser otra y quiénes fueron los actores que en un tiempo primigenio lideraron esas transformaciones y protagonizaron fabulosas hazañas y aventuras. Se produce así la irrupción de lo sobrenatural en el mundo real con el propósito de fundamentar su existencia, y mediante la repetición del mito y del rito todo ello se torna creíble, de manera que lo que ocurre en ambos ámbitos parece hecho de la misma materia (López Austin, 1996: 47).

Un episodio metafórico acerca de lo que aconteció en un tiempo primordial, concretamente en la mítica fecha situada entre el 10 y el 11 de agosto de 3114 a. C. según el calendario gregoriano por el que actualmente nos regimos, fue tallado en la Estela C de Quiriguá (Guatemala), un monolito de cuatro metros de altura, erigido en el año 775 d. C. bajo el mandato del gobernante *K'ak' Tiliw Chan Yopaat,* quien fue representado con todos los atributos de poder en la cara frontal. En el texto jeroglífico plasmado en uno de sus laterales se conmemora la colocación de tres piedras-trono por parte de los dioses. Estas piedras sagradas dispuestas en torno al fogón de los hogares mayas simbolizan, en opinión de algunos estudiosos, el establecimiento del centro del cosmos, a partir del cual el cielo pudo separarse del océano de aguas primordiales (Freidel, Schele y Parker, 2001: 67).

Ese mismo suceso también fue mencionado en el Tablero del Templo de la Cruz de Palenque (México) y representado en dos hermosas vasijas cerámicas, el Vaso de los Siete Dioses y el Vaso de los Once Dioses. El que todas las superficies del primer vaso estén pintadas de negro, junto con la posible referencia al lugar donde se encuentra el sol antes del amanecer en el Vaso de los Once Dioses, sugieren que todavía no se había producido esa escisión y, por lo tanto, reinaba la oscuridad (Vail y Hernández, 2013: 63). Asimismo, otras muchas obras de arte y arquitectura del período Clásico maya (siglos III-X d. C.) simbolizan la renovación del cosmos y el nacimiento de una nueva era pues, como decíamos, para los mayas era crucial conmemorar el comienzo del tiempo que les tocó vivir con la finalidad de garantizar la permanente regeneración de la vida.

Sin embargo, no se conserva ningún libro contemporáneo a esas obras de arte que contenga las narraciones sagradas que las inspiraron, de ahí la dificultad en muchas ocasiones de interpretar las complejas composiciones iconográficas que exhiben. Lo que sí ha llegado hasta nuestros días es el *Popol Vuh,* esta extraordinaria obra de la literatura mitológica que el lector tiene en sus manos y cuyo contenido y pensamiento pertenecen al complejo mundo de creencias del pueblo maya.

Para facilitar la lectura de este poético texto en el que se cuenta entre otras muchas cosas la historia del nacimiento del sol y de la fundación del tiempo, se incluye a continuación una serie de apartados en los que se abordan cuestiones íntimamente ligadas al relato, desde la historia del documento original y otros aspectos literarios, pasando por una presentación de los principales personajes y de los ámbitos sagrados en los que se desarrollan los acontecimientos, así como una breve síntesis del contenido argumental de cada una de las partes en que se estructura el libro. Creímos también conveniente dedicar un epígrafe a la consideración de los personajes femeninos en el *Popol Vuh,* ya que es éste un tema de gran relevancia en la obra y que, sin embargo, no ha sido tratado en otras ediciones anteriores, al que le sigue otro apartado sobre la representación de algunos de sus episodios más importantes en el arte maya. Éste sí ha sido un aspecto que ha suscitado el interés de numerosos investigadores desde que en el año 1973 Michael Coe publicara su célebre obra *The Maya scribe and his world*. No obstante, el hallazgo de otras obras de arte y el avance del desciframiento de la escritura jeroglífica maya han permitido la realización de nuevas interpretaciones y reflexiones en torno a esta temática. Por último, se ofrece una comparación entre el *Popol Vuh* y otras cosmogonías, tanto del Nuevo como del Viejo Mundo, convencidos de que el lector comenzará a preguntarse acerca de esos paralelismos desde la lectura de las primeras líneas de este libro.

2. *Popol Vuh:* historia de un manuscrito

El *Popol Vuh* es una obra anónima que fue escrita en idioma maya pero con caracteres latinos hacia el año 1554, es decir, unos treinta años después de la llegada de los conquistadores españoles a la región maya-quiché de Guatemala, que es donde se compuso. Lo que hasta la fecha se conserva de este texto es un manuscrito bilingüe que fue transcrito al castellano por el fraile dominico Francisco Ximénez, a comienzos del siglo XVIII.

No sabemos si es de autoría única, como sostiene Adrián Recinos (1947: 15, 25, 42), o si por el contrario fueron varios sus autores, circunstancia que ha generado un animado debate entre los especialistas. Así, por ejemplo, entre los que defienden esta última postura se encuentra Dennis Tedlock, para quien sus creadores fueron miembros de los tres linajes que en aquel entonces gobernaban el reino quiché: los Cavec, los Nihaib y los Ahau Quiché. Además, apunta, estos autores dan una pista de quiénes son cuando al final del texto se menciona a los tres *Nim Chocoh* (Maestros de Ceremonias), los grandes elegidos de esas tres estirpes, que se reunían para dar a conocer la palabra (Tedlock, 1996: 25, 57):

> Había tres *Nim Chocoh,* Grandes Elegidos, para los tres reinos, que eran como los padres llenos de autoridad para todos los señores del Quiché. Reuníanse los tres Chocoh para dar a conocer la palabra, las disposiciones de las madres, las disposiciones de los padres, y la condición de los tres elegidos era la más elevada. Eran el Nim Chocoh de los Cavec, el Nim Chocoh de los Nihaib, que era el segundo, y el Nim Chocoh Ahau de los Ahau Quiché, que era el tercer Nim Chocoh, o sea, los tres Chocoh, que representaban cada uno a su pueblo *(Popol Vuh,* cap. 31).

Otro defensor de esta teoría es Allen J. Christenson, la cual justifica al recordar que en el texto los compiladores del relato utilizan siempre la primera persona del plural (Christenson, 2003: 35). De hecho, así empieza el libro:

> Éste es el principio de las antiguas historias del lugar llamado Quiché. Aquí escribiremos y comenzaremos el relato de las viejas tradiciones, el fundamento y el origen de todo lo que sucedió en el Quiché *(Popol Vuh,* preámbulo).

Christenson también comparte la idea defendida por Tedlock de que sus autores fueron los Maestros de Ceremonias de los tres linajes quichés antes mencionados, y que cuando se refieren a «dar a conocer la palabra», están queriendo decir «dar a conocer el *Popol Vuh*». Como además el texto menciona a Juan de Rojas y a Juan Cortés como los reyes quichés del linaje Cavec en aquel entonces, y dado que bajo su reinado el Maestro de Ceremonias era Cristóbal Velasco, uno de los firmantes del *Título de Totonicapán,* no les queda duda de que ése era el nombre de uno de los tres autores del *Popol Vuh* (Tedlock, 1996: 57; Christenson, 2003: 37).

Otros estudiosos como René Acuña han ido más lejos al proponer que se trata de un libro apócrifo, obra de algún religioso dominico, argumentando para ello que, en vez de tratarse de una obra con influencias bíblicas y cristianas, es una producción cristiana-europea con influencias nativas (Acuña, 1998: 92). Su principal argumento descansa en su convicción de que el padre Ximénez no tenía suficientes conocimientos de la lengua quiché, lo que explica los numerosos errores de transcripción que comete, afirmando que «... el lenguaraz fraile atropelló con singular maestría la arquitectura del PV *[Popol Vuh],* transformando el libro en un desfiguro» (Acuña, 1998: 29). En un primer momento Acuña llegó a proponer que ese religioso dominico fue Domingo de Vico, autor de la *Theologia Indorum:* «De manera muy personal, yo creo que esta obra de Vico parcialmente se ha conservado en la primera parte, o sección mitológica, de la obra que se conoce ahora por el nombre de *Popol Vuh*» (Acuña ed., 1983: xxix).

Esta propuesta forma también parte de otra cuestión que se viene debatiendo desde hace décadas y que es la de las posibles influencias cristianas en el relato, pero este tema lo abordaremos más adelante. Continuemos de momento con la historia de este manuscrito.

Decíamos que su transcriptor fue fray Francisco Ximénez, un religioso de la orden de Santo Domingo y originario de Écija (Sevilla), quien se embarcó hacia Guatemala en la armadilla de Juan Thomas Miluti en el año 1688, junto con una treintena de religiosos evangelizadores. Según el pormenorizado relato que el filólogo Carmelo Sáenz de Santamaría realiza acerca de la vida de este fraile, el dominico desembarcó en tierra hoy hondureña y prosiguió viaje terrestre en dirección a Guatemala, pasando por la ciudad maya de Copán. Ya en la capital guatemalteca continuó sus estudios de teología hasta ordenarse sacerdote en Ciudad Real de Chiapas en el año 1690. Fue a partir de entonces cuando se instruyó en el conocimiento de la lengua y costumbres cakchiqueles, hasta resultar nombrado párroco de Santo Tomás Chuilá, población conocida actualmente con el nombre de Chichicastenango, en el departamento de El Quiché. Más adelante, en 1704, pasaría a desempeñar sus funciones en la vicaría de Rabinal. Según su biógrafo: «Entre Chichicastenango y Rabinal pasó 13 años (1701-1714) que fueron especialmente fecundos para sus estudios etnolingüísticos» (Sáenz de Santamaría, 1985: 300). Fue entonces también cuando recibió el encargo de escribir una *Historia* de su provincia. Y es en el Libro I de esa obra donde aparece la primera traducción al castellano que hizo del *Popol Vuh* (Acuña, 1998: 34). Pero ¿de dónde obtuvo ese manuscrito? Al parecer, su notorio interés por conocer la historia y religión de los antiguos quichés favoreció el que los indígenas guardianes del manuscrito original del *Popol Vuh* se lo dejaran ver y le permitieran que hiciera una copia (Christenson, 2003: 40), pues, según relata el propio Ximénez, conservaban estos documentos con gran secreto y a buen recaudo:

pero fue con todo sigilo que se conservó entre ellos con tanto secreto, que ni memoria se hacía entre los ministros antiguos de tal cosa, e indagando yo aqueste punto, estando en el curato de Santo Tomás Chichicastenango, hallé que era la doctrina que primero mamaban con la leche, y que todos ellos casi la tenían de memoria, y descubrí que de aquestos libros tenían muchos entre sí, y hallando en ellos por aquestas historias, como verá adelante, viciados muchísimos misterios de nuestra santa fe católica, y muchos o los más del Testamento viejo, trabajé en sermones continuos en refutar aquestos errores (Ximénez, 1929-1931 [1722], tomo I, libro I, p. 5).

Es interesante destacar la afirmación que hace Ximénez de que los indígenas aprendían desde jóvenes y de memoria estos relatos, a los que él llama doctrina, y que existían muchos otros libros como el *Popol Vuh*. A este respecto, Recinos recuerda que:

Los historiadores Acosta, Clavijero e Ixtlilxóchitl refieren que los indios aprendían a recitar las arengas más notables de sus antepasados y los cantos de sus poetas y que unas y otras se enseñaban a los jóvenes en las escuelas de los templos y de esta manera se transmitían de generación en generación (Recinos, 1947: 17).

Estos testimonios vendrían a demostrar que el *Popol Vuh* estaba concebido para ser recitado, y seguramente también representado entre la población con motivo de sus solemnes celebraciones, como un medio de transmitir a los descendientes sus principales mitos y creencias religiosas.

Cuando el fraile tuvo el documento en sus manos, transcribió el texto maya quiché en una columna (la de la izquierda) y, junto a ésta, puso otra más ancha con su traducción al castellano. Se desconoce el paradero de la versión original que le hicieron llegar a Ximénez, y es muy posible que se haya perdido para siempre. La que hizo el religioso se conserva actualmente en la Biblioteca Newberry de Chicago, formando parte de un grupo de manuscritos encuadernados en un volumen de 362 páginas, titulado *Tesoro de las tres lenguas.* Los primeros 93 folios dobles contienen el «*Arte de las tres lenguas Cacchiquel, Qviche y Tzvtvhil,* escrito por el R. P. Francisco Ximénez, Cura Doctrinero por el Real Patronato del pueblo de Santo Tomás Chuilá», una especie de diccionario gramatical con notas y aclaraciones acerca de la región en que se emplea (Sáenz de Santamaría, 1985: 304). La segunda parte del *Tesoro* engloba los folios 94 al 119 e incluye el *Tratado segundo de lo que debe saber un Ministro para la buena administración de esos naturales.* Finalmente, en los folios 120 a 175 se encuentra el texto que nos interesa y el que hizo famoso al fraile, al que nunca tituló *Popol Vuh,* sino que lleva por nombre las primeras líneas del comienzo: *Empiezan las historias del origen de los indios de esta provincia de Guatemala traduzido de la lengua Qviche en la Castellana para más comodidad de los Ministros de el S^{to} Evangelio, por el R.P.F. Franzisco Ximenez, Cura doctrinero por el Real Patronato del Pueblo de S^{to} Thomas Chuilá.* Estos folios tienen, además, una numeración independiente que comprende de la página 1 a la 56 (Recinos, 1947: 41-42; Acuña 1998: 15).

Según Sáenz de Santamaría, Ximénez utiliza el término *Popol Vuh* con otro sentido:

> el de calendario mágico, que correspondería más bien a uno de los llamados códices mayas, que todavía se conservan, con sus jeroglíficos seriados que recuerdan una especie de «juego de la oca» para uso de adivinos (Sáenz de Santamaría, 1985: 302).

¿Quién lo bautizó entonces con ese nombre por el que es mundialmente conocida esta obra? Para dar respuesta a esta pregunta tenemos que trasladarnos al siglo siguiente, ya que fue en 1829 cuando se vuelve a tener noticia de este manuscrito.

Ese año, tras la expulsión de los dominicos, el documento, que hasta entonces se había conservado en el Convento de Santo Domingo, fue llevado a la biblioteca de la Universidad San Carlos de Guatemala y allí fue descubierto seis años más tarde por el viajante austriaco Karl Ritter Scherzer (Carl Scherzer, en las publicaciones en español). Scherzer era el dueño de una imprenta en Viena con la que amasó una importante fortuna, pero como consecuencia de la revolución de 1848 fue deportado a Italia, desde donde viajó a América en el año 1852. En Guatemala encontró varios manuscritos de interés, ya que según él se trataba de «obras que tratan la historia antigua de esta tierra» (Woodruff, 2009: 16). Y no estaba errado, ya que uno de esos textos era el manuscrito de Ximénez, del cual solicitó una copia para llevarse a Europa, publicándola en Viena el año 1857 bajo el título *Las Historias del Origen de los Indios*.

Otro estudioso contemporáneo de Scherzer e interesado en este tipo de manuscritos fue el abate Charles E. Brasseur de Bourbourg, de origen francés y ordenado sacerdote en Italia a los 30 años de edad. En uno de sus varios viajes a América, en 1855, pudo ver en la Biblioteca de la Universidad de Guatemala dos copias de la *Historia* de Ximénez, en una de las cuales, según él, había una versión del manuscrito quiché sobre los orígenes, es decir, que ese manuscrito no era el mismo que consultó Scherzer (conocido como manuscrito de Chichicastenango). Según Brasseur, la copia que él manejó la obtuvo de un noble indígena de Rabinal llamado Ignacio Coloche. De ser así, sería ésta la versión más antigua del texto que ha sobrevivido, conocida como el manuscrito de Rabinal, si bien existe una controversia a este respecto, y algunos autores, Recinos entre ellos, afirman que el manuscrito consultado por Brasseur es el que está inserto al final del *Arte de las tres lenguas* (Recinos, 1947: 51). Lo que sí parece seguro es que el abate logró llevarse ese manuscrito a Europa, lo tradujo al francés y lo publicó en París en 1861 bajo el nombre de *Popol Vuh: Le livre sacré et les mythes de l'antiquité américaine,* acuñando por vez primera el nombre de *Popol Vuh,* término que puede traducirse como «libro del Consejo» o de «la comunidad». Se trata de una versión estructurada en capítulos y fonetizada, que convirtió al *Popol Vuh* en una obra mundialmente conocida.

Brasseur falleció en Niza en 1874 y desde entonces toda su colección de valiosos manuscritos fue pasando por diversas manos. El que nos interesa cayó en poder del explorador y filólogo francés Alphonse Pinart, uno de los primeros en barajar la teoría de la entrada del hombre en América a través del estrecho de Bering, pero que no demostró un gran interés por el manuscrito de Ximénez, de modo que se lo vendió a Otto Stoll, un lingüista suizo interesado en la escritura maya, quien finalmente mandó el documento a subasta pública. Ésta tuvo lugar en 1887, y el documento fue adquirido por el coleccionista y hombre de negocios Edward E. Ayer. Este estadounidense reunió una enorme colección de documentos y manuscritos que finalmente donó a la Biblioteca Newberry de Chicago, que es donde actualmente se encuentra el manuscrito bilingüe de Ximénez bajo las siglas Newberry/Ayer MS 1515, junto con otras dos importantes obras de la literatura americana: el *Diccionario* latín-español-náhuatl de fray Bernardino de Sahagún y el *Diario* de Junípero Serra.

Desde la edición de Brasseur se han sucedido muchas otras en distintos idiomas, destacando entre ellas la publicada en francés en 1925 por el etnólogo Georges Raynaud, fruto de varias décadas dedicado a su preparación. Raynaud era profesor de la Escuela de Altos Estudios de París y entre sus estudiantes estaban el mexicano J. M. González de Mendoza y el guatemalteco Premio Nobel de Literatura Miguel Ángel Asturias, quienes en 1927 tradujeron al español la versión francesa de su maestro, que titularon *Los Dioses, los Héroes y los Hombres de Guatemala Antigua*.

Ese mismo año (1927) se publicaba en Guatemala la traducción de J. Antonio Villacorta y de Flavio Rojas, titulada *Manuscrito de Chichicastenango (Popol Buj). Estudio sobre las antiguas tradiciones del pueblo quiché. Texto indígena fonetizado y traducido al castellano. Notas eti-mológicas,* una edición que estuvo expuesta a varias crí-ticas debido a una serie de incorrecciones y errores de traducción, junto a otras alteraciones del texto. Años más tarde, en 1962, Villacorta publicó una nueva ver-sión más erudita y en forma crestomática después de ha-ber comparado varias traducciones y seleccionado los fragmentos que consideraba más acertados, llegando a la conclusión de que entre todas ellas hay una enorme di-vergencia. Dicha versión fue titulada *Popol Vuh de Diego Reinoso. Crestomatía quiché,* ya que considera que el au-tor del manuscrito fue un indígena quiché llamado Die-go Reinoso, quien habría plasmado por escrito las histo-rias que había memorizado desde la infancia.

En 1947 Adrián Recinos dio a conocer una de las ver-siones del *Popol Vuh* que más difusión ha tenido, la cual tituló *Popol Vuh. Las antiguas historias del Quiché.* Reci-nos fue un historiador, lingüista y diplomático guatemal-teco que durante su época de embajador en Estados Unidos tuvo ocasión de conocer y estudiar a fondo el manuscrito de Ximénez conservado en Chicago, del cual no sólo hizo una nueva traducción al castellano con un lenguaje claro y fluido, sino que también acompañó de una extensa introducción en la que recoge la historia y vicisitudes por las que atravesó el texto.

El interés que suscitó la difusión de esta obra motivó que pronto empezara a publicarse también en inglés. Entre las primeras ediciones sobresale la que hicie-ron Delia Goetz y Sylvanus G. Morley *(Popol Vuh. The Sacred Book of Ancient Quiché Maya,* 1951), que es una versión en lengua inglesa de la traducción de Recinos.

Muy valorada ha sido también la edición en inglés que publicó el lingüista y antropólogo estadounidense Munro S. Edmonson en 1971, titulada *The Book of the Counsel. The Popol Vuh of the Quiché Maya of Guatemala*.

Dos años más tarde el erudito e historiador guatemalteco Agustín Estrada Monroy publicó una edición versiculada del *Popol Vuh* en la que afirma haber encontrado muchos términos esotéricos, frases construidas según el pensamiento indígena y arcaísmos que hacían que algunos versículos resultaran hasta entonces totalmente incomprensibles; de ahí que en su nueva versión haya intentado realizar una interpretación «con la mayor fidelidad posible, en términos comprensibles actualmente» (Estrada, 1994: 6). Según este autor, el primer traductor en quiché antiguo del *Popol Vuh* no fue el padre Ximénez, sino fray Alonso del Portillo de Noreña, un misionero dominico al que los líderes indígenas le habrían enseñado un códice maya con láminas pintadas y escritura jeroglífica, el cual fue traducido por Alonso de Noreña, y que el mérito de Ximénez fue agregar a esa traducción otra columna en castellano antiguo (Asturias, 2016: 4). En definitiva, como opina Chinchilla, la gestación del *Popol Vuh* puede ser entendida mejor en el contexto de colaboración, impuesta o no, entre los frailes dominicos y los autores quichés del libro sagrado (Chinchilla, 2017: 44).

Finalmente, entre las versiones más recientes se incluyen la del antropólogo Dennis Tedlock, *The Definitive Edition Of The Mayan Book Of The Dawn Of Life And The Glories Of Gods and Kings* (1985), la cual fue premiada con el PEN Translation Prize y en la que da a conocer, como ya hemos visto, el nombre de uno de los autores del manuscrito original según sus investigaciones. En la década siguiente, en 1991, se publicaba la de Nahum Megged bajo el título *El Universo del Popol Vuh,* cuya novedad reside en que el autor realiza un análisis del texto siguiendo claves psicológicas, es decir, intenta encontrar en los personajes representaciones de lo consciente y de lo inconsciente, estableciendo un paralelismo entre el mundo de las represiones inconscientes, que sería Xibalbá, y el mundo terrenal, perteneciente al plano de la consciencia. Al siglo XXI pertenece la versión del investigador estadounidense Allen J. Christenson, *Popol Vuh. The Sacred Book of the Maya* (2000), a cuya preparación dedicó alrededor de tres décadas. Se trata de un traducción totalmente nueva, basada en el conocimiento que el autor tiene de la lengua quiché. Según este lingüista y etnógrafo, durante los últimos trescientos años, el *Popol Vuh* se tradujo unas treinta veces en siete idiomas. En esta breve síntesis hemos pretendido citar las que mayor difusión han tenido.

3. Estructura del texto

La presente edición está basada en la traducción realizada por Adrián Recinos (1947) pues es la que hemos considerado que posee un lenguaje y una estructura más fácilmente asequibles para el lector. No olvidemos que el *Popol Vuh* fue redactado en prosa versificada, seguramente para ser recitado o cantado en actos ceremoniales, de modo que una versión literal del mismo sería difícilmente comprensible, de ahí la necesidad de una interpretación en prosa de la composición poética.

Sostenía Recinos (1947: 11) que se trata de un texto corrido que no está dividido en partes ni en capítulos, y que en su versión ha seguido la división que hizo Brasseur de Bourbourg (1861), estructurando la obra en cuatro partes, precedidas por un preámbulo.

En nuestra versión, el lector también encontrará cuatro partes y un preámbulo, si bien la subdivisión en capítulos de cada una de esas esas partes difiere de la de Recinos, sumando éstos un total de 31.

Ahora bien, estas cuatro partes podrían asignarse a su vez a dos bloques. El primero agruparía los diecisiete capítulos iniciales, y el otro, los catorce últimos. Ello se debe a que el texto integra tradiciones mitológicas e históricas, de manera que las tres primeras partes conforman el bloque dedicado al relato mítico cosmogónico según el pensamiento maya, mientras que el segundo continúa con la transmisión sobre el origen y la historia del pueblo quiché y otros pueblos vecinos, siendo su deidad tutelar Tohil. Este segundo bloque se asemeja más en contenido y estilo a las historias sobre migraciones de los pueblos del centro de México (F. Navarrete, 2006: 113), si bien no puede hablarse en absoluto de una ruptura entre ambos bloques. Éstos están enlazados por el capítulo 17, en el que se relata la creación de los hombres de maíz.

Podría decirse entonces que los principales temas en torno a los cuales se estructura la obra son: 1) el mito de la renovación del cosmos y los diversos ensayos llevados a cabo por los dioses para lograr un mundo en el que los hombres los adoren, 2) la creación del tiempo que habrá de regir la cuarta era o era actual gracias a la intervención de los gemelos divinos y 3) la creación definitiva de los hombres y la historia del linaje quiché. No obstante, del relato se desprenden otros muchos temas íntimamente ligados al proceso de la creación, entre los que destacan el origen de los dioses, el concepto de la dualidad o unión de los opuestos, el diluvio universal, la figura del *alter ego,* la muerte y la resurrección, el culto a los ancestros y a la naturaleza, los ritos iniciáticos, el poder de la magia, el papel de los ancianos, los orígenes de la enfermedad, las ofrendas y los ritos de sangre, la transgresión sexual, el rol de la mujer, el descubrimiento de la agricultura, la sabiduría y las artes, el origen de la arquitectura y el urbanismo, la demostración de la legitimidad política y territorial, el abuso del poder, las jerarquías sociales o la guerra.

Todas las acciones contenidas en estos temas se suceden de un modo muy dinámico, de tal manera que el lector es arrastrado a un sinfín de aventuras y otras andanzas plagadas de personajes y ambientes muy diversos, hasta acabar completamente exhausto. Y ése era seguramente el propósito de sus autores: que sus destinatarios sintieran también a través del recitado y la representación del relato lo agotador que es lograr que el cosmos se mantenga siempre en movimiento, pues de lo contrario su inmediata destrucción es inevitable. No en vano la noción de corresponsabilidad humana en la perpetuación del mundo es uno de los principios básicos de la ideología religiosa mesoamericana desde el momento en que los hombres creados son sujetos activos del proyecto de los dioses, participando con sus actos en el siempre renovado y necesario progreso y en la adecuación y ejecución de ese proyecto extraordinario (Rivera, 2014: 23-24).

Conozcamos ahora a los principales personajes del poema, quienes nos llevarán de la mano a través de una innumerable cantidad de viajes y escenarios fascinantes, todos ellos dotados de un profundo simbolismo religioso.

4. Los principales personajes del poema (por orden de aparición)

Tepeu, Gucumatz y Huracán

Tepeu y Gucumatz son el Ser Supremo, la divinidad primordial geminada, necesaria para toda creación. Simbolizan la unión del cielo y el océano y aparecen cubiertos con plumas verdes y azules porque Gucumatz (*Q'uk'umatz*) significa en lengua quiché la Serpiente de Plumas o Serpiente Emplumada, una de las criaturas más célebres y complejas de la mitología mesoamericana, cuyo culto se remonta, al menos, al período Preclásico. Huracán es el Corazón del Cielo, y por tanto es parte integrante de esa unión cósmica, algo así como una energía generadora de vida materializada en el rayo; por eso se llama también Caculhá Huracán (rayo de una pierna), Chipi Caculhá (rayo pequeño) y Raxá Caculhá (rayo que brilla). En el panteón de dioses mayas, Gucumatz es el equivalente al Kukulcán yucateco o al Quetzalcóatl mexicano, quien además de un dios es un héroe cultural. El nombre de Gucumatz vuelve a aparecer en la última parte del libro, pues así se llamaba uno de los reyes maravillosos y hechiceros de la cuarta generación de soberanos que engrandecieron el Quiché. Huracán, por su lado, puede equipararse al dios K'awiil de los mayas del Clásico, el dios del poder del rayo, que muchos reyes mayas sujetan a modo de cetro en los monumentos esculpidos, de ahí que tradicionalmente haya sido considerado la deidad patrona de las dinastías reinantes, entre otras titularidades.

Ixpiyacoc e Ixmucané

Esta pareja de ancianos adivinos desempeña funciones similares a las de la divinidad primordial. Ixpiyacoc adivina echando suerte con granos de maíz mientras que Ixmucané lo hace con madera de *tzité*. Ellos son los responsables de la tercera creación, la de los hombres de palo, y por eso irrumpen en escena al comienzo del libro, lo que indica que ya estaban presentes en el inicio de los tiempos. Luego la que cobrará protagonismo es sólo Ixmucané, pues cumple un importante papel como matriarca del clan al que pertenecen Hunahpú e Ixbalanqué, los protagonistas del poema. A lo largo del relato se muestra arisca, impaciente e incluso pretende deshacerse de ellos, lo que no encaja con su condición de diosa de la fecundidad, los partos y protectora de los nacimientos. De hecho, ni siquiera asistió el parto de su nuera cuando dio a luz a los gemelos. Sin embargo, luego cambia radicalmente de actitud y cuando supo que sus nietos debían bajar a Xibalbá a jugar a la pelota, lloró temiendo que corrieran la misma suerte que sus hijos. Tanto la escena del llanto como la de la vasija que no logra llenar de agua pues ha sido perforada por el mosquito Xan indican una paulatina pérdida del poder de la diosa que tiene su reflejo en los cambios operados en la sociedad maya-quiché, tal como se explicará más adelante.

Para desempeñar las funciones de diosa madre es esencial que mantenga comunicación con los tres estratos del cosmos, inframundo, superficie terrestre y ámbito celestial, y así se refleja en el *Popol Vuh*. De hecho, en su milpa sólo crece una mata de maíz, interpretada como el *axis mundi* que le permite relacionarse con esas tres dimensiones. Asimismo, la casa de Ixmucané es la casa sagrada donde brotan las cañas plantadas por sus nietos, símbolo de la regeneración y del triunfo sobre la muerte.

Interesa destacar también que la pareja de ancianos hechiceros aparece de forma puntual para auxiliar a los gemelos en otros episodios del relato, si bien bajo diferentes nombres: Zaqui Nimac y Zaqui Nimá Tziís, en la historia del pájaro de fuego, o Xulú y Pacam, en el sacrificio de los jóvenes héroes. Este hecho refuerza la hipótesis de que se trata de la misma energía divina primordial que se manifiesta en forma de pareja de seres muy ancianos y sabios, ya que existen perpetuamente en el tiempo y en el espacio. No en vano ella es la que fija el destino de los hombres, y por eso es también la patrona del tejido, ya que como buena tejedora es la que teje el hilo por el que ha de regirse el destino de los humanos. Esta faceta de Ixmucané aparece en el capítulo dedicado a la creación del hombre, donde se dice que «moliendo entonces las mazorcas amarillas y las mazorcas blancas hizo Ixmucané nueve bebidas, y de este alimento provinieron la fuerza y el vigor y con él crearon los músculos y la carne del hombre» *(Popol Vuh,* cap. 17).

Vucub Caquix, Zipacná y Cabracán

Vucub Caquix (Siete Guacamaya) es el pájaro arrogante identificado con el penúltimo sol, que se mantiene en lo alto de un árbol. Su aspecto es el de un ave con hermosas plumas, cubierto con piedras preciosas y brillantes, o al menos así es como él se describe. Sin embargo está condenado a extinguirse; de ahí que en realidad se trate de un sol mortecino, incapaz de seguir alumbrando. Pero él se niega a afrontar su destino, y ante su pretensión de seguir brillando en la era siguiente, es vencido por los héroes gemelos Hunahpú e Ixbalanqué, quienes también acaban con la existencia de sus dos hijos, Zipacná y Cabracán. Éstos representan las fuerzas telúricas del inframundo. El primero, cuyo nombre significa cocodrilo, declara que él hace y forma las grandes montañas, mientras que el otro, llamado terremoto, es el que las sacude. Para lograr exterminar ese cielo y esa tierra de la tercera creación, los gemelos someten a la familia a grandes engaños, para lo cual cuentan con la ayuda de la pareja de ancianos agoreros Zaqui Nimac y Zaqui Nimá Tziís.

Hunahpú e Ixbalanqué

Esta pareja de hermanos gemelos es la protagonista del poema. Si bien empiezan a actuar en el segundo capítulo, su nacimiento y genealogía no se exponen hasta la segunda parte del relato, en donde se explica que son hijos póstumos de Hun Hunahpú y de la doncella Ixquic, y nietos de Ixmucané. Aunque al ser gemelos comparten el mismo sexo, el prefijo *ix* delante del nombre del segundo de ellos parece conferirle a éste un carácter femenino. De ser así, ambos hermanos simbolizarían la complementariedad entre el principio masculino y el femenino o unión de contrarios, lo que es determinante en todo acto de creación. Otros estudiosos consideran, sin embargo, que como ese prefijo también marca el diminutivo, en este caso estaría aludiendo al más joven de los gemelos y que en el relato actuaría como un asistente de Hunahpú (Tarn y Prechtel, 1981: 119), algo así como su *alter ego,* necesario para poder completar determinadas acciones. Pero también hay quien sostiene que un buen análisis de este personaje no pasa tanto por establecer de forma tajante si es masculino o femenino sino por tener en cuenta que los personajes anteriores a la creación exhiben muchas ambigüedades y cambios en sus cualidades personales y sociales; por eso lo importante para determinar la identidad de Ixbalanqué sería analizar cómo cambia a lo largo de los diferentes episodios (Gillespie, 2013: 147).

De lo que no queda duda es de que ambos son cazadores y se dedican a disparar a los pájaros con sus cerbatanas, pero gracias a su astucia y al empleo de la magia protagonizarán dos grandes hazañas cósmicas: el exterminio del sol de la tercera generación, Vucub Caquix, dejando así el escenario preparado para el advenimiento del nuevo astro solar, y el descenso al mundo inferior donde vencen a la muerte, logrando con ello la regeneración y continuidad de la vida. Concluida esta proeza, y según se desprende del relato, Hunahpú acabará convirtiéndose en el sol de la era actual e Ixbalanqué en la luna, aunque este hecho también ha sido objeto de un largo debate, protagonizado por aquellos que los consideran avatares de Venus y del sol. (Véase Gillespie, 2013: 143).

Hun Hunahpú y Vucub Hunahpú

Hun Hunahpú (Uno Hunahpú) y Vucub Hunahpú (Siete Hunahpú) son hijos de Ixpiyacoc e Ixmucané. En esta pareja de hermanos, Vucub Hunahpú es el que actúa como *alter ego* de su hermano mayor; de ahí que no estuviera casado ni tuviera hijos. Por el contrario, Hun Hunahpú sí tenía esposa, Ixbaquiyalo, con la cual tuvo dos hijos varones. Puede considerarse que él es el protagonista encubierto del *Popol Vuh*.

Ambos hermanos protagonizan la gran hazaña de bajar al inframundo, donde serán sacrificados y sepultados en el *Pucbal Chah* (¿juego de pelota?), al no haber podido superar las pruebas a las que fueron sometidos por los señores de Xibalbá, pues aunque eran grandes sabios y científicos, carecían de los suficientes poderes mágicos necesarios para vencer a la muerte. No obstante, incluso después de ser decapitado, la cabeza cercenada de Hun Hunahpú, colgada de un jícaro, engendró a los gemelos divinos, convirtiéndose así este personaje en ancestro de los hombres de la cuarta generación. Y no sólo eso, sino que es muy posible entonces que Hun Hunahpú haya resucitado luego bajo la forma del bello dios del maíz, Hun Nal Ye, volviendo a la superficie terrestre con la ayuda de sus hijos divinos y del dios del rayo, tras perforar éste la corteza terrestre para que pudiera emerger de su interior, tal como se enseña en varias obras de arte maya. Al menos así lo piensan algunos autores, frente a otros que consideran que ascendió a los cielos en forma de Estrella de la Mañana, si bien en el *Popol Vuh* en ningún momento se menciona su resurrección ni su conversión en divinidad del maíz. (Sobre este debate, véase Chinchilla, 2011: 99-100.)

Hun Batz y Hun Chouén

Son los dos hijos que Hun Hunahpú tuvo con Ixbaquiyalo, y por tanto hermanastros de los héroes gemelos, a los que siempre trataron con crueldad por los enormes celos que sentían hacia ellos. Sus nombres se traducen como Uno Mono y Uno Artista. Al igual que su padre, eran sabios y también músicos, artistas y orfebres, pero no eran seres portentosos, pues carecían de poderes mágicos, lo que explica que finalmente fueran vencidos por sus hermanastros, hartos de tanto desprecio, quienes los transformaron en monos. De esta manera se convirtieron en patronos de las artes, pero estuvieron condenados a vivir de árbol en árbol en la espesura del bosque, alejados para siempre de la casa de su abuela Ixmucané, quien se mostró tremendamente afligida por este hecho aunque era incapaz de dejar de reír cada vez que contemplaba el semblante simiesco de sus nietos, pese a saber que la condición para recuperarlos era precisamente no reírse de ellos.

Hun Camé y Vucub Camé

Son los jueces supremos del inframundo, los dioses de la muerte, y por eso sus nombres se traducen como Uno Muerte y Siete Muerte. Ellos mandaban sobre los otros señores del país de la penumbra, cuyos nombres eran los de las enfermedades que causaban el fallecimiento, y por ello su aspecto también era terrible. Para comunicarse con la superficie terrestre enviaban mensajeros que eran búhos. A pesar de su gran poder, demostraron una gran ingenuidad ante los gemelos divinos y acabaron siendo sacrificados y muertos por ellos, aunque en este caso la «muerte de la muerte» debe entenderse como la anulación del Xibalbá correspondiente a la tercera creación.

Ixquic

Esta joven doncella del inframundo, cuyo nombre significa Señora Sangre, es la madre de los gemelos divinos. Se quedó embarazada sólo con un salivazo que le echó en la mano la cabeza colgada de Hun Hunahpú, por la cual Ixquic sintió un enorme deseo, siendo totalmente seducida por la calavera. Al igual que Ixmucané, posee poderes mágicos, lo que le permitió abandonar Xibalbá e ir a parir a la superficie terrestre. Para ello tuvo que convencer a los búhos mensajeros de que no le arrancaran el corazón, que era el sacrificio exigido por los señores del mundo subterráneo como prueba de obediencia. Es por lo tanto una joven valiente y transgresora, intermediaria entre los dos mundos y poseedora de la sabiduría que se aprehende en el inframundo y que transmite a sus hijos.

Camazotz, Xan y los búhos mensajeros

Los animales también desempeñan un destacado papel en el relato y muchos de ellos tienen nombre propio. Camazotz es, por ejemplo, el nombre del murciélago asesino que cortó la cabeza de Hunahpú cuando los gemelos se encontraban en una de las casas del tormento más terribles de Xibalbá: la Casa de los Murciélagos o Casa de Camazotz. Xan es el mosquito que perforó el cántaro de la abuela Ixmucané y el que por mandato de los gemelos picó a los muñecos de palo y a los señores de Xibalbá, es decir, siempre acude en ayuda de los muchachos. Se ha interpretado que el zancudo representa el aspecto masculino de la reproducción (Preuss, 1988: 25), equiparable al colibrí, si bien uno extrae sangre y el otro néctar, y de hecho en algunos relieves y vasijas pintadas mayas se muestran escenas con una clara connotación sexual en las que mosquitos con una pronunciada probóscide pican los pechos desnudos de jóvenes doncellas (Chinchilla, 2017: figs. 34, 35, 36). Otros personajes que aparecen en diferentes ocasiones en el relato son los búhos mensajeros de Xibalbá; se llamaban Chayi Tucur, Huracán Tucur, Caquix Tucur y Holom Tucur y tenían rango de Ahpop Achih (señores principales).

Balam Quitzé, Balam Acab, Mahucutah e Iqui Balam

Estos son los nombres de los cuatro primeros hombres de la cuarta generación que fueron creados con masa de maíz, protagonistas de la última parte del libro. Se les conoce también con el nombre de los padres fundadores, pues con sus esposas Cahá Paluná, Chomihá, Tzununihá y Caquixahá engendraron a varios seres, dando origen al linaje quiché. Ellos son los que emprenden el viaje hacia Oriente, donde sitúan la ciudad de Tulán, en busca de sus dioses patrones y los secretos de la vida civilizada.

Tohil

Es el dios principal que le fue entregado a Balam Quitzé en Tulán. Representa, al igual que el Tláloc de los teotihuacanos, el poder del rayo y el trueno. Él fue el que les proporcionó el fuego a los padres fundadores, y gracias a su poder y protección éstos lograron someter a todos los pueblos de las regiones montañosas del entorno del lago Atitlán, en el altiplano guatemalteco, donde finalmente se establecieron. A partir de entonces, todos esos pueblos sometidos se vieron obligados a rendirle homenaje y a pagar tributo a los quichés.

Gucumatz

Es, como hemos visto, uno de los reyes maravillosos y hechiceros de la cuarta generación de soberanos, a partir de los Balames. Su reinado propició una época de prosperidad y esplendor para el pueblo quiché. Utilizaba sus poderes sobrenaturales para transformarse en animales poderosos que simbolizaban el universo, convirtiéndose así en un intermediario entre los tres niveles del cosmos.

Nacxit

Era el rey de Tulán cuando los hijos de los padres fundadores viajaron a esta ciudad. Éstos se llamaban Qocaib, Qoacutec y Qoahau y de Nacxit recibieron las insignias de la realeza. Para aquellos autores que se inclinan por pensar que Tulán era la ciudad de Chichén Itzá, Nacxit era, por tanto, el soberano de esa gran metrópoli (Florescano, 2006: 133); otros en cambio consideran que en realidad ese viaje era una ceremonia durante la cual los gobernantes simulaban bajar a Xibalbá en busca de sus símbolos de poder; en ese caso Nacxit sería un rey del inframundo y no un personaje semilegendario (véase nota 113).

5. Geografías míticas y otros espacios sagrados

Durante la lectura del *Popol Vuh* el lector transitará por diversos espacios y ámbitos geográficos. Algunos de ellos pertenecen a la esfera exclusivamente sobrenatural y mitológica mientras que otros parecen ser una recreación del entorno topográfico de la región quiché. No obstante, ambas categorías se confunden, de modo que no siempre es fácil discernir entre mito y realidad. Ello se debe a la visión antropocéntrica que los mayas tenían del mundo, lo que les permitía «decodificar lo desconocido a través de las categorías de comprensión de la vida humana y acercar el espacio cósmico a la dimensión individual» (Craveri, 2012: 201).

La estructura del cosmos

En el *Popol Vuh* se mencionan de forma reiterada cuatro ámbitos cósmicos claramente diferenciados: el cielo, la superficie terrestre, el océano de aguas primordiales y el mundo subterráneo, al que llamaban Xibalbá. Tanto el cielo como las aguas primigenias tienen especial protagonismo al inicio del relato, ya que es en ese espacio indeterminado compuesto por la unión de ambas dimensiones donde se encuentra la energía creadora que dará origen al universo actual. Es decir, son los dos elementos principales que conforman el caos y que preexisten a toda creación.

A partir de entonces, los espacios más citados a lo largo del texto serán Xibalbá y la superficie terrestre, los dos mundos opuestos que mejor representan el pensamiento dual de todos los pueblos mesoamericanos: la muerte y la vida, la oscuridad y la luz, el caos y el orden. En un hermoso plato cerámico maya que actualmente se exhibe en el Museo Metropolitano de Nueva York existe una sugerente representación especular de estos dos ámbitos separados por las aguas en la que los personajes que se encuentran en el mundo inferior están boca abajo, contrariamente a los de arriba, indicando así que aunque los habitantes de Xibalbá tienen forma humana, todo lo que allí ocurre está relacionado con el desorden, el caos y la destrucción.

Varias son las ocasiones en las que el relato nos enseña cuál es el camino para llegar a Xibalbá. Sabemos así que hay que descender por unas escaleras muy empinadas, y atravesar varios ríos y barrancas. Los ríos son hirvientes, de fango, de sangre y de pus, y junto a ellos crecen jícaros espinosos. Estas corrientes fluviales confluyen en un paraje identificado con el ombligo del mundo, donde se juntan cuatro caminos, cada uno de un color, rojo, negro, blanco y amarillo, correspondientes a los cuatro puntos cardinales: oriente, poniente, norte y sur, respectivamente. El del centro sería el camino verde que eligen los gemelos divinos para bajar a Xibalbá y que equivale al *axis mundi,* es decir, el camino que permite el continuo contacto entre los diferentes niveles del cosmos, ya que como sostenía Mircea Eliade «todo microcosmos, toda región inhabitada, tiene un centro; esto es, un lugar que es sagrado por encima de todo» (Eliade, 1991: 39).

De la misma forma que en Xibalbá habitan seres con aspecto humano, también se encuentran allí arquitecturas como las que aparecen en la superficie terrestre, es decir, viviendas con puertas y ventanas en las que habitan familias. Disponen asimismo de cancha para el juego de pelota y para alumbrarse en la oscuridad utilizan antorchas de ocote (pino resinoso). Pero no olvidemos que éste es el país del espanto y de la muerte, de modo que allí se encuentran las cuevas o Casas de la tortura que simbolizan los principales atributos de Xibalbá (véase nota 43), así como animales nefastos y asesinos (murciélagos y jaguares) y otros seres telúricos que cumplen un importante papel durante el relato, como por ejemplo las hormigas. Otras extravagantes criaturas que deambulan por Xibalbá son los llamados *wayob,* seres que generalmente combinan rasgos animales y humanos y que han sido interpretados como el «espíritu acompañante» o «coesencia» con el que una persona comparte su conciencia, siendo muy habitual encontrarlos representados en las escenas pintadas en las vasijas mayas ambientadas en el país de la penumbra. Pero, quizás, una de las principales características de este mundo subterráneo es que no sólo tiene entrada sino también salida, es decir, aunque es el lugar de la muerte, se puede escapar de él, de la misma manera que es posible regresar de un viaje iniciático, siempre y cuando se superen las pruebas a las que debe someterse todo aquel que ose enfrentarse con la muerte, como lo hace el astro solar cada día, después de pasar doce horas luchando con las fuerzas ocultas de la nocturnidad, para renacer hermoso y resplandeciente en cada amanecer.

La superficie terrestre es, por el contrario, el ámbito de los seres humanos, de los animales y de la vegetación. Posee montañas y ríos, pero éstos, a diferencia de los de Xibalbá, están llenos de vida; a ellos van a beber los animales salvajes y de ahí también se obtiene el agua que los humanos almacenan en los cántaros para su consumo. Es en este ámbito donde se encuentra la casa sagrada de la abuela Ixmucané, la milpa para el cultivo del maíz y también el patio para el juego de pelota. Sus habitantes tienen diferentes profesiones: campesinos, cazadores, hechiceros, músicos, artistas o joyeros, es decir, existen una organización y una división del trabajo propias del mundo civilizado. Aunque en el relato no encontramos referencias explícitas acerca de cómo los mayas simbolizaban el ámbito terrestre, existen representaciones artísticas vinculadas al *Popol Vuh* en las que la tierra se representa como un lagarto o como una gran tortuga-lagarto flotando sobre las aguas de la creación.

Los árboles de la vida

Como decíamos, los distintos niveles del cosmos están comunicados mediante el *axis mundi* o eje cósmico, el cual aparece simbólicamente con forma de árbol en distintas partes del relato. Uno de esos árboles es el del nance *(Byrsonima crassifolia),* en cuya cima se pavoneaba el pájaro Vucub Caquix, quien se creía el sol. Es, por tanto, el árbol correspondiente al *axis mundi* o árbol de la vida de la tercera generación fallida, la de los hombres de palo, pero que fue derribado a raíz de la caída y posterior aniquilación de Vucub Caquix, como consecuencia de las heridas que le produjo el ataque con cerbatana de Hunahpú. Curiosamente, el fruto del nance se utiliza actualmente para sanar afecciones ginecológicas, como infección de la matriz e inflamación de los ovarios, al tiempo que evita el aborto y facilita el parto. Es por tanto un fruto relacionado con la vida, razón por la cual tal vez fue escogido como el alimento del sol de la tercera generación de hombres.

Coincidiendo con el exterminio de este pájaro soberbio, es decir, en la etapa previa a la manifestación del sol verdadero, se produce otro acontecimiento que podría estar relacionado con la intención de inaugurar un nuevo *axis mundi*. Nos referimos al episodio en el que Zipacná, uno de los hijos de Vucub Caquix, carga con el pesado árbol que los cuatrocientos muchachos (las futuras Pléyades) habían cortado para viga maestra de su casa, y que ha sido interpretado como el árbol cósmico de la siguiente era. Pero los planes de los cuatrocientos muchachos se vieron frustrados por el gigante Zipacná, quien derribó la casa sobre ellos golpeándolos a todos hasta quitarles la vida, en una imagen que sugiere la destrucción de la bóveda celeste y el exterminio de sus numerosas estrellas (Graulich, 1995: 119).

Otro árbol de gran importancia para el desenlace del relato es el jícaro (*Crescentia cujete*) plantado en el juego de pelota de Xibalbá, en el que se colgó la cabeza cercenada de Hun Hunahpú, de la cual se quedó prendada la doncella Ixquic. La saliva que le lanzó la cabeza con apariencia de jícara a la muchacha es la que la dejó embarazada de los protagonistas del poema; por lo tanto, es otro árbol de la vida, gracias al cual Ixquic logra salir del mundo de la muerte para ascender a la superficie terrestre, de la misma manera que la calavera, que es la muerte, genera a su vez la vida. A pesar de la estricta prohibición de los señores del inframundo de que nadie fuera a coger esa fruta o a ponerse debajo de ese árbol, el deseo de Ixquic fue más fuerte que su sentido de la obediencia;

de ahí que podamos encontrar un paralelismo entre este árbol y el del Edén del Génesis cristiano, causante de la expulsión de Adán y Eva del paraíso por transgresores, aunque curiosamente en el texto bíblico el que emite esa orden es el Dios supremo, mientras que en el *Popol Vuh* son los señores del mundo infernal.

En este mismo episodio aparece un árbol que también podría considerarse de la vida. Nos referimos al árbol de la sangre, cuya savia de color rojo, y de inmediato endurecida para adoptar la forma de una bola, fue la que utilizaron los búhos mensajeros para hacerla pasar por el corazón de Ixquic. Gracias a los poderes de esa savia vegetal Ixquic logró salvar su vida y ascender de una vez por todas a la superficie terrestre.

En el ámbito terrenal hay un árbol que adquiere protagonismo en el episodio donde se relata la conversión en monos de los hermanos artistas Hun Batz y Hun Chouén. Es el árbol llamado *canté (Gliricida sepium),* cuyo tronco, debido a los poderes mágicos de los gemelos divinos, empezó a crecer desmesuradamente, de modo que aquéllos ya no pudieron bajar de él. Este episodio está estrechamente relacionado con la destrucción de la tercera generación, de los hombres de palo, pues los únicos que se salvaron fueron los que se subieron a las copas de los árboles, si bien fueron convertidos en monos, al igual que los hermanos artistas, siendo inevitable en este caso hacer el paralelismo con la futura teoría de la evolución de que antes que el hombre los monos habitaron la tierra (Barba, 2011: 181). En definitiva, el *canté* se convierte así en un árbol salvador de la vida, al menos de la de los simios (véase nota 50).

Finalmente, en la era actual o última creación el árbol cósmico equivale a las cañas que Hunahpú e Ixbalanqué plantaron en el centro de la casa de la abuela Ixmucané, quien al verlas retoñar las llamó el Centro de la Casa *(Nicah)*, Cañas vivas en la tierra llana *(Cazam ah chatam uleu)*. Estas cañas, al igual que la mata de maíz que Ixmucané tenía en su milpa equivalen a la regeneración y a la continuidad de la vida de los hombres verdaderos, los hombres de maíz.

El Juego de Pelota

El Juego de Pelota constituye uno de los espacios más sagrados que aparecen en el *Popol Vuh*. Se mencionan dos, uno en la superficie terrestre y otro en Xibalbá. Ambos se encuentran en el ombligo del cosmos, en el camino de Xibalbá, si bien uno arriba y el otro abajo. El primero que se menciona es el de arriba, pues ahí juegan los padres de los gemelos divinos, y de allí son llamados por los señores del inframundo para que bajen a jugar en el mundo subterráneo. Pero no llegan a hacerlo pues antes son sacrificados y sepultados en el *Pucbal Chah*. Allí se encuentra también el árbol en el que se colgó la cabeza de Hun Hunahpú, que, como decíamos, se interpreta como un *axis mundi* o árbol cósmico, un punto de conexión entre el reino de las tinieblas y los estratos superiores. Más adelante, los protagonistas del poema volverán a jugar en la misma cancha en que lo hicieran sus padres y de donde también fueron llamados por mandato de Hun Camé y Vucub Camé. Pero ellos no sólo llegaron a jugar en el Juego de Pelota de Xibalbá sino que también salieron vencedores de ese enfrentamiento con los señores de la muerte. Porque eso es precisamente lo que simboliza la cancha del Juego de Pelota, un espacio donde se dirimen todos los conflictos de la sociedad, y al mismo tiempo un lugar desde el que se puede acceder a otras condiciones, algo que el hombre es susceptible de alcanzar si se sitúa en el centro del mundo y en los orígenes de la vida (Craveri, 2012: 215).

La casa de Ixmucané

Otro lugar sagrado que forma parte del paisaje del *Popol Vuh* es la casa de la anciana Ixmucané, la Gran Madre, en la superficie terrestre. En realidad es la única casa del mundo de los vivos que se menciona durante la primera mitad del libro y de hecho pertenece a un tiempo en que todavía no se había manifestado el sol ni existían los hombres verdaderos, aunque ese momento estaba próximo a llegar. Simboliza, por lo tanto, la primera casa, la vivienda primigenia, equiparable a la cabaña primitiva que menciona Vitruvio en el Libro II de su tratado *De architectura:* una casa en la que se hallan presentes las reglas naturales de la arquitectura o, lo que es lo mismo, la íntima conexión entre la arquitectura y la naturaleza, algo que es común a la mayor parte de las culturas antiguas. Junto a esta arquitectura primigenia se encuentra la milpa, de la que se obtiene el maíz, alimento básico del pueblo maya, en cuyo centro crece la mata de maíz más arriba mencionada y que actúa como vehículo de comunicación entre las diferentes dimensiones cósmicas.

En ella vivieron los padres sabios y los hermanos artistas de los gemelos divinos, cuando Ixmucané era la jefa de una familia de «intelectuales» y su autoridad era incuestionable. Más adelante ésta fue también la morada de sus segundos nietos, pero para entonces la casa de Ixmucané se convirtió en un hogar doméstico propio de un ambiente rural tradicional, donde la abuela cumple la función de preparar la comida a sus nietos, ir al río a buscar agua para saciar su sed o cuidar las plantas que crecen en la vivienda. No obstante, e independientemente del poder que ostenta su dueña en los diferentes momentos de la historia, lo que es indiscutible es que esta casa simboliza un espacio de orden frente al mundo salvaje y caótico anterior al nacimiento de la civilización.

Paxil y Canalá

Es el lugar de donde procede la materia prima con la que fue hecho el hombre de la cuarta generación, las mazorcas de maíz amarillo y las mazorcas de maíz blanco. Según el relato, en esta especie de vergel donde abunda el maíz hay también otros sabrosos alimentos: pataxte, cacao, zapotes, anonas, jocotes, nances, matasanos y miel, así como plantas de todos los tamaños, un auténtico paraíso tropical que recuerda al Tlalocan teotihuacano. Este «granero de los dioses» que se describe como una montaña sustanciosa ha sido identificado como un cerro quebrado (C. Navarrete, 1997: 57-61), pues la raíz *pax* puede leerse como «rajar» o «romper» algo, mientras

que el otro término significa «amargo» o «agua estanca-
da», quizás en alusión al océano de aguas primordiales
(Christenson, 2003: 193). Ambos conceptos podrían estar aludiendo al amargo y húmedo útero de la madre tierra fecundado por el vigor del rayo que se introduce en
su interior, la armoniosa unión de los opuestos, de lo ígneo y lo mojado, de lo viril y lo femenino, que los artistas
mayas plasmaron de forma magistral en algunas vasijas
pintadas, donde la tierra, con forma de tortuga-lagarto
flotando en las aguas primigenias, aparece violentamente rajada en el centro permitiendo así que de su interior
emerja el dios del maíz.

Tulán

Tulán es el nombre de la ciudad a la que se dirigieron
los cuatro primeros hombres en busca de sus dioses,
mientras esperaban la aparición del sol. Este viaje se
presenta como una migración de los ancestros del pueblo quiché a un emplazamiento que para algunos autores es un sitio real, concretamente la ciudad maya yucateca de Chichén Itzá (Florescano, 2006), mientras que
otros se inclinan por considerarlo más bien un concepto metafórico de un lugar de creación ubicado en el
otro mundo que aparece en las fuentes coloniales de las
Tierras Altas Mayas (Sachse y Christenson, 2005), o bien
un emplazamiento de Xibalbá (Rivera, 2006: 89-96, y
nota 87).

Casas Grandes o de linajes

En la parte del libro dedicada a explicar los orígenes del pueblo quiché vuelve a aparecer la misma idea de que el nacimiento de la civilización está íntimamente ligado a la aparición de la arquitectura y del espacio urbano organizado. Se introduce así el concepto de la Casa Grande, que ya no pertenece a la esfera del mito sino a la del mundo real. Esos edificios eran los palacios construidos con cal y canto que se encontraban bajo la autoridad de los linajes y en los cuales se celebraban banquetes, actos religiosos y otras reuniones de diversa índole, entre ellas las que sellaban los acuerdos matrimoniales, poniéndoles precio a sus hermanas e hijas:

> Y así se juntaban las tres Casas Grandes, como las llamaban, y bebían sus bebidas y comían también su comida, que era el precio de sus hermanas, el precio de sus hijas, y sus corazones se alegraban cuando lo hacían y comían y bebían entre las Casas Grandes (*Popol Vuh,* cap. 27).

En Gumarcaj había 24 linajes y por lo tanto 24 Casas Grandes. Estos linajes se agrupaban a su vez en otros cuatro linajes más poderosos, que en la época de la Conquista eran los Cavec, los Nihaib, los Zaquic y los Ahau Quiché: el primero y el segundo tenían nueve linajes, el tercero dos y los Ahau Quiché cuatro. Y así acaba el *Popol Vuh,* con la relación de los nombres y los títulos de los señores de las Casas Grandes, desde el principio de su descendencia.

6. Síntesis del contenido argumental

Preámbulo

En este corto preámbulo se realiza una presentación de los dioses creadores y se hace alusión a la existencia de un libro original que permanece oculto, concluyendo con una descripción de las acciones de los dioses, ligeramente influenciada por el pensamiento cristiano.

Primera parte

La primera parte comienza con uno de los capítulos más bellos del poema. En él se relata la creación del mundo por parte de un poder supremo o divinidad primordial geminada, Tepeu y Gucumatz, que representan la unión del cielo y el océano, y en esa unión residía también el Corazón del Cielo, la gran energía creadora, llamado Huracán. Haciendo uso de la palabra dispusieron la creación de la faz de la tierra y también de los animales, con el propósito de que estos últimos los adoraran. Pero de ellos no obtuvieron más que sonidos ininteligibles, de modo que los condenaron a que su carne fuera comida por el hombre.

Probaron a crear otros seres y optaron por hacerlos de barro, pero al ser blandos no se sostenían y, además, no tenían entendimiento; por eso les impuso; como castigo el que se deshicieran con el agua. Desilusionados, consultaron con la pareja de ancianos y adivinos, Ixpiyacoc e Ixmucané. Ellos crearon la generación de los hombres de palo, pero también fue una creación fallida ya que tampoco tenían entendimiento y no se acordaban de sus progenitores, razón por la cual fueron duramente castigados y aniquilados por un gran diluvio, y los descendientes de los que lograron sobrevivir fueron convertidos en monos.

A continuación se narra la historia de Vucub Caquix, el pájaro de fuego, un ser vanidoso que se creía el sol y que fue derrotado por los protagonistas de la primera mitad del *Popol Vuh,* los gemelos divinos Hunahpú e Ixbalanqué.

Esta primera parte concluye con el capítulo dedicado a los hijos de Vucub Caquix, Zipacná, el hacedor de las montañas, y Cabracán, el que las sacude, quienes también fueron vencidos por los astutos gemelos.

En definitiva, lo que se rememora en estos tres capítulos es la creación de tres humanidades fallidas y de su aniquilación. Vucub Caquix es el sol perteneciente a la tercera generación, y por eso fue abatido por la cerbatana que le lanzó Hunahpú, el sol que habría de alumbrar en la era siguiente, como más adelante se verá.

Segunda parte

El comienzo de la segunda parte está protagonizado por los padres de los gemelos divinos, Hun Hunahpú y Vucub Hunahpú. Ambos hermanos eran sabios y se dedicaban a jugar a la pelota; pero en una ocasión en que jugaban en el camino de Xibalbá molestaron con sus golpes a los jueces supremos, Hun Camé y Vucub Camé, residentes en el mundo inferior, quienes los mandaron llamar para que bajaran a jugar al país de abajo.

El descenso a Xibalbá de Hun Hunahpú y Vucub Hunahpú se describe de forma pormenorizada en las páginas siguientes. Ya en Xibalbá tuvieron que afrontar varias trampas y engaños hasta que fueron vencidos en la Casa Oscura. Los hermanos fueron entonces sacrificados y sepultados en el *Pucbal Chah,* pero antes le cortaron la cabeza a Hun Hunahpú y la colgaron en un árbol, un jícaro, que dio abundantes frutos inmediatamente después, confundiéndose la cabeza decapitada con una jícara. Los Señores de Xibalbá dieron la orden de que absolutamente nadie cogiese los frutos de dicho árbol. Pero una doncella escuchó la historia y se propuso ir a ver el prodigio.

Esa doncella era Ixquic, quien, desobedeciendo las advertencias de su padre, se acercó al árbol; la calavera le escupió en la mano, y le dijo que en esa saliva le había dado su señal y su descendencia. El hijo que nacería estaba destinado a ser el encargado de que no se extinguiera la generación de los hombres. También le ordenó la calavera a Ixquic que subiera a la superficie, asegurándole que no moriría. Al enterarse su padre del embarazo, y según lo acordado en el Consejo de los Señores, ordenó a los búhos mensajeros que la llevaran a sacrificar y que le trajeran el corazón de su propia hija en una copa, pero Ixquic logró conmover a sus verdugos y, en vez de su corazón, en la copa depositaron savia del árbol de la sangre que, al cuajarse, simuló la forma de ese órgano, y eso es lo que los búhos entregaron a sus señores.

Cuando Ixquic, embarazada y a punto de dar a luz a los gemelos Hunahpú e Ixbalanqué, entró en la casa de la abuela Ixmucané, ésta se encontraba con sus nietos Hun Batz y Hun Chouén. En un principio la anciana la echó de la casa, pero luego le propuso que fuera a buscar comida a la milpa. Ixquic partió de inmediato al campo pero al llegar sólo encontró una mata de maíz. Angustiada, invocó al guardián de las milpas y al poder de la fecundidad, y haciendo uso de la magia logró que la red se llenara de mazorcas, demostrando así su capacidad fecundadora. Ixmucané, después de comprobar este prodigio, le comunicó que ello era prueba suficiente de que era su nuera y que a partir de entonces vería sus obras y la de los hijos que pronto habrían de nacer, sabedora de que también eran hechiceros.

Los gemelos no nacieron en la casa sino en el monte. Allí los parió Ixquic, pero cuando los llevó a la casa, la vieja le dijo que mejor los arrojara fuera pues mucho le molestaban sus lloros. Por eso se criaron en las montañas, odiados por sus hermanos artistas y menospreciados por su abuela. Sólo se dedicaban a cazar pájaros con sus cerbatanas para alimento de sus parientes. Hartos de ellos, urdieron una trampa para deshacerse de sus ingratos hermanastros, transformándolos en monos.

Los astutos gemelos explicaron todo lo acontecido a su abuela, quien se mostró muy afligida por lo sucedido, pero ellos le aseguraron que traerían de vuelta a sus nietos para que viera sus rostros nuevamente con la condición de que no se riera de ellos. Ixmucané no pudo contener la risa al ver sus feos y divertidos semblantes, provocando que sus nietos, airados, se marcharan nuevamente. Cuatro fueron los intentos hechos por los gemelos para que los hermanastros volvieran a casa y se quedaran junto a su abuela, pero no fue posible, pues Ixmucané no paraba de reírse cada vez que los veía, hasta que desaparecieron para siempre en la espesura del bosque.

Tras deshacerse de sus hermanastros, los gemelos se enteraron de un gran secreto que su abuela no quería revelarles: el lugar donde se escondían los instrumentos de sus padres para jugar a la pelota. Ansiosos por encontrarlos, tramaron varios engaños a su madre y a su abuela, hasta lograr apoderarse de todo el equipo necesario pare el juego y fueron a esconderlo al camino que conducía al Juego de Pelota.

Concluye esta segunda parte con la llamada de los señores de Xibalbá a los gemelos para que bajaran a jugar a la pelota, molestos por el ruido que estaban haciendo. Antes de partir, acudieron a casa de su abuela para despedirse, cada uno plantó una caña en el interior de la casa y le manifestaron a su abuela que si se secaban sería el indicio de su muerte, pero si, por el contrario, las cañas brotaban, sería la señal de que estaban vivos.

Vemos así cómo esta segunda parte contiene los prolegómenos para dar inicio a la cuarta era, pero para ello era necesario suprimir el Xibalbá anterior, conocer lo que allí ocurría, cómo se produce el enfrentamiento con la muerte y de dónde surgen los responsables de la aparición del nuevo cosmos.

Tercera parte

Los gemelos recorrieron el mismo camino que sus padres para bajar a Xibalbá, pero a diferencia de ellos lograron sortear todos los peligros y vencer las trampas gracias a su astucia. Fueron muchas las pruebas que tuvieron que afrontar en el país de la penumbra, desde la Casa Oscura, pasando por la Casa de las Navajas y otras aventuras que lograron superar con éxito, dejando a los de Xibalbá asombrados y molestos por no haber logrado aniquilar a los gemelos.

Tampoco pudieron vencerlos en la Casa del Frío, ni en la de los Jaguares, ni en la del Fuego, pero en la de los Murciélagos sufrieron un duro revés, ya que el letal Camazotz le cortó a Hunahpú la cabeza, la cual fue sustituida por el caparazón de una tortuga, y la verdadera, colgada en el Juego de Pelota. Luego jugaron a la pelota; durante el juego Ixbalanqué logró apoderarse de la cabeza de su hermano, colocando en su lugar la tortuga que la había sustituido. Cuando acabaron de jugar, Ixbalanqué hizo caer la tortuga, que se estrelló en el patio en mil pedazos. Fue así como vencieron una vez más a los señores del mundo subterráneo.

Pero los gemelos estaban destinados a morir, inmolándose en la hoguera. No obstante, su muerte fue planificada por ellos mismos con el propósito de triunfar también sobre ella. En esta ocasión contaron con la ayuda de dos agoreros, Xulú y Pacam, quienes, una vez que los gemelos se arrojaran al fuego recomendaron a los de Xibalbá que molieran sus huesos y los arrojaran al río. Y allí, en el fondo del agua, se convirtieron en jóvenes hermosos.

Cambiando de semblante, al día siguiente se mostraron ante los de Xibalbá como dos ancianos pordioseros que bailaban y, además, obraban distintos prodigios. Cuando Hun Camé y Vucub Camé se enteraron, los mandaron llamar para que hicieran sus juegos ante ellos. Entusiasmados y llenos de alegría por el hecho de que fueran capaces de resucitar a los muertos, les pidieron que hicieran lo mismo con ellos, pero los gemelos ya no los devolvieron a la vida, y así, mediante prodigios y por su transformación, lograron aniquilar a todos los señores del reino de las tinieblas.

Finaliza la tercera parte con la declaración de los gemelos de que son los vengadores de los dolores y sufrimientos que los de Xibalbá infligieron a sus padres y que por ello sería rebajada la condición de su sangre, comenzando así la destrucción de ese Xibalbá correspondiente a la tercera generación. Por el contrario, en la superficie terrestre la abuela contempla cómo brotan las cañas. Los gemelos abandonan el mundo subterráneo no sin antes ensalzar la memoria de sus padres, cuyos cuerpos dejaron en el Juego de Pelota. Luego subieron y se elevaron al cielo, convirtiéndose uno en el sol y otro en la luna.

De esta tercera parte puede deducirse que la historia de los gemelos equivale a la historia de la creación del tiempo que conduce a la inauguración de la cuarta era, es decir, la de la formación de los astros y de los hombres verdaderos.

Cuarta parte

El capítulo 17 es el que inicia esta última parte del *Popol Vuh* y el que sirve de conexión, como decíamos, entre el primer bloque, dedicado a la renovación del cosmos, y el segundo, que contiene la historia y orígenes del pueblo quiché. Es también otro de los capítulos más bellos e importantes del relato ya que en él se narra la creación de la generación de los hombres verdaderos, los hombres de maíz, que es la que corresponde a la era actual. Ixmucané fue la encargada de preparar la masa de maíz, alimento del cual provienen la fuerza y el vigor, y con el que crearon los dioses los músculos y la carne del hombre, pues «únicamente masa de maíz entró en la carne de nuestros padres, los cuatro hombres que fueron creados», dice el relato.

Los nombres de los primeros hombres creados fueron: Balam Quitzé, Balam Acab, Mahucutah e Iqui Balam. Eran sabios e inteligentes, pero a sus progenitores, los dioses, no les pareció bien que tuvieran tanto entendimiento y decidieron restringir sus facultades echándoles un vaho en los ojos para que sólo pudieran ver lo que estaba cerca. Crearon también a sus esposas, cuatro hermosas mujeres que llegaron durante el sueño. Las cuatro parejas engendraron más seres, dando origen al pueblo quiché. También se propagaron y multiplicaron en otras regiones, en Oriente, dando lugar a distintas naciones o grupos étnicos. Estos hombres andaban errantes y esperaban impacientes el nacimiento del sol que habría de alumbrar sus pasos.

Cansados de esperar la aparición del sol, los cuatro primeros hombres decidieron ir en busca de alguna señal, y fue así como llegaron a Tulán. Muchísimos fueron los hombres que llegaron a esta ciudad, y allí recibieron a sus dioses. El primero de ellos fue Tohil, el dios de los Quiché, y luego aparecieron Avilix, Hacavitx y Nicahtacah. Llegaron también otros pueblos, los de Rabinal, los cakchiqueles, los de Tziquinahá y los llamados yaquis. Pero cuenta el relato que allí fue donde se alteraron sus lenguas, y donde también se separaron, yendo algunos al Oriente y otros hacia otra dirección.

Como no tenían fuego, el dios Tohil lo creó para ellos, y tras un largo episodio en el que varias veces se produce la pérdida y la recuperación de este elemento por parte de los quichés, se relata cómo las otras tribus, cabizbajas, se acercaron a éstos a pedírselo prestado pues se morían de frío. Pero a los padres fundadores no les pareció bien, y de Xibalbá se presentó un mensajero murciélago que les dijo a los cuatro primeros hombres que no le dieran el fuego a las tribus hasta que éstas no hicieran ofrendas a Tohil. Fue así como las tribus aceptaron adorar a Tohil y también atender su exigencia de que se le entregaran víctimas para el sacrificio humano.

Después de someter las tribus grandes y pequeñas, los quichés abandonaron Oriente por indicación de Tohil, no sin antes realizar derramamientos de sangre, perforándose las orejas y punzándose los codos. Emprendieron así camino hacia las tierras de los altos, pasando muchas vicisitudes y penurias, mientras seguían esperando el amanecer, hasta que finalmente brilló la aurora.

Después de alzarse el sol, los dioses Tohil, Avilix y Hacavitz se convirtieron en piedras. En la montaña se multiplicaron y ésta se convirtió en ciudad. Pero se lamentaban por haberse separado de los yaquis, a quienes les amaneció en el país que hoy llaman México. También declararon que el dios Tohil es el mismo que Yocualt Quitzalcuat, el dios de los yaquis, es decir, la Serpiente Emplumada. A continuación se relata cómo se instituye la ofrenda de derramamiento de sangre en las bocas de sus dioses metamorfoseados en piedras, quienes, después de beberla, hablaban a los sacerdotes y a los sacrificadores, y las divinidades se regocijaban con tanta ofrenda de sangre.

Continúa el relato describiendo de qué manera comenzó el secuestro de los hombres de las tribus por parte de los primeros padres de los quichés, tras lo cual los llevaban a sacrificar ante sus dioses petrificados. Las tribus, alarmadas, decidieron ir en busca de esos dioses. Aunque Tohil, Avilix y Hacavitz eran piedras, adoptaban la apariencia de muchachos y se manifestaban en el río donde iban a bañarse, llamado Baño Tohil. Propusieron entonces los de las tribus localizarlos en el río y vencerlos allí, ofreciéndoles dos hermosísimas mujeres blancas, de modo que cuando las vieran les entraran ganas de poseerlas. Las dos bellas doncellas escogidas para ir al río y seducir a los dioses fueron Ixtah e Ixpuch, quienes recibieron detalladas instrucciones de cómo debían actuar y de que tenían que traer una prenda de los dioses como prueba de que habían ido hacia ellas. Pero los dioses urdieron una trampa y lograron burlar a los jefes de las tribus. Entonces decidieron armarse todos los pueblos con flechas y escudos e ir en busca del dios y de los padres fundadores. Pero una vez más fueron derrotados. Mientras tanto, los cuatro primeros padres construyeron una muralla rodeando la ciudad, fortificándola con empalizadas y troncos. Tras un encarnizado enfrentamiento sólo una pequeña parte del ejército atacante sobrevivió. Así fue como se rindieron todas las tribus, humillándose ante los quichés e implorándoles que no los mataran y convirtiéndose en vasallos de ellos de por vida. Después de esto descansaron los corazones de Balam Quitzé, Balam Acab, Mahucutah e Iqui Balam, cuya hora de la muerte se estaba acercando.

Su fallecimiento se relata a continuación. Tras despedirse de sus hijos y esposas, Balam Quitzé les entregó la señal de su existencia: el Pizom-Gagal, un bulto sagrado. Desaparecieron en la cima del monte Hacavitz; allí dejaron a sus hijos, y los pueblos sometidos se dedicaron a servirlos diariamente. Así se termina la historia de los cuatro varones fundadores que vinieron del otro lado del mar, de donde nace el sol.

Luego, sus descendientes, Qocaib, Qoacuec y Qoahau, dispusieron irse al Oriente, de donde procedían sus padres. Allí llegaron ante el Señor Nacxit, que así se llamaba el gran jefe de todos los reinos, quien los invistió como reyes, entregándoles las insignias de la realeza. Los viajeros trajeron también de Oriente el arte de pintar y de escribir. Y todos en Hacavitz se alegraron cuando regresaron y se ocuparon nuevamente del gobierno de las tribus. Pasaron los años y finalmente sus descendientes se establecieron en Izmachí.

Allí construyeron edificios de cal y canto bajo la cuarta generación de reyes. En un principio sólo había tres Casas Grandes: la de los Cavec, la de los Nihaib y la de los Ahau Quiché. Vivieron un tiempo de paz y felicidad, bajo el reinado del rey Cotuhá. Los miembros de las tres Casas se reunían para celebrar festines y grandes banquetes con motivo de la pedida de mano de sus hijas y hermanas, sintiendo un gran regocijo cuando lo hacían. Tiempo después abandonaron Izmachí y se marcharon a

Gumarcah; era ésa ya la quinta generación de hombres. Construyeron hermosas casas allí y el templo del dios en lo alto de la ciudad. Pero pronto surgieron desavenencias entre las familias y se dividieron en nueve clanes, lo que dio lugar al establecimiento de veinticuatro Casas Grandes en vez de sólo tres.

El poder y la majestad del pueblo quiché fueron creciendo al tiempo que sus descendientes se multiplicaban, y sus señores se hicieron poderosos, el rey Gucumatz y el rey Cotuhá. El primero era un rey hechicero y su naturaleza era maravillosa. El principio de la grandeza del Quiché se produce cuando este rey dio muestras de su poder, y su imagen no se perdió en la memoria de su progenie.

Los reyes de la sexta generación eran también de naturaleza portentosa e hicieron grandes cosas por el Quiché. Quicab destruyó y conquistó la patria de los cakchiqueles y su capital Iximché, Rabinal y Zaculeu, asegurándose el tributo de todos los pueblos y fundando colonias en los lugares conquistados.

En el penúltimo capítulo del libro se menciona el nombre de los templos dedicados a los diferentes dioses y también el *Popol Vuh,* como un Libro del Tiempo consultado por estos reyes dotados de poderes extraordinarios para ejercer la magia. Se explica a continuación cómo eran los grandes ayunos que practicaban, las ofrendas que hacían a sus dioses y otras mortificaciones, así como también cuáles eran las plegarias que elevaban a sus dioses y también se enuncian cuáles eran los beneficios que obtenían de los pueblos que conquistaban.

Concluye el libro con la enumeración de las generaciones de todos los señores y reinados que nacieron de sus primeros padres hasta don Juan de Rojas y don Juan Cortés, lamentándose los autores de que ya no queda nada de esa grandeza, de que todo se acabó y de que el libro que antiguamente tenían los reyes ha desaparecido.

7. La vasija perforada de Ixmucané o la consideración de la mujer en el *Popol Vuh*

Sin lugar a dudas, uno de los personajes más fascinantes del *Popol Vuh* es Ixmucané, ya que a través de su estudio se pueden deducir algunos de los cambios más significativos acaecidos a lo largo del tiempo en la estructura social del pueblo maya-quiché y que se reflejan en la paulatina pérdida de poder que, según este relato, experimenta la abuela de los gemelos divinos. Estudios de este tipo son fruto de la aplicación de un enfoque de género destinado a hacer visible el papel que desempeñaron las mujeres en su sociedad desde una mirada diferente al tradicional punto de vista androcéntrico, que por lo general no ha hecho más que enfatizar los aspectos negativos atribuidos a los personajes femeninos en los relatos mitológicos, disimular su protagonismo en ciertos acontecimientos políticos y religiosos relevantes de la cultura a la que pertenecen o exaltar los logros del género masculino frente a la asumida sumisión de las mujeres.

Esta visión anclada en paradigmas de naturaleza patriarcal ha logrado convertirse en un valor universal presente en todas las civilizaciones, y muy especialmente en la maya; de ahí que trabajos como los de Dora L. Cobián (1999) centrados en abordar cuestiones de género en el

Popol Vuh constituyan un interesante punto de partida a la hora de interpretar con mayor profundidad y rigor científico algunos de los episodios y personajes más destacados del relato.

En este sentido, interesa que nos detengamos en la figura de Ixmucané, entre otras cosas porque es el personaje femenino que con más frecuencia aparece en el libro, lo que nos permite rastrear mejor cuál fue su papel en los diferentes estadios de la creación cósmica. Comprobamos así que su actuación fue crucial en todo el proceso de creación del universo y del hombre, razón por la cual es invocada al inicio del poema por los dioses formadores junto a su pareja Ixpiyacoc en calidad de abuelos, es decir, como ancestros de los mismos dioses creadores y formadores. Entre los apelativos que le conceden está el de «antigua ocultadora» y «abuela del sol y de la luna», anticipando así el relato la conversión de sus nietos, los futuros gemelos divinos, en los principales astros del firmamento, al tiempo que se enfatiza su condición de fuerza divina primordial, portadora de la suerte de los hombres. Ambos ancianos echaron las suertes y anunciaron que los hombres de la tercera generación, los hombres de palo, saldrían buenos y hablarían, lo cual fue cierto, aunque como ya sabemos no convencieron a los dioses creadores pues carecían de entendimiento. Luego, y durante ese tiempo de penumbra, en que aún no habían sido creados los hombres verdaderos y el sol todavía no se había manifestado, la pareja engendró a los padres de los gemelos divinos. Esa es la última vez que se menciona a Ixpiyacoc, cuyo papel en este episodio queda relegado al de únicamente «inseminador» (Cobián, 1999: 42).

Al desaparecer Ixpiyacoc, Ixmucané se queda sola al mando de la casa donde habita con sus hijos sabios (Hun Hunahpú y Vucub Hunahpú), su nuera (Ixbaquiyalo) y sus nietos artistas (Hun Batz y Hun Chouén). Esa casa está en la superficie terrestre, de modo que su papel de jefa del hogar representa la alta consideración que en esa etapa ostentó la mujer con respecto al hombre. Por otro lado, vemos que es una casa donde predomina el ambiente «intelectual» y la vida ociosa (los hermanos sólo se dedicaban a jugar a los choreques y a la pelota todos los días) en detrimento del trabajo agrícola, pues cuando tras la muerte de sus hijos irrumpe en el hogar la joven Ixquic e Ixmucané la envía a la milpa con una red para buscar alimento, lo que aquélla encuentra no es más que una mata de maíz; «no había dos, ni tres, y viendo que sólo había una mata con su espiga, se llenó de angustia el corazón de la muchacha» *(Popol Vuh,* cap. 7).

Pero Ixquic procede de Xibalbá, donde se encuentra la sabiduría, y tiene poderes, así que invoca al guardián de la milpa y a tres fuerzas femeninas de la naturaleza (Ixtoh-lluvia, Ixcanil-maíz maduro e Ixcacau-cacao), y de inmediato su red se llena de mazorcas, para gran sorpresa de su suegra Ixmucané.

¿Cómo interpretar estos acontecimientos? Por un lado, el hecho de que Ixmucané sea la matriarca de una familia de sabios y artistas vendría a reafirmar la hipótesis que planteamos en un trabajo anterior de que esta divinidad, conocida en los textos tardíos con los nombres de Chak Chel e Ixchel, era la patrona no sólo del tejido sino también del arcoíris y del pincel, o, lo que es lo mismo, de la pintura y la escritura, junto con el dios Itzamná

(Vidal, 2005: 177), titularidades que habría asumido durante este período inmediatamente anterior a la aparición del sol de la cuarta generación.

Sin embargo, la llegada de Ixquic, embarazada de los gemelos divinos, supone un drástico cambio en la estructura del hogar, un cambio íntimamente ligado a la pérdida de poder por parte de Ixmucané: los hijos de Ixquic serán cazadores, se desharán de sus hermanos artistas y darán órdenes a su madre y a su abuela. La casa de Ixmucané se convierte entonces en un hogar más ligado a una sociedad agraria y de predominio masculino donde ambas mujeres se ocupan de las tradicionales tareas domésticas, como es la preparación de comida para los hombres que van al campo a trabajar. Muy diferente a ese ambiente que hemos llamado «intelectual» y que simbolizaría el proceso de descubrimiento de los secretos del mundo civilizado, entre ellos el de la escritura y el del arte, en el que aparentemente la anciana tuvo un papel relevante.

Ixmucané tiene la opción de volver a recuperar a sus nietos artistas pero la condición que le imponen sus otros nietos es que no se ría de ellos cuando los vea aparecer convertidos en monos. ¿Por qué entonces no puede aguantar la risa? Hasta cuatro veces lo intenta, pero no lo logra (Rivera, 2014). ¿Tanto poder ha perdido o es que ya ha asumido la llegada de ese nuevo modelo de organización de la sociedad que conduce al debilitamiento de la institución del matriarcado y a la introducción de métodos más eficaces para el cultivo masivo del maíz, que ella es ya incapaz de controlar y que acabará en manos de los hombres? Según Cobián (1999: 46), ese cambio también se refleja en la terminología, pues a partir de entonces de «anciana» pasa a llamarse «vieja», en una clara alusión a que los conceptos de edad y sabiduría ya no están tan valorados como los de juventud y fertilidad, que son los principios que encarna Ixquic. Quizás, la imagen de Ixmucané en el río, frustrada e incapaz de contener el agua en su cántaro debido a las perforaciones que le hizo el mosquito Xan, represente precisamente eso: la paulatina pérdida del poder fecundador y de conocimiento que hasta entonces ostentaba la diosa, un poder y un conocimiento que pertenecían a un mundo que está a punto de ser aniquilado por sus nietos, para dar paso a una nueva era y, en definitiva, a un nuevo orden político, social y económico.

Por supuesto, no quiere decir esto que Ixmucané desaparezca de la escena; es más, volverá a ser convocada –sólo ella– por los dioses creadores para preparar, nada más ni nada menos, la masa de maíz con la que fueron modelados los hombres verdaderos. Ahora bien, su participación en los acontecimientos de la nueva era será cada vez menor, pasando a ocupar un papel menos mundano y más vinculado con el ámbito celestial, concretamente con la lluvia, junto con sus dos nietos convertidos en sol y luna. Seguirá siendo la Gran Madre, pero un nuevo dios, Tohil, será el que, según el *Popol Vuh,* enseñe a los nuevos hombres los secretos del mundo civilizado, entre ellos, el descubrimiento del fuego.

En cuanto a Ixquic, es interesante destacar su papel de transgresora, en una sociedad que, según se desprende del relato, castiga la «inmoralidad» de la mujer tanto en el mundo subterráneo como en el terrenal, lo que también implica un descenso del estatus del género femenino. Pero curiosamente, los autores del *Popol Vuh,* en vez de ensañarse con la actitud de esta muchacha y tildarla de deshonesta, lo que hacen es exaltar su condición de madre de los gemelos divinos, y nos ofrecen la imagen de una mujer valiente capaz de enfrentarse a la muerte, de convencer a sus verdugos y de afrontar nuevos retos. Este personaje simboliza, entonces, la aparición de una nueva líder femenina, una mujer joven, con energía (no en vano su nombre significa Señora Sangre), con nuevas ideas, pues su red llena de mazorcas puede interpretarse como la demostración de su capacidad fecundadora, necesaria para afrontar una nueva etapa de desarrollo económico que exige el incremento de la producción alimenticia y la introducción de nuevos cultivos.

Ixquic estaría, por tanto, dispuesta a asumir la sucesión del matriarcado imperante en la tierra encabezado por Ixmucané, aunque, como ya se ha visto, sus planes se vieron frustrados y, al topar con su «techo de cristal», la dirección del matriarcado acabó en manos de los hombres, sus hijos. Ellos fueron los que supieron aprovecharse de ese nuevo conocimiento que aporta Ixquic y que obtuvo de Xibalbá, como es la introducción de nuevos sistemas de producción susceptibles de alimentar a una población cada vez mayor, la diversificación de los cultivos y el empleo de una tecnología más moderna y herramientas de labranza más eficaces para la preparación y siembra de la tierra. Las siguientes líneas constituyen un epítome de todo ello:

–Vamos a sembrar la milpa, abuela y madre nuestra –dijeron–. No os aflijáis, aquí estamos nosotros, vuestros nietos; nosotros los que estamos en lugar de nuestros hermanos –dijeron Hunahpú e Ixbalanqué.

En seguida tomaron sus hachas, sus palos plantadores y sus azadas de madera y se fueron, llevando cada uno su cerbatana al hombro. Al salir de la casa le encargaron a su abuela que les llevara la comida *(Popol Vuh,* cap. 9).

A partir de la creación de la cuarta era, la de los hombres verdaderos y del nuevo sol, los personajes femeninos que aparecen en el poema adquieren todos un papel secundario. Son mujeres que se mantienen en el anonimato, sumisas y convertidas en meros objetos al servicio de sus padres o esposos, o simplemente se las menciona como meros agentes reproductores. Obviamente esta situación ya venía anunciándose en los episodios anteriores, donde la paulatina transformación de una sociedad matriarcal en otra patriarcal y de predominio masculino, que exalta los valores de la guerra y la conquista, conduce inexorablemente al imparable descenso de la mujer en la escala social.

Para ilustrar esa situación fijémonos en dos de esos personajes: Ixtah (la deseable) e Ixpuch (la agradable). Ya sus propios nombres indican su condición de muchachas bellísimas y encantadoras –blancas y jóvenes, dice el poema–, quienes fueron enviadas por sus propios padres a una deshonesta misión en un intento de vencer a los dioses Tohil, Avilix y Hacavitz en la guerra que mantenían contra el linaje Cavec. La estrategia que idearon los de las tribus enemigas de los Cavec fue la de enviar a estas jóvenes vírgenes al

Baño de Tohil, donde habrían de encontrar a esos dioses convertidos en muchachos, dando por hecho que les entrarían ganas de poseerlas:

–Partid, hijas nuestras, idos a lavar la ropa al río, y si viereis a los tres muchachos, desnudaos ante ellos, y si sus corazones desean poseeros, ¡llamadlos! Si os dijeren: «¿Podemos llegar a vuestro lado?». «Sí», les responderéis. Y cuando os pregunten: «¿De dónde venís, de quién sois hijas?», contestaréis: «Somos hijas de jefes». Luego les diréis: «Dadnos una prenda vuestra». Y si después que os hayan dado alguna cosa los tres jóvenes desean vuestros rostros, entregaos de veras a ellos. Y si no os entregáis, os mataremos... *(Popol Vuh,* cap. 24).

Observamos así que las doncellas no sólo tenían el cometido de ocuparse de las labores domésticas, como lavar la ropa en el río, sino que también estaban a merced del mandato de sus padres, aunque ese mandato incluyera acciones tan denigrantes como la de verse obligadas a entregarse a los de las tribus enemigas. Por otro lado, este episodio resulta especialmente dramático ya que como acabamos de ver el padre de Ixquic había ordenado su muerte por haber cometido, según él, un acto deshonesto, mientras que los padres de Ixtah e Ixpuch amenazan con matarlas si justamente no hacen lo contrario: seducir y fornicar con unos desconocidos, lo que deja traslucir la existencia de una sociedad hipócrita que sitúa a la mujer en el escalón más bajo de la escala social.

Algo parecido ocurre en el episodio dedicado a Izmachí y Gumarcah (cap. 27) en el que se expone cómo las mujeres eran objeto de transacciones comerciales durante los festines y grandes banquetes celebrados en las Casas Grandes, siendo el contravalor que se fijaba por ellas la comida y la bebida.

Otro ejemplo revelador de que la mujer perteneciente a la generación de los hombres de maíz queda totalmente relegada a un segundo plano es el hecho de que en esta última parte del relato no aparece ningún nombre femenino asociado a algún puesto de responsabilidad o de reconocimiento por parte del grupo al que pertenece, convirtiéndose en víctimas de un sistema patriarcal, en el que su papel será el de colaborar en las tareas que ordenen los hombres pero sin capacidad para tomar decisiones. Esto se pone de manifiesto desde el capítulo dedicado a la creación de los hombres verdaderos que inaugura esta última parte, pues primero se crean cuatro seres varones y más tarde los dioses deciden hacer a las mujeres. Los varones eran «... hombres buenos y hermosos, varoniles sus rostros y sus presencias. Fueron dotados de inteligencia...», mientras que de ellas sólo se dice que:

Llegaron durante el sueño, verdaderamente hermosas, sus mujeres, al lado de Balam Quitzé, Balam Acab, Mahucutah e Iqui Balam. Allí estaban sus mujeres cuando despertaron, y al instante se llenaron de alegría sus corazones (*Popol Vuh*, cap. 18),

es decir, su única importancia radica en su físico y en que estaban listas para yacer junto a sus esposos con el fin de engendrar a las generaciones venideras.

En definitiva, de todo lo expuesto se desprende que la intención, consciente o no, de los autores del *Popol Vuh* fue la de dejar testimonio de que la mujer, simbolizada en la figura de Ixmucané, la Gran Madre, gozó de un estatus igual, e incluso superior en algunos casos, al del hombre en los estadios más antiguos de la creación cósmica, tanto por su poder fecundador como por ser dueña de los secretos que rigen el cosmos y el destino de los hombres. Esa etapa coincidiría en el mundo real con la del origen del mundo civilizado, lo que implica el descubrimiento de la agricultura, de las artes, de la escritura y el nacimiento de la arquitectura, es decir, el paso de un mundo salvaje y desordenado a otro regido por las leyes del orden. Pero Ixmucané fue incapaz de asumir los cambios impuestos por la transformación de la sociedad y en un acto de manifiesta insolidaridad femenina impidió que otra mujer, joven y valiente, con ideas nuevas y un gran poder fecundador, asumiera el matriarcado. Como consecuencia de ello éste pasó a manos de los hombres, y desde entonces el estatus de la mujer maya descendió en picado.

8. El *Popol Vuh* y el arte

Los mayas antiguos plasmaron gran parte de su universo mitológico en excepcionales obras de arte, las cuales suelen incluir también menciones epigráficas que nos ayudan a comprender mejor el significado de las imágenes, sobre todo teniendo en cuenta que en las últimas décadas el desciframiento de la escritura jeroglífica maya ha conocido un notable avance. Por otro lado, ya hemos visto en un apartado anterior cómo los cronistas insisten en el hecho de que los indígenas aprendían desde jóvenes y de memoria «a recitar las arengas más notables de sus antepasados y los cantos de sus poetas», y que todo ello se enseñaba en las escuelas junto a los templos. Si tenemos en cuenta ambas circunstancias, no sería descabellado pensar que los episodios contenidos en el *Popol Vuh* fueron representados de forma explícita en los diferentes soportes artísticos propios del arte maya, entre los que destacan los códices, los relieves escultóricos, la pintura mural, las figurillas y las delicadas escenas que pintaron o grabaron en las superficies de las vasijas cerámicas. Es decir, ambas manifestaciones –la palabra escrita y la imagen– discurrirían por un mismo cauce que permitiría fijar más intensamente en la memoria los contenidos que se pretendía transmitir de generación en generación.

Sin embargo, esto no es así, o al menos aún no ha aparecido un cuerpo articulado de imágenes de época antigua coincidente con la fijación por escrito del *Popol Vuh,* como sí existe, por ejemplo, en el mundo grecorromano, en el que se produjo la confluencia de la fijación de la poesía épica y el deseo de representación de su contenido (véase García Mahíques, 2009: 75 y ss.). Lo que sí abunda en el caso maya es una gran cantidad de imágenes en las que se han querido ver detalles de algunos episodios de este libro sagrado o bien de sus personajes principales, pero sin que podamos hablar de la existencia de una narración icónica o visual que contenga todo el ciclo mitológico.

Comencemos por ver cuáles son esos personajes del *Popol Vuh* más fácilmente reconocibles en el arte maya.

De los primeros que aparecen en el relato, ya hemos dicho que Huracán, una de las fuerzas divinas creadoras y formadoras, se ha asociado al dios K'awiil (dios K) de los mayas del Clásico, una divinidad que se representa en ese período con un espejo en la frente, del que emerge una antorcha o hacha humeante, y una pierna de serpiente. La mayoría de las veces aparece con forma de cetro-maniquí o bastón de mando, un emblema de poder que sujetan en sus manos los poderosos gobernantes mayas que fueron retratados con todo su esplendor en estelas, paneles, dinteles y otros soportes artísticos. Huracán/K'awiil representa la fuerza del rayo, instrumento que posee la capacidad de fracturar, quebrar y liberar todo lo que permanece oculto en la tierra, proceso íntimamente ligado a la creación y al ciclo reproductivo de la vida.

Otra de las fuerzas divinas relacionadas con la creación es la figura de Ixmucané, un personaje al cual ya nos hemos referido en varias ocasiones en anteriores epígrafes. Decíamos que está asociada a la diosa lunar Chak Chel/Ixchel de los textos tardíos, y podemos verla representada en repetidas ocasiones en los *Códices de Dresde y de Madrid,* identificada en esos casos como la diosa O. El aspecto que presenta es el de una mujer anciana, con garras de jaguar y, por lo general, con una serpiente anudada sobre su cabeza, animales estrechamente vinculados al mundo terrenal. Esta apariencia bastante aterradora simboliza su condición de diosa de la fertilidad, capaz de extraer del interior de la tierra la materia prima con la que se formarán los hombres y que según nos relata el *Popol Vuh* es el maíz. Para que la semilla del maíz germine hace falta que la tierra sea fecundada con el agua; de ahí que esta diosa cumpla un importante papel en todo el proceso relacionado con la lluvia. Pero las lluvias también pueden ser destructivas, pues recordemos que la extinción de la tercera generación de hombres se produjo debido a un gran diluvio enviado por los dioses. Escenas de la gran inundación también las encontramos en ambos códices, y en ellas vemos a nuestra diosa como una de las protagonistas, junto con los dioses Itzamná y Chaak, sujetando un cántaro boca abajo del que caen abundantes chorros de agua (página 30a del *Códice de Madrid* y página 74 del *Códice de Dresde).* Sin embargo, en otras páginas de dichos códices vuelve a aparecer con el cántaro invertido derramando agua pero aparentemente en una actitud fecundadora de la tierra, es decir, al igual que otras divinidades mayas, sus funciones son ambivalentes: puede ocasionar lluvias fertilizadoras pero también diluvios, pues junto con los dioses del rayo (K'awiil y Chaak) controla y regula los ciclos acuáticos del universo (Cruz, 2005: 64; Vidal, 2005: 177; Rivera, 1989).

Seguramente, los mayas antiguos celebraban rituales de invocación de la lluvia, utilizando para ello grandes ollas parecidas al cántaro de Ixmucané. Ejemplo de ello es el hallazgo que hemos realizado recientemente en las excavaciones arqueológicas de La Blanca (Guatemala) de una serie de ollas colocadas boca abajo a la altura del arranque de la bóveda de los palacios de la Acrópolis (Vidal y Muñoz, 2013). Estas vasijas pertenecen al período Postclásico, una época en la que los edificios de La Blanca ya habían sido abandonados y se encontraban semiderruidos, pero aun así seguían siendo visitados por estos esporádicos ocupantes, quienes al colocar estos recipientes boca abajo a la altura de la bóveda estarían recreando el episodio mítico en el que la diosa O vierte el agua de su cántaro desde lo alto del cielo, simbolizado en nuestro caso por la bóveda maya.

En otras ocasiones, la diosa O aparece tejiendo con un telar de cintura o con un huso e hilo de algodón sobre su cabeza, aludiendo en estos casos a su condición de diosa del tejido, pues al ser portadora de la suerte de los hombres es ella la que teje su destino. Es más, hay quien ha querido ver en el proceso del almidonado de los hilos de algodón, sumergiéndolos en atole de maíz para endurecerlos y luego creando con ellos la urdimbre, una recreación simbólica de la formación de los huesos del feto en el útero materno. Y, de hecho, el huso en torno al cual se enrollan las fibras de algodón con el que aparece en las diferentes representaciones no es siempre del mismo tamaño, ya que, se piensa, éste simboliza el desarrollo de la matriz fertilizada (Taube, 1994: 662).

Si es tejedora es que sabe combinar con maestría los colores, no en vano también se la conoce como la diosa del arcoíris que aparece después de la lluvia. Este hecho nos induce a pensar que esta divinidad pudo ser patrona de las mujeres pintoras-escribas (Vidal, 2005: 177), un conocimiento que Ixmucané debió de poseer y transmitir a sus hijos y nietos artistas cuando gobernaba en su casa de la superficie terrestre antes de que llegara Ixquic embarazada de los gemelos divinos.

Como diosa de los nacimientos la vemos en su papel de partera en algunas vasijas polícromas, especialmente en la llamada vasija del alumbramiento, clasificada en el

Mayavase database (www.mayavase.com) con las siglas K5113 y que fue minuciosamente estudiada por Karl Taube (1994). Se trata de un recipiente singular, ya que tiene la forma de un vaso alto pero con las cuatro caras planas enmarcadas por delgadas franjas rojas. Es muy posible que este vaso haya tenido una tapadera con los cuatro lados inclinados, simbolizando según Taube la primigenia casa techada, el lugar esencial del nacimiento maya (1994: 652), y que en el *Popol Vuh* sería la casa de Ixmucané. Por ello, en las escenas pintadas en este vaso hay representaciones de la diosa O. Se distingue fácilmente pues se presenta como una mujer anciana, con el rostro arrugado, los pechos largos y caídos, un huso con hilos de algodón y serpientes entrelazadas sobre su cabeza, oreja y garras de jaguar, y un ojo con tres manchitas de este mismo animal. La vieja diosa participa en las tareas de ayudar en el alumbramiento de la parturienta, en el baño del recién nacido, en la asignación de su *way* y seguramente también en la ceremonia *k'ex,* término que en lengua quiché significa «sustituto», «intercambio». Este ritual consistía en hacer ofrendas en el interior del terreno ya que a cambio de un nacimiento se debía depositar un tributo para apaciguar al Señor de la Tierra. En los códices, este tipo de ofrenda aparece como la entrega de una víctima de sacrificio humana, pero el término no *k'ex* hace pensar que en vez de ello se entregaban «sustitutos» tales como copal, tamales o animales (Taube, 1994: 669-673). En el *Popol Vuh* hay un ejemplo muy explícito de ello: la savia del árbol de la sangre, que los búhos entregan a los Señores de la Muerte en vez del corazón de Ixquic.

Este tipo de ceremonia aún se sigue practicando en la actualidad en algunas regiones del área maya cuando se construye una vivienda nueva, lo cual ha sido documentado por diversos especialistas desde hace décadas (Redfield y Villa Rojas, 1934: 146-147; Vogt, 1976, 1998). En Yucatán, por ejemplo, el ritual consiste en colocar ofrendas en cada una de las cuatro esquinas de la casa, junto a los cuatro postes *(okom)* que simulan los cuatro *Pauahtunes* sustentadores del cielo, y otra en el centro de la misma, estableciendo así el sagrado patrón del quincunce (Carrasco y Hull, 2002: 30), tradición que se remonta a las épocas más tempranas de la civilización maya tal como hemos podido comprobar en las excavaciones que hemos llevado a cabo en el sitio preclásico de Chocolá, en el sur de las Tierras Altas Mayas, donde encontramos un depósito de ofrendas dispuestas según ese patrón (Valdés y Vidal, 2005). En otras zonas lo que se hace es establecer el centro tanto de la cubierta como del piso, colgando una cuerda del techo y realizando un orificio en el suelo, a modo de *axis mundi*. En el extremo de la cuerda se ata un pollo decapitado cuya sangre cae al interior del agujero, drenando así el interior de la tierra. Si nos fijamos en la primera cara de la vasija del alumbramiento (K5113), vemos cómo la joven que está de pie pariendo asistida por la diosa O se sujeta a una cuerda que cuelga de la parte superior, mientras que sus pies se apoyan en la mandíbula descarnada del monstruo de la tierra. En este caso, se supone que es la sangre del parto la que habría de caer al interior del terreno, alimentando así a los poderes telúricos. Esta escena habría encontrado su paralelo en el *Popol Vuh* si Ixmucané hubiera accedido a asistir el parto de Ixquic, cosa que como ya sabemos no sucedió.

Vucub Caquix (Siete Guacamaya), el pájaro vanidoso identificado con el tenue sol de la tercera creación, es otro de los personajes del *Popol Vuh* que aparece en ocasiones en el arte maya. Una de las imágenes más célebres relacionada con él es la que fue plasmada en la mitad superior del llamado plato Blom (K3638), conservado actualmente en el Museo Maya de Cancún (México) y que formaba parte del ajuar funerario de un Gran Joven Príncipe *(Ch'ak Ch'ok Kelem),* según se desprende de la inscripción jeroglífica que acompaña la escena. Vucub Caquix se muestra en el centro de la composición con el pecho hinchado, las alas desplegadas, una cola de largas plumas, un tocado con forma de esqueleto de pájaro y cubierto por joyas preciosas. Está posado sobre una serpiente bicéfala que tiene encima otra más pequeña. Ambas exhiben las fauces abiertas y en su centro se aprecia una cabeza, con un ostentoso tocado, cuyo rostro se asemeja al de nuestro personaje y, al mismo tiempo, recuerda el aspecto que posee la divinidad solar del Clásico maya. Flanquean la escena dos personajes masculinos disparando cerbatanas; sus cuerpos tienen manchas negras y el cabello sujeto con cintas de tela blanca. Estos individuos han sido identificados como los dioses con Diadema, quienes para algunos autores no hay duda alguna de que son los héroes gemelos del *Popol Vuh* (Coe, 1989: 168), mientras que otros prefieren designarlos como los dioses S y CH de la clasificación de Taube (Chinchilla, 2011: 101). Recordemos que Vucub Caquix fue abatido por el disparo que le lanzó en la mandíbula

Hunahpú, de modo que esta escena podría estar rememorando ese episodio del *Popol Vuh,* de crucial importancia para preparar el advenimiento de la nueva era y la aparición de un nuevo sol. En este sentido, las serpientes bicéfalas evocarían la bóveda celeste iluminada por un sol ya moribundo, condenado a su extinción. El hecho de que este plato acompañara los restos mortales de *Ch'ak Ch'ok Kelem* estaría relacionado con la intención de equiparar las hazañas llevadas a cabo por un joven héroe (Hunahpú) con aquellas encomendadas a un joven príncipe.

Una escena similar fue documentada en otras vasijas pintadas (K4546, K1226) en las que un ave con las alas desplegadas se posa encima de un árbol mientras un cazador le dispara con su cerbatana. Tradicionalmente dichos personajes han sido interpretados como Vucub Caquix y Hunahpú; sin embargo, la lectura de los glifos que acompañan la composición en la vasija K1226 indica que no se trata del soberbio pájaro sino de «el que desciende del cielo», con lo cual es posible que se trate de otro episodio en el que el joven héroe dispara a un pájaro mensajero de los dioses, identificado con Itzamná (Chinchilla, 2017: 164).

Entre las representaciones más antiguas del enfrentamiento protagonizado por el gran pájaro y el joven cazador destaca el relieve plasmado en la Estela 25 de Izapa del Preclásico Tardío en la que se muestra la mutilación del brazo de la que fue víctima Hunahpú por parte del terrible pajarraco. Éste aparece con un tamaño muy superior y en su vientre se aprecian unas fauces de serpiente y el brazo cercenado que Vucub Caquix entregó a su esposa

Chimalmat, diciéndole: «... yo he traído su brazo para ponerlo sobre el fuego. Allí que se quede colgado al humo y suspendido sobre el fuego, porque de seguro vendrán a buscarlo esos demonios» *(Popol Vuh,* cap. 2). Un aspecto similar es el que presentan las guacamayas modeladas en estuco de color rojo de la primera versión del juego de pelota de Copán. En el abdomen de una de las mejor conservadas se aprecia el rostro de una serpiente emplumada, cuyas fauces aprisionan un brazo en su interior (Chinchilla, 2011: figs. 48 y 49). En un reciente trabajo, Oswaldo Chinchilla interpreta estos atributos como los de una vagina dentada, y considera que aluden a una versión más antigua del mito en la que el pájaro no ataca a Hunahpú con su pico sino con su boca abdominal. Considera que el hecho de comer fruta (nances) está relacionado con el acto sexual, que el ataque a Hunahpú constituye una metáfora de la castración, colocando al pájaro entre los seres inmorales que dominaban el mundo antes de la aparición del sol verdadero, y que el castigo que le otorgan los jóvenes héroes de extraerle los dientes rememora el escarmiento otorgado a los primitivos monstruos femeninos con vaginas dentadas (Chinchilla, 2017: 135-137).

Vemos así como los héroes gemelos adquieren un importante protagonismo incluso antes de nacer, acontecimiento que habrá de ocurrir en la segunda parte del relato. Muchas son las obras de arte en las que aparece una pareja de varones con manchas negras en su piel, realizando acciones que parecen inspiradas en esa segunda parte del *Popol Vuh.* Como decíamos, no siempre son interpretados como los gemelos divinos, pero lo que sí es cierto es que las escenas son muy cercanas a lo que ocurre en el poema. No es nuestra intención mencionarlas todas, pero sí creemos conveniente centrarnos en uno de los episodios más difundidos, a pesar de no estar contenido de forma explícita en el *Popol Vuh,* por lo que algunos autores cuestionan que así sea (Chinchilla, 2017: 218 y ss.), que es el de los héroes ayudando a salir a su padre (Hun Hunahpú) del interior de la tierra, convertido ya en dios del maíz.

Recordemos que Hun Hunahpú fue decapitado en Xibalbá y su cabeza colgada de un árbol con frutos, tal como se muestra en la vasija K5615:

> Con admiración contemplaban Hun Camé y Vucub Camé el fruto del árbol. El fruto redondo estaba en todas partes, pero no se distinguía la cabeza de Hun Hunahpú, era un fruto igual a los demás. Solamente se veía su rostro entre los frutos del jícaro. Así aparecía ante todos los de Xibalbá cuando iban a contemplar la cabeza *(Popol Vuh,* cap. 5).

Más adelante, sus hijos decidieron vengar la muerte de su padre aniquilando a los Señores de la Muerte, momento que es recogido en el bellísimo vaso Princeton (K511), donde aparecen los héroes gemelos, enmascarados y disfrazados de danzantes, decapitando a uno de ellos. En el relato no se explica cómo los gemelos logran sacar a sus padres (Hun Hunahpú y Vucub Hunahpú) del mundo inferior, pero sí aseguran que ellos serán los primeros en levantarse sobre la bóveda del cielo y en ser adorados. Como decíamos, entre los investigadores existe un acuerdo bastante generalizado en que ese prodigio tuvo lugar convirtiendo a Hun Hunahpú en dios del maíz

(Robicsek y Hales, 1981; Taube, 1985; Coe, 1989; Vail y Hernández, 2013), un renacimiento que se manifiesta en varias obras de arte donde éste aparece emergiendo del interior de una tortuga-lagarto que flota en el agua, siendo ayudado para ello por sus hijos.

En esas figuraciones, la parte superior de la tortuga tiene una profunda hendidura, supuestamente realizada por los dioses del rayo con el fin de liberar lo que hay oculto en la tierra, en este caso las semillas que trae consigo el dios del maíz. El hecho de que en algunas claves de bóveda de edificios de Yucatán se haya representado la imagen de K'awiil, uno de los dioses del rayo, podría estar indicando que la parte superior del caparazón de la tortuga simboliza la bóveda maya. Asimismo, en la página 19 del *Códice de Madrid* se puede observar una tortuga sobre la cubierta de una casa maya y unas deidades introduciendo cuerdas serpentinas a través del centro del animal y de la cubierta, lo que de inmediato nos recuerda la escena de la vasija del alumbramiento a la que más arriba nos hemos referido. Se trataría por tanto de la casa primigenia, la casa de Ixmucané en la cual crece la mata de maíz que, a modo de *axis mundi,* comunica los diferentes niveles del cosmos.

En definitiva, comprobamos así como uno de los temas más recurrentes en la iconografía maya está íntimamente ligado a los episodios relacionados con la regeneración de la vida y con la necesidad de obtener del interior de la tierra los bienes y riquezas que las deidades se encargan de acarrear a los hombres, como el agua o el maíz, por ejemplo. Y es más: no sólo la iconografía se encargaba de transmitir las ideas relativas a la renovación del cosmos y los cambios del ciclo, sino que esa transmisión también se llevaba a cabo a través de la arquitectura y de las ceremonias y rituales que tenían lugar en el interior de sus edificios o en las plazas públicas. Desde la más sencilla choza hasta los más imponentes templos piramidales estaban plagados de un profundo simbolismo, el cual era constantemente exaltado mediante la celebración de numerosas actividades de las que los mayas dejaron constancia en sus inscripciones y manifestaciones artísticas, como acabamos de ver.

Muchos otros personajes del *Popol Vuh* también aparecen en las vasijas pintadas y en otras obras de arte mayas, destacando entre ellos el hijo de Vucub Caquix, Zipacná, representado como un furioso caimán, los hermanos artistas Hun Batz y Hun Chouén, en su condición de escribas, el aterrador murciélago Camazotz, los búhos mensajeros o el mosquito Xan. No obstante, es importante tener en cuenta que en la época del Clásico maya debieron de existir otros ciclos mitológicos que abordaban temas similares a los del *Popol Vuh,* pero, al ser éste el único relato que se ha conservado, existe la tendencia a asociar muchas de las imágenes y personajes a episodios de este libro sin la suficiente certeza de que estén directamente relacionados. En este sentido, el avance en el desciframiento epigráfico ha favorecido la revisión de algunas interpretaciones erróneas, si bien aún sigue siendo éste un campo lleno de posibilidades, abierto a nuevas reflexiones e ideas, que sin duda ofrecerán en un futuro nuevas maneras de comprender el arte maya, al tiempo que nos permitirán conocer mejor el universo mitológico de esta fascinante civilización prehispánica.

Cristina Vidal Lorenzo y Miguel Rivera Dorado

9. El *Popol Vuh* y otros mitos sobre la creación

Desde los tiempos más remotos, los pueblos han sentido la necesidad de indagar acerca de su origen. Para dar respuesta a cuestiones fundamentales tales como ¿de dónde venimos?, ¿adónde vamos?, se crearon teorías inspiradas en la Naturaleza; de ahí que en muchas ocasiones encontremos asombrosas similitudes entre las diferentes cosmogonías generadas a lo largo de la historia, tanto del Nuevo como del Viejo Mundo, y, sobre todo, en la manera en que fueron representadas en su universo artístico.

En un trabajo anterior (Vidal, 2000), presentamos algunos ejemplos reveladores de cómo culturas totalmente alejadas en el tiempo y en el espacio respondieron de forma muy similar a esos grandes interrogantes en su empeño en explicar, por ejemplo, cómo se produjo el paso del caos al cosmos o cómo la unidad primigenia (la mónada) se escindió en dos y a partir de entonces surgió la multiplicidad de tribus o naciones. Un breve repaso por esas cosmogonías, escogidas a modo de ejemplo con el fin de subrayar la existencia de algunos aspectos cosmogónicos comunes a todas ellas, nos permite constatar que, para la mayoría, la creación parte de las aguas, entendidas éstas como una sustancia primordial indiferenciada. Recordemos el comienzo de algunas de ellas:

Cuando en lo alto el cielo aún no había sido nombrado
y abajo la tierra firme no había sido mencionada por su nombre
del abismo (Apsu) su progenitor,

y de la tumultuosa Tiamat, la madre de todos,
las aguas se mezclaron en un solo conjunto.

(Enuma elish/Poema babilónico de la creación, Tablilla I, 1-9).

Atum dijo...: «Yo estaba solo en el Nun en lasitud, y
no hallaba ningún lugar en el cual posarme o sentarme
[...]». Así habló Atum a Nun: «Me encuentro muy cansado en
  la inmovilidad
de las aguas insondables».

(Texto de los Sarcófagos, 80, 77-35)

En medio del mar de leche, el mismo Hari [Vishnu],
en forma de tortuga, servía de pivote a la montaña que
batía las ondas...

(Vishnu Purana, Libro Primero, cap. V).

En el principio creó Dios los cielos y la tierra.
La tierra era algo caótico y vacío, y tinieblas cubrían
la superficie del abismo, mientras el espíritu de Dios
aleteaba sobre la superficie de las aguas.

(Génesis 1, 1-2).

No se manifestaba el semblante de la tierra. Sólo estaban el mar
en calma y el cielo hasta el infinito. No había nada próximo,
que hiciera ruido, ni cosa alguna que se moviera, ni se agitara,
ni hiciera ruido en el cielo. No había nada que estuviera en pie,
sólo el agua en reposo, el mar apacible, único y tranquilo.

(Popol Vuh, cap. 1).

Vemos así como en los relatos sobre los orígenes elaborados en el seno de las antiguas civilizaciones de Mesopotamia, Egipto, India, hebraica o maya no se alude a una creación *ex nihilo,* sino a una creación a partir de una enorme masa líquida, amorfa y caótica, dotada de una existencia negativa (Vidal, 2000: 37; Vidal y Horcajada, 2015: 914).

Ese abismo u océano de aguas primordiales es el que se encuentra debajo de la superficie terrestre, estrato que surge una vez que se separa el agua del cielo, posibilitando así el nacimiento de la luz y el fin de la oscuridad. Los egipcios de Heliópolis representaron este acontecimiento de una forma muy hermosa, colocando al dios Shu, el aire, de pie y con los brazos levantados sujetando el cuerpo arqueado de Nut, la bóveda celeste, para separarla del cuerpo recostado de su esposo Geb, la tierra. Durante el día así se mantienen pero al caer la noche el cuerpo desnudo de Nut se desploma sobre el de su amado esposo, cobijando en su interior a la divinidad solar Horakti-Ra pero permitiendo que cada día vuelva a salir durante el amanecer.

Por el cuerpo de Nut es por donde viaja la barca de Horakti-Ra, ya que, como decíamos, en los mitos sobre el origen del cosmos la aparición del astro sol es uno de los momentos culminantes y más relevantes. En este sentido, tanto la mitología egipcia como la maya concedieron extraordinaria importancia a todo el ciclo solar y a las aventuras protagonizadas por esta divinidad. De hecho, no cabe duda de que el gran protagonista del *Popol Vuh* es Hunahpú, el sol de la cuarta creación, llegándose incluso a pensar que en época antigua existió una religión mistérica en torno a este personaje, ¿el *hunahpis-mo?*, como sugiere Rivera (2008: 30-33).

Ese estrato líquido es evocado en el arte egipcio, hindú, budista y maya mediante plantas acuáticas: papiros, lotos, lirios y nenúfares, y sobre él flota la superficie terrestre. Ya hemos visto que para los mayas ésta adopta la forma de una tortuga, al igual que en el mito del batir del océano de leche, contenido en la célebre epopeya del *Mahabharata* y en los *Purana*. La representación de este mito, originado en la antigua India y esculpido magistralmente en una de las galerías del Templo de Angkor Vat en Camboya (Muñoz y Vidal, 2001), tiene un sorprendente paralelismo con las escenas del rescate que realizan los héroes gemelos de Hun Hunahpú del interior de Xibalbá, tirando cada uno de un brazo de su padre, para luego convertirse en el sol y en la luna. En ambos casos se expresa de forma muy fehaciente cómo la creación sólo es posible mediante la unión de dos fuerzas opuestas (*asuras* y *devas* en el caso hindú; el sol y la luna, en el caso maya) y también cómo el inframundo está poblado por seres monstruosos y aterradores: cocodrilos, dragones con cuerpo de reptil y otras criaturas fantásticas (Vidal, 2000: 45).

En el interior de esas aguas es donde reside la energía creadora, desencadenante de todo el proceso creativo necesario para la formación del universo y sus habitantes. En este sentido cada cosmogonía resuelve a su manera cómo se pasa de la unidad, representada por esa entidad primigenia, a la pluralidad de seres. En el caso maya ya hemos visto que el mito parte directamente de la existencia de una pareja suprema, Tepeu y Gucumatz, que contiene en sí misma los principios femenino y masculino que intervienen en toda creación, de la misma manera que en el *Enuma elish* o *Poema babilónico de la creación* ese binomio lo representan Apsu y Tiamat. En ambos relatos se deja constancia de que la creación no es un acto solitario sino que supone un gran esfuerzo que exige la discusión e interacción con otros seres divinos, los cuales poco a poco van irrumpiendo en el relato. Es decir, rápidamente se nos muestra el paso de una situación de silencio e inmovilidad a otra donde imperan el bullicio y el ajetreo. Según Freidel, Schele y Parker, esta filosofía se sigue aplicando hoy en día en las comunidades mayas, donde los rituales conducidos por el chamán se realizan siempre en el marco de un grupo participativo y observante (Freidel, Schele y Parker, 2001: 69).

Es también interesante destacar el hecho de que tras la aparición de esa divinidad dual irrumpe una tercera entidad, Huracán en el caso maya y Mummu en el babilónico, formando así una tríada divina, un concepto también presente en la tradición judeo-cristiana (Padre, Hijo y Espíritu Santo) y en la hindú (Brahma, Vishnu y Shiva).

Existe, por tanto, un conjunto de aspectos cosmogónicos en el estadio previo a la creación del cosmos común a las diferentes tradiciones mitológicas a las que nos hemos referido, y que son: la existencia de un océano de aguas primordiales, la presencia de la oscuridad, el silencio, las tinieblas y la inmovilidad y la aparición de un espíritu divino que adopta diversas formas en función de cada cosmogonía, pero que en todos los casos es capaz de generar una pluralidad de seres. A partir de entonces ya es posible poner en marcha todo el ciclo de la formación del universo, generalmente mediante creaciones fallidas anteriores a la definitiva, como en el caso del *Popol Vuh*. En este sentido, habría que resaltar el enfado que experimentan los dioses cuando contemplan sus primeras creaciones, hasta el punto de que se producen auténticas aniquilaciones, bien de los seres que han creado *(Popol Vuh, Génesis, Poema de Gilgamesh)*, bien de ellos mismos por parte de su descendencia *(Enuma elish)*.

En la formación de los astros, las montañas, los ríos, la vegetación y los animales también existen interesantes analogías, al igual que en el caso de la creación del hombre, otro de los episodios cruciales en el *Popol Vuh*. Sabemos que según este relato fue creado a partir de la masa de maíz que preparó Ixmucané, es decir, el hombre es fruto de la elaboración de una diosa artesana, equiparable a la Aruru del *Poema de Gilgamesh,* un poema de origen sumerio y según el cual «La diosa Aruru se mojó las manos, cogió arcilla / y la arrojó a la estepa. / En la estepa modeló al valiente Enkidu» *(Poema de Gilgamesh,* Tablilla I, Col. 2, 31-37). La arcilla es el material escogido para modelar el cuerpo humano en muchas otras tradiciones mitológicas. En el *Génesis* (2, 7) y en *Job* (33, 6), tanto Adán como Elihú, respectivamente, fueron creados de esa manera, y también Khnum, el Señor de la catarata del país del Nilo, modeló al hombre de la arcilla con su torno de alfarero, haciendo que fluyera la sangre por su cuerpo. Siglos más tarde, en los *Poemas* del griego Hesíodo el titán Prometeo aparece como hacedor de la humanidad, y según el romano Ovidio llevó a cabo esta acción mezclando la tierra con agua de lluvia «a imagen de los dioses que todo lo gobiernan» *(Metamorfosis,* 1,

77-83), una acción que fue bellamente plasmada en un sarcófago de época romana conservado en el Museo del Prado de Madrid, en el que el gigante Prometeo modela a un individuo con la arcilla que toma de un recipiente, ante la presencia de Atenea, una Psique y dos ninfas que personifican la naturaleza (Vidal, 2000: fig. 4).

Finalmente, en esta comparación quisiéramos destacar el hecho de que algunas de estas cosmogonías fueron fijadas por escrito con el fin de legitimar políticamente a un personaje o a un pueblo. En el *Enuma elish,* por ejemplo, se pretende exaltar la figura de Marduk, el dios de Babilonia, asimilándolo a los grandes dioses sumerios y acadios, mientras que en el *Popol Vuh* se busca demostrar la legitimidad política y territorial del pueblo quiché dentro del nuevo contexto colonial español, remontándose para ello a los orígenes del tiempo y de su cultura. Como bien recuerda Tedlock, los reyes mayas también acudían a sus ancestros divinos para legitimar su poder, siendo el Templo de la Cruz de Palenque uno de los mayores exponentes de este hecho, pues en la narración que contiene se pasa de lo divino a lo humano, de la misma manera que en el *Popol Vuh* los episodios míticos dan paso a los históricos (Tedlock, 1996: 58).

A través del establecimiento de estos paralelismos entre diferentes cosmogonías del Viejo y el Nuevo Mundo lo que hemos pretendido es mostrar cómo esas similitudes no obedecen necesariamente a la existencia de influencias de unas tradiciones sobre otras, sino «a la participación simultánea en muchos de los llamados universales de la cultura, a que a veces los seres humanos encuentran parecidas respuestas a parecidos problemas» (Rivera,

2008: 24). Es por ello por lo que cuando se aborda el tema de la posible influencia cristiana en el *Popol Vuh* se deben tener en cuenta todos estos factores, y de la misma manera que hay asombrosas coincidencias entre unas mitologías y otras, también abundan las profundas diferencias entre todas ellas, cuestiones que ya han sido abordadas en un trabajo anterior de Miguel Rivera (2000).

Diferente es el caso de los paralelismos que se pueden extraer al comparar el *Popol Vuh* con otros relatos míticos mesoamericanos, pues en estos casos sí que existieron fuentes de inspiración y realidades comunes. El *Título de Totonicapán* es uno de los libros contemporáneos del *Popol Vuh* que más parecidos contiene, si bien la primera parte, que también relata el origen del mundo y de los hombres, se basa en el relato bíblico de la creación y no en las fuentes mayas clásicas. El *Memorial de Sololá*, conocido también como *Anales de los Cakchiqueles*, es otro de los libros que pueden equipararse al *Popol Vuh*, sobre todo en su contenido histórico, al tiempo que los *Libros del Chilam Balam* tratan de la destrucción de una era y de la creación de una nueva, pero en este caso dentro de una peculiar tradición maya-cristiana.

Más interesantes resultan, quizás, las analogías existentes entre los textos de origen náhuatl con nuestro relato en maya. La *Leyenda de los Soles* –uno de los tres manuscritos incluidos en el *Códice Chimalpopoca*– o la *Historia de los mexicanos por sus pinturas*, por citar algunos, contienen textos y, en ocasiones, sólo breves anotaciones, relativos a las eras solares, a la gran inundación, a la creación de los hombres y la aparición del maíz o a la caída de Tollan y el descubrimiento del fuego, sin olvidar

claro está el conmovedor relato del nacimiento en Coatépetl de la divinidad solar mexica, Huitzilopochtli, contenido en el Libro III del *Códice Durán,* donde el sacrificio de la luna (Coyolxauhqui) por el sol tiene unas
connotaciones de carácter sexual que determinan la integración funcional de los elementos de una dualidad vital:
la luz y la oscuridad, lo ígneo y lo húmedo, la lluvia y el
sol, generadores a su vez del sustento (Johansson, 2004:
44-49), y que nos hace reflexionar acerca de la relación
entre Hunahpú e Ixbalanqué. En definitiva, temas todos
ellos que el lector encontrará en el *Popol Vuh* y algunos
de los cuales constituyen, también, la temática principal de
los mitos mayas contemporáneos.

Referencias bibliográficas

ACUÑA, René
1998   *Temas del Popol Vuh,* México, UNAM.
ACUÑA, René (ed.)
1983   *Thomás de Coto [Thesaurus Verborum] vocabulario de lengua Cakchiquel v[el] Guatemalteca, nueuamente hecho y recopilado con summo estudio, trauajo y erudición,* México, UNAM.
ASTURIAS, Carlos R.
2016   «Razones para dar a conocer el verdadero nombre del manuscrito epigráfico maya: 'ibal rego vuh popol vuh'», *Espacio. Revista Digital de Ciencia, Tecnología e Innovación,* n.º 2, pp. 4-5.
BARBA AHUATZIN, Beatriz
2011   «Edad y género en el *Popol Vuh*», en *Las mujeres mayas en la Antigüedad,* eds. M. J. Rodríguez Shadow y M. López Hernández, México, Centro de Estudios de Antropología de la Mujer, pp. 159-208.
CARRASCO, Michael D., y Kerry HULL
2002   «The Cosmogonic Symbolism of the Corbeled Vault in Maya Architecture», *Mexicon,* vol. XXIV, pp. 26-32.

CHINCHILLA MAZARIEGOS, Oswaldo
2011   *Imágenes de la mitología maya,* Guatemala, Museo Popol Vuh.
2017   *Art and Myth of the Ancient Maya,* New Haven, Yale University Press.

CHRISTENSON, Allen J.
2003   *Popol Vuh. The Sacred Book of the Maya,* Nueva York, O Books.

COBIÁN, Dora L.
1999   *Génesis y evolución de la figura femenina en el Popol Vuh,* México, Plaza y Valdés.

COE, Michael
1989   «The Hero Twins: Myth and Image», en *The Maya Vase Book: A Corpus of Rollout Photographs of Maya Vases,* vol. I, Nueva York, Kerr Associates.

CRAVERI, Michela
2012   *Contadores de historias, arquitectos del cosmos. El simbolismo del Popol Vuh como estructuración del mundo,* Centro de Estudios Mayas, Cuaderno 38, México, UNAM.

CRUZ CORTÉS, Noemi
2005   *Las señoras de la Luna,* Centro de Estudios Mayas, Cuaderno 32, México, UNAM.

ELIADE, Mircea
1991   *Images and Symbols. Studies in Religious Symbolism,* Princeton, Princeton University Press.

ESTRADA MONROY, Agustín
1994   *Popol Vuh,* Guatemala, Caudal.

FLORESCANO MAYET, Enrique
2006   «Chichén Itzá. Teotihuacán and the Origins of the Popol Vuh», *Colonial Latin American Review,* vol. 15, n.º 2, pp. 129-142.

FREIDEL, David, Linda SCHELE y Joy PARKER
2001   *Maya Cosmos. Three Thousand Years on the Shaman's Path,* Nueva York, Perennial.

GARCÍA MAHÍQUES, Rafael
2009   *Iconografía e iconología. Cuestiones de método,* vol. II, Madrid, Encuentro.

GILLESPIE, Susan
2013 «Gendering the Hero Twins in the Popol Vuh», en *Género y Arqueología en Mesoamérica: Homenaje a Rosemary A. Joyce,* eds. María J. Rodríguez-Shadow y Susan Kellogg, Centro de Estudios de Antropología de la Mujer, México, UNAM, pp. 139-151.

GRAULICH, Michel.
1995 «El Popol Vuh en el altiplano mexicano», en *Memorias del Segundo Congreso Internacional de Mayistas,* Centro de Estudios Mayas, México, UNAM, pp. 117-130.

JOHANSSON, K. Patrick
2004 «Coatépetl: la montaña sagrada de los mexicas», *Arqueología Mexicana,* vol. 12, n.° 67, pp. 44-49.

LÓPEZ AUSTIN, Alfredo
1996 *Los mitos del tlacuache,* Instituto de Investigaciones Antropológicas, México, UNAM.

MUÑOZ COSME, Gaspar, y Cristina VIDAL LORENZO
2001 «Templos de Angkor. Más de cinco siglos de historia», *Loggia. Arquitectura & Restauración,* n.° 11, pp. 96-103.

NAVARRETE CÁCERES, Carlos
1997 «Los mitos del maíz entre los mayas de las Tierras Altas», *Arqueología Mexicana,* vol. 5, n.° 25, pp. 56-61.

NAVARRETE, Federico
2006 «Mitología maya», en *Mitologías amerindias,* ed. A. Ortiz, Madrid, Trotta, pp. 103-126.

PREUSS, Mary H.
1988 *Los dioses del Popol Vuh,* Madrid, Pliegos.

RECINOS, Adrián
1947 *Popol Vuh, las antiguas historias del Quiché,* México, Fondo de Cultura Económica.

REDFIELD, Robert, y Alfonso VILLA ROJAS
1934 *Chan Kom: A Maya Village,* Washington, Carnegie Institution of Washington, Pub. 448.

RIVERA DORADO, Miguel
1989 «Una estatuilla de Ix Chel en Oxkintok», en *Oxkintok,* n.° 2, Madrid, Ministerio de Cultura, pp. 121-126.

2006   *El pensamiento religioso de los antiguos mayas,* Madrid, Trotta.

2008   *Popol Vuh. Relato maya del origen del mundo y de la vida,* Madrid, Trotta.

2014   *La risa de Ixmucané. Una incursión en la mitología maya,* Madrid, Miraguano.

ROBICSEK, Francis, y Donald HALES

1981   *The Maya Book of the dead: The ceramic codex,* Charlottesville, University of Virginia Arte Museum.

SACHSE, Frauke, y Alen J. CHRISTENSON

2005   Tulan and the Other Side of the Sea: Unraveling a Metaphorical Concept from Colonial Guatemalan Highland Sources, *Mesoweb:* www.mesoweb.com/articles/tulan/Tulan.pdf.

SÁENZ DE SANTAMARÍA, Carmelo

1985   «El ecijano Francisco Ximénez OP», *Actas de las III Jornadas de Andalucía y América,* coords. B. Torres y J. J. Hernández, vol. II, Madrid, CSIC, pp. 295-308.

TARN, Nathaniel, y Martin PRECHTEL

1981   «Metaphors of Relative Elevation, Position 151 and Ranking in Popol Vuh», *Estudios de Cultura Maya,* n.º 13, pp. 105-123.

TAUBE, Karl

1985   «The Classic Maya Maize God: A reappraisal», en *Fifth Palenque Round Table, 1983,* ed. V. M. Fields, vol. 7, San Francisco, Pre-Columbian Arte Research Institute, pp. 171-181.

1994   «The Birth Vase: Natal Imagery in Ancient Maya Myth and Ritual», *The Maya Vase Book,* vol. 4, pp. 652-685.

TEDLOCK, Dennis

1996   *Popol Vuh. The Mayan Book of the Dawn of Life,* Nueva York, Touchstone.

VAIL, Gabrielle, y Christine HERNÁNDEZ

2013   *Re-Creating Primordial Time: Foundation Rituals and Mythology in the Postclassic Maya Codices,* Boulder, University Press of Colorado.

VALDÉS GÓMEZ, Juan Antonio, y Cristina VIDAL LORENZO
2005   «Orígenes míticos, símbolo y rituales en Chocolá y
        las Tierras Mayas del Sur», en *XVIII Simposio de In-
        vestigaciones Arqueológicas en Guatemala,* eds. J. P.
        Laporte, B. Arroyo y H. Mejía, vol. I, Guatemala, Mi-
        nisterio de Cultura, Asociación Tikal e IDAEH y
        Foundation for the Advancement of Mesoamerican
        Studies, pp. 41-50.
VIDAL LORENZO, Cristina
2000   «El origen del mundo en el arte antiguo», *Ars Longa,*
        n.º 9-10, pp. 37-50.
2005   «La mujer maya y su papel político y religioso», en
        *Protai Gynaikes: mujeres próximas al poder en la An-
        tigüedad,* eds. C. Alfaro y E. Tébar, SEMA V-VI, Va-
        lencia, Universitat de València, pp. 173-185.
VIDAL LORENZO, Cristina, y Gaspar MUÑOZ COSME
2013   «La crisis de La Blanca en el Clásico Terminal», en
        Millenary Maya Societies: Past Crises and Resilience,
        eds. C. Arnauld y A. Breton, Mesoweb, pp. 92-105.
        www.mesoweb.com/publications/MMS/7_Vidal-
        Munoz.pdf.
VIDAL LORENZO, Cristina, y Patricia HORCAJADA CAMPOS
2015   «La Creación del mundo», en *Los tipos iconográficos de
        la tradición cristiana. La visualidad dellogos,* ed. R. Gar-
        cía, vol. 1, Madrid, Encuentro, pp. 912-965.
VOGT, Evon Z.
1976   *Tortillas for the Gods: A Symbolic Analysis of Zinacante-
        co Rituals,* Cambridge, Harvard University Press.
1998   «Zinacanteco dedication and termination rituals», en
        *The Sowing and the Dawning: Termination, Dedication
        and Transformation in the Archaeological and Ethno-
        graphic Record of Mesoamerica,* ed. S. Boteler, Albu-
        querque, University of New Mexico Press, pp. 21-30.
WOODRUFF, John M.
2009   *The «most futile and vain» work of father Francisco
        Ximénez: Rethinking the context of Popol Vuh,* Ala-
        bama, ProQuest Dissertations and Theses.

XIMÉNEZ, Francisco
1929- [1722] *Historia de la provincia de San Vicente de Chia-*
1931   *pa y Guatemala de la Orden de Predicadores,* Guate-
       mala, vols. I-III, Biblioteca Goathemala de la Socie-
       dad de Geografía e Historia.

Popol Vuh

Preámbulo

Éste es el principio de las antiguas historias del lugar llamado Quiché[1]. Aquí escribiremos y comenzaremos el relato de las viejas tradiciones, el fundamento y el origen de todo lo que sucedió en el Quiché.

Aquí traeremos la manifestación, la declaración y la narración de lo que estaba oculto, la revelación por *Tzacol, Bitol, Alom, Qaholom,* que se denomina *Hunahpú Vuch, Hunahpú Utiú, Zaqui Nimá Tziís, Tepeu, Gucumatz, U Qux Cho, U Qux Paló, Ah Raxá Lac, Ah Raxá Tzel,* así llamado, el del hermoso plato y la hermosa jícara. Vendrá el testimonio, la narración de la Abuela y el Abuelo, cuyos nombres son *Ixpiyacoc* e *Ixmucané,* amparadores y protectores, dos veces abuela, dos veces abuelo, así llamados en las historias quichés[2], cuando dieron voz a todo lo que hicieron en el principio de la vida, en el tiempo de la claridad.

Esto lo escribiremos ya dentro del cristianismo, con el nuevo modo de escribir; lo sacaremos a luz porque ya no se ve el *Popol Vuh,* ya no se entiende el libro en donde se refieren estas cosas. Existía el libro original, escrito antiguamente, pero su vista está ahora oculta al lector y al pensador.

Grande era la descripción y el relato de cómo se acabó de formar todo el cielo y la tierra, cómo fue formado y repartido en cuatro partes, cómo fue señalado y el cielo fue medido y se trajo la cuerda de medir y fue extendida en el cielo y en la tierra, en los cuatro ángulos, en los cuatro lados, cómo fue dicho por el Creador y el Formador, el padre y la madre de la vida, de todo lo creado, el que da la respiración y el movimiento, la que trae al mundo a los hijos, el que vela por la felicidad de los pueblos, la felicidad del linaje humano, el sabio, el que medita en la bondad y hermosura de todo lo que existe en el cielo, en la tierra, en los lagos y en el mar[3].

Primera parte

1. Caos y creación

Llegó aquí entonces la palabra, vinieron juntos Tepeu y Gucumatz, en la oscuridad, en la noche, y hablaron entre sí. Hablaron, pues, consultando entre sí, meditando; se pusieron de acuerdo, unieron sus palabras y su pensamiento.

Ésta es la relación de cómo todo estaba en suspenso, todo en calma, en silencio, todo inmóvil, callado, y vacía la extensión del cielo. Ésta es la primera relación, el primer discurso. No había todavía un hombre, ni un animal, pájaros, peces, cangrejos, árboles, piedras, cuevas, barrancas, hierbas ni bosques, sólo el cielo existía.

No se manifestaba el semblante de la tierra. Sólo estaban el mar en calma y el cielo hasta el infinito. No había nada próximo, que hiciera ruido, ni cosa alguna que se moviera, ni se agitara, ni hiciera ruido en el cielo. No había nada que estuviera en pie, sólo el agua en reposo, el mar apacible, único y tranquilo. No había nada dotado

de existencia, no había cosa que tuviese ser. Solamente
había inmovilidad y silencio en la oscuridad, en la noche[4]. Sólo el Creador, el Formador, Tepeu, Gucumatz,
los Progenitores, madre y padre, estaban en el agua en-
vueltos en resplandor[5], escondidos tras plumas verdes y
azules, por eso se les llama Gucumatz. De grandes sabios, de grandes pensadores es su naturaleza. De esta
manera existía el cielo y también el Corazón del Cielo,
que éste es el nombre del dios. Así contaban.

Vino, pues, su palabra, y se manifestó claramente, mientras meditaban, que cuando amaneciera debía surgir el
hombre. Entonces dispusieron la aparición y crecimiento de los árboles y los bejucos y el nacimiento de
la vida y la creación del hombre. Se dispuso así en las
tinieblas y en la noche por el Corazón del Cielo, que se
llama Huracán[6].

El primero se llama *Caculhá Huracán*. El segundo es
Chipi Caculhá. El tercero es *Raxa Caculhá*. Y estos tres
son el Corazón del Cielo.

Entonces vinieron juntos Tepeu y Gucumatz, entonces
consultaron entre sí sobre la vida y la luz:

–¿Cómo se hará para que aclare y amanezca, quién
será el que produzca el alimento y el sustento?

–Hágase así. Que se llene el vacío. Que este agua se re-
tire, que brote la tierra y que se afirme.

Eso dijeron:

–Que aclare, que amanezca en el cielo y en la tierra. No habrá gloria ni grandeza en nuestra creación y en nuestro orden
hasta que exista la criatura humana, el hombre formado.

Luego la tierra fue creada por ellos. Así fue en verdad
como se hizo la creación de la tierra, sólo con ser dicho y

mandado se formó la tierra. Tierra, dijeron, y al instante fue hecha.

Como la neblina, como la nube y como una polvareda fue la creación, cuando surgieron del agua las montañas; y al instante crecieron las montañas. Solamente por un prodigio, sólo por sus signos, sólo por sus poderes, se realizó la formación de las montañas y los valles; cosa maravillosa fue ver cómo se levantaron los cerros y las llanuras, y al instante, al mismo tiempo, brotaron los cipreses y los pinos en la superficie.

Así se llenó de alegría Gucumatz, diciendo:

–Buena ha sido tu venida, Corazón del Cielo, tú, Huracán, y tú, Chipi Caculhá, Raxa Caculhá.

De esta manera se perfeccionó la obra, cuando la ejecutaron después de pensar y meditar sobre su feliz terminación.

–Nuestra obra, nuestra creación será terminada –dijeron.

Primero se formaron la tierra, las montañas y los valles; se dividieron los caminos del agua, sólo lo pensaron y los arroyos se fueron corriendo libremente entre los cerros, y las aguas quedaron separadas cuando aparecieron las altas montañas.

De este modo fue como surgió la tierra, cuando fue formada por los espíritus del Corazón del Cielo, del Corazón de la Tierra, que así son llamados, el cielo fue separado y la tierra se levantó en medio de las aguas[7].

Luego hicieron a los animales del monte, los guardianes de todos los bosques, los moradores de las montañas, los venados, pájaros, pumas, jaguares, serpientes de cascabel, y otras culebras y cantiles, guardianes de la floresta.

Y dijeron los Progenitores:

—¿Sólo silencio e inmovilidad habrá bajo los árboles y los bejucos? Conviene que en lo sucesivo haya quien los guarde.

Eso dijeron cuando meditaron, y hablaron a continuación. Al punto fueron creados los venados y las aves. En seguida les repartieron sus moradas a los venados y a las aves.

—Tú, venado, dormirás en la vega de los ríos y en los barrancos. Aquí estarás entre la maleza, entre las hierbas; en el bosque os multiplicaréis, en cuatro pies andaréis y os sostendréis. Y así como se dijo, así se hizo.

Luego designaron también su morada a los pájaros pequeños y a las aves mayores.

—Vosotros, pájaros, habitaréis sobre los árboles y los bejucos, allí haréis vuestros nidos, allí os multiplicaréis, allí os sacudiréis y espulgaréis en las ramas de los árboles y entre las enredaderas. —Así les fue dicho a los venados y a los pájaros para que hicieran lo que debían hacer, y todos ocuparon sus habitaciones y sus nidos.

De esta manera los Creadores les dieron sus hogares y tareas a los animales de la tierra. Y cuando estuvo terminada la creación de todos los cuadrúpedos y las aves, les fue dicho a las bestias y pájaros por el Constructor y Formador, los Progenitores: «Hablad, gritad, llamad, no hagáis *yol, yol,* sino cada uno hablad según vuestra especie y diferencia, según la variedad de cada uno».

Eso les fue ordenado a los venados, los pájaros, pumas, jaguares y serpientes.

—Decid, pues, nuestros nombres, alabadnos a nosotros, y decid que somos vuestra madre, vuestro padre, vuestro dueño. Invocad a Huracán, Chipi Caculhá, Raxa

Caculhá, el Corazón del Cielo, el Corazón de la Tierra, el Constructor, el Formador, los Progenitores; hablad, invocadnos, adoradnos –les advirtieron.

Pero no se pudo conseguir que hablaran como los hombres, sólo chillaban, cacareaban y graznaban diciendo *¡voh, voh!,* no se manifestó la esencia de su lenguaje, y cada uno gritaba de manera diferente.

Cuando el Creador y el Formador vieron que no era posible que hablaran, se dijeron entre sí:

–No ha sido posible que ellos digan nuestros nombres y que somos sus creadores y formadores. Esto no está bien –dijeron entre sí los Progenitores.

Entonces se les advirtió:

–Seréis reemplazados porque no se ha conseguido que habléis. Hemos cambiado de parecer: vuestro alimento, vuestro grano, vuestro lecho, vuestro deambular y vuestros nidos los tendréis, serán los barrancos y los bosques, porque no se ha podido lograr que nos adoréis ni nos llaméis. Todavía habrá quienes nos invoquen y alaben, haremos otros que sean obedientes. Vosotros, aceptad vuestro destino: vuestras carnes serán cortadas y comidas. Así será, ésta será vuestra suerte. –Así dijeron cuando hicieron saber su voluntad a los animales pequeños y grandes que hay sobre la faz de la tierra.

Luego quisieron probar nuevamente, probaron a juntar las palabras y saludar a los Creadores, quisieron hacer otra tentativa, pero no pudieron entender su lenguaje entre ellos mismos, nada pudieron conseguir y nada pudieron hacer. Por esta razón fueron inmoladas sus carnes y fueron condenados a ser comidos y matados los animales que existen sobre la tierra.

Así trataron otra vez de crear y formar al hombre el Constructor, el Formador y los Progenitores.

–Probemos de nuevo. Ya se acercan el amanecer y la claridad, hagamos a la criatura que nos sustentará y alimentará. ¿Cómo haremos para ser invocados, para ser recordados sobre la tierra? Ya hemos probado con nuestras primeras obras, nuestras primeras criaturas, pero no se pudo lograr que fuésemos alabados y venerados por ellos. Probemos ahora a hacer unos seres obedientes, que nos sustenten a nosotros los buscadores de la existencia. –Así dijeron[8].

Entonces hicieron un cuerpo de barro. De tierra, de lodo hicieron la carne del hombre. Pero vieron que no estaba bien, porque se deshacía, estaba blando, aplastado, no tenía movimiento, no tenía fuerza, se caía, estaba aguado, no volvía la cabeza, sólo miraba hacia abajo. Al principio hablaba, pero no tenía entendimiento. Rápidamente se humedeció dentro del agua y no se pudo sostener.

Y dijeron el Creador y el Formador:

–Bien se ve que no pueden andar ni multiplicarse.

Entonces desbarataron y deshicieron su obra y su creación[9]. Y en seguida dijeron:

–¿Cómo haremos para que sean buenos los que tienen que invocarnos y alabarnos?

Así dijeron cuando de nuevo consultaron entre sí:

–Digámosles a los viejos, Ixpiyacoc, Ixmucané, Hunahpú Vuch, Hunahpú Utiú: Probad a averiguar de qué debe hacerse la creación. –Así dijeron entre sí el Creador y el Formador cuando hablaron a Ixpiyacoc e Ixmucané[10].

En seguida les hablaron a aquellos adivinos, la abuela del sol, la abuela de la luz, así llamados por el Creador y el Formador, y cuyos nombres eran Ixpiyacoc e Ixmucané.

Entonces dijeron Huracán, Tepeu y Gucumatz, cuando hablaron a los agoreros, a los ancianos que son los adivinos:

–Hay que reunirse y encontrar los medios para que el hombre que formemos, el hombre que vamos a crear, nos sostenga y alimente, nos invoque y se acuerde de nosotros. Porque las palabras son nuestro sustento.

–Entrad, pues, en consulta, abuela, abuelo, nuestra abuela, nuestro abuelo Ixpiyacoc, Ixmucané, haced que aclare, que amanezca, que seamos invocados, que seamos adorados, que se nos recuerde por el hombre creado, por el hombre formado, por el hombre mortal, haced que así se haga.

–Dad a conocer vuestra naturaleza, Hunahpú Vuch, Hunahpú Utiú, dos veces madre, dos veces padre, Nim Ac, Nimá Tziís, el Señor de las piedras preciosas, el del trono de majestad, el joyero, el escultor, el tallador, el Señor de los hermosos platos, el Señor de la verde jícara, el maestro Toltecat, la abuela del sol, la abuela del alba, que así seréis llamados por nuestras obras y nuestras criaturas[11].

–Echad la suerte con vuestros granos de maíz y de tzité, y mirad si nos podréis revelar su forma y cómo tendrá su boca y su cara[12].

A continuación vino la adivinación, y echaron suertes con el maíz y el tzité. Y hablaron entonces el viejo del sol que era el de las suertes del tzité, el llamado Ixpiyacoc, y la vieja que era la adivina de la luna, y que se llamaba Chiracán Ixmucané. Comenzaron la adivinación y dijeron así:

111

–Juntaos, acoplaos. Hablad, que os oigamos, decid, declarad si conviene que se busque la madera y que sea labrada por el Creador y el Formador, y si este hombre de madera es el que ha de ser el sustentador cuando aclare, cuando amanezca.

–Tú, maíz; tú, tzité; tú, suerte; tú, orden: uníos, ayuntaos –les dijeron al maíz, al tzité, a la suerte, al acto de ordenar–. ¡Ven a sacrificar aquí, Corazón del Cielo, no castigues a Tepeu y Gucumatz!

Y respondiendo el maíz y el tzité dijeron su verdad de este modo:

–Buenos saldrán vuestros muñecos labrados de palo, hablarán y conversarán sobre la faz de la tierra.

–Así sea –contestaron.

Y al instante fue hecha de madera la imagen del hombre[13]. Esos muñecos se parecían al hombre, hablaban como el hombre y poblaron la superficie de la tierra. Existieron y se multiplicaron, tuvieron hijas, tuvieron hijos los muñecos de palo, pero no tenían alma, ni entendimiento, no se acordaban de su Creador, de su Formador; caminaban sin rumbo y andaban arrastrándose.

Ya no se acordaban del Corazón del Cielo y por eso cayeron en desgracia. Fue un intento para hacerlos personas, pero sus caras estaban secas y sus pies y sus manos no tenían consistencia; no tenían sangre, ni sustancia, ni humedad, ni gordura; sus mejillas estaban pálidas y mustios sus pies y sus manos, y amarillas sus carnes.

Por esta razón ya no pensaban en su Creador. Éstos fueron los primeros hombres que en gran número existieron sobre la superficie de la tierra.

En seguida fueron aniquilados, destruidos y deshechos los muñecos de palo, y recibieron la muerte. Una inundación fue enviada por el Corazón del Cielo; un gran diluvio se formó, que cayó sobre las cabezas de los muñecos de palo[14].

De tzité se hizo la carne del hombre, pero cuando la mujer fue labrada por el Creador y el Formador se hizo de espadaña que se llama *zibac,* así fue hecha la carne de la mujer. Estos materiales quisieron el Constructor y el Formador que entraran en su composición. Pero no pensaban, no hablaban con su Creador y su Formador, que los habían hecho, que los habían creado. Por esta razón fueron muertos, fueron sumergidos por la inundación. Vino un gran diluvio, una resina como brea abundante cayó del cielo. El llamado *Xecotcovach* llegó y les vació los ojos; *Camazotz* vino a cortarles la cabeza; y vino *Cotzbalam* y les devoró las carnes. El *Tucumbalam* llegó también y les quebró y magulló los huesos y los tendones, les mutiló y desmoronó los huesos y los hizo pedazos[15].

Y esto fue como castigo y escarmiento, porque no habían pensado en su madre, ni en su padre, el Corazón del Cielo, llamado Huracán. Y por este motivo se oscureció la faz de la tierra y comenzó una lluvia negra, una lluvia de día, una lluvia de noche.

Llegaron entonces todo género de animales, y palos y piedras que les golpearon las caras. Y se pusieron todos a hablar: sus tinajas, sus comales, sus platos, sus ollas, sus perros, sus cucharas, sus piedras de moler, todos se levantaron y les increpaban.

–Mucho mal nos hacíais, nos comíais, y nosotros ahora os morderemos –les dijeron sus perros y sus aves de corral.

Y las piedras de moler también exclamaron:

–Mucho nos atormentasteis, cada día, cada noche, al amanecer, todo el tiempo haciendo *holí, holí, huquí, huquí,* en nuestras caras. Éste era el tributo que os pagábamos. Pero ahora que habéis dejado de ser hombres probaréis nuestras fuerzas. Moleremos y reduciremos a polvo vuestras carnes –les dijeron sus molinos.

Y he aquí que sus perros hablaron y les dijeron:

–¿Por qué no nos dabais nuestra comida? Apenas estábamos mirando y ya nos arrojabais de vuestro lado y nos echabais fuera. Siempre teníais listo un palo para pegarnos mientras comíais. Así era como nos tratabais. Tal vez porque no podíamos hablar. Si hubiera sido de otra manera no os diéramos muerte ahora; pero ¿por qué no pensabais en vosotros mismos? Ahora nosotros os destruiremos, ahora probaréis vosotros los dientes que tenemos en nuestra boca, os devoraremos –dijeron los perros, y luego les destrozaron las caras.

A su vez los comales, las ollas, les hablaron así:

–Fuisteis despiadados. Nos quemasteis, y nuestra boca y nuestras caras estaban tiznadas, siempre estábamos puestos sobre el fuego que nos abrasaba, ¿acaso no nos dolía? Ahora probaréis vosotros, os quemaremos. –Y las piedras del hogar, zumbando, se arrojaron directamente desde el fuego contra sus cabezas y las aplastaron causándoles mucho daño y sufrimiento.

Desesperados corrían los hombres de palo de un lado para otro en el aguacero; querían subirse sobre las casas y las casas se caían y los arrojaban al suelo; querían subirse sobre los árboles y los árboles los lanzaban a lo lejos;

querían esconderse en las cavernas y las cavernas se cerraban ante ellos[16].

Así fue la ruina y la aniquilación de los hombres que habían sido creados y formados: a todos les fueron destrozadas las bocas y las caras[17]. Y dicen que la descendencia de aquéllos son los monos que existen ahora en los bosques; éstos son la muestra de aquéllos, porque sólo de palo fue hecha su carne por el Creador y el Formador, y por esta razón el mono se parece al hombre, es el testimonio de una generación de hombres creados, de hombres formados que eran solamente muñecos hechos de madera[18].

2. La historia del pájaro de fuego

Estaba entonces muy poco iluminada la tierra, porque aún no había sol. Sin embargo, había un ser arrogante y orgulloso de sí mismo que se llamaba Vucub Caquix[19]. Existían ya el cielo y la tierra, pero estaba cubierto el rostro del sol y de la luna. Y decía Vucub Caquix:

–Verdaderamente, sólo hubo aquellos hombres que se ahogaron. Yo seré grande ahora sobre todos los seres creados y formados. Yo soy el sol, soy la claridad, la luna. Grande es mi esplendor. Por mí se levantarán y caminarán los hombres. Porque de plata son mis ojos, resplandecientes como piedras preciosas; mis dientes son iguales que las joyas de jade y relucen semejantes a reflejos del cielo. Mi rostro brilla de lejos como la luna, y la tierra entera se ilumina cuando salgo frente a mi trono.

E insistía:

–Así, pues, yo soy el sol y la luna para el linaje humano, para las verdaderas criaturas. Así será porque mi vista alcanza muy lejos.

De esta manera hablaba Vucub Caquix. Pero en realidad no era el sol, nada más se vanagloriaba de sus plumas y riquezas. Su vista alcanzaba solamente el horizonte en donde se hallaba y no se extendía sobre todo el mundo.

Aún no se le veía la cara al sol, ni a la luna, ni a las estrellas, y aún no había amanecido. Por esta razón Vucub Caquix se envanecía como si él fuera el sol y la luna, porque aún no se había manifestado ni se percibía la claridad del sol y de la luna. Su única ambición era engrandecerse y dominar. Y fue entonces cuando ocurrió el diluvio y fueron destruidos los hombres de palo.

Ahora contaremos cómo murió Vucub Caquix y fue vencido, y cómo fue hecho el hombre por el Creador y Formador.

Éste es el relato de la derrota y de la ruina de Vucub Caquix por los dos muchachos, el primero de los cuales se llamaba *Hunahpú* y el segundo *Ixbalanqué,* que eran dioses verdaderamente[20]. Como veían que estaba mal la jactancia del soberbio, y que fanfarroneaba en presencia del Corazón del Cielo, se dijeron los muchachos:

–No es justo que esto sea así, porque si prevalece esta arrogancia los hombres no vivirán sobre la tierra. Por ello probaremos a tirarle con la cerbatana cuando esté comiendo; le tiraremos y le causaremos una enfermedad, y entonces se acabarán sus riquezas, sus piedras verdes, sus cuentas y amuletos, las alhajas de que se enorgullece. Y esto servirá de ejemplo a todos los hombres, porque no deben envanecerse por el poder ni la riqueza. Hágase entonces.

Eso dijeron los muchachos, echándose cada uno su cerbatana al hombro[21].

Ahora bien, este Vucub Caquix tenía dos hijos: el primero se llamaba *Zipacná,* el segundo era *Cabracán;* y la madre de los dos se llamaba *Chimalmat,* la mujer de Vucub Caquix[22].

Zipacná modelaba y sostenía las grandes montañas, que eran de su propiedad: el *Chigag, Hunahpú, Pecul, Yaxcanul, Macamob* y *Huliznab.* Éstos son los nombres de los montes que existían cuando vino el amanecer y que fueron creados en una sola noche por Zipacná.

Cabracán movía los montes y por él temblaban las montañas grandes y pequeñas. De esta manera proclamaban su orgullo los hijos de Vucub Caquix:

–¡Oíd! ¡Yo soy el sol! –decía Vucub Caquix.

–¡Yo soy el que hizo la tierra! –decía Zipacná.

–¡Yo soy el que sacudo el cielo y desmorono toda la tierra! –decía Cabracán.

Así era como los hijos de Vucub Caquix le disputaban a su padre la grandeza. Y esto les parecía muy mal a los muchachos Hunahpú e Ixbalanqué.

Aún no habían sido creados nuestra primera madre ni nuestro primer padre.

Por tanto, fue decidida por los dos jóvenes la muerte y desaparición de Vucub Caquix y de sus hijos.

Contaremos ahora el tiro de cerbatana que dispararon los dos muchachos contra Vucub Caquix, y la destrucción de cada uno de los que se habían ensoberbecido.

Vucub Caquix tenía un gran árbol de nance, cuya fruta era su comida. Venía cada día junto al nance y se subía a lo alto del árbol. Hunahpú e Ixbalanqué habían visto que ése era su alimento. Y habiéndose puesto al acecho de Vucub Caquix al pie del árbol, escondidos entre las hojas, llegó Vucub Caquix, que se posó en la copa preparado para comer su ración de nances.

En este momento fue herido por un tiro de cerbatana de Hunahpú, que le dio precisamente en la quijada, y dando gritos se vino derecho al suelo desde la cúspide del árbol[23].

Hunahpú corrió apresuradamente para apoderarse de él, pero Vucub Caquix le arrancó el brazo a Hunahpú, lo retorció tirando de él y lo separó desde la punta hasta el hombro. Así le separó el brazo a Hunahpú, quien soltó a Vucub Caquix. No hubo derrota del soberbio, pero el muchacho no se dejó vencer por Vucub Caquix.

Llevando el brazo de Hunahpú se fue Vucub Caquix hacia su casa, a donde llegó sosteniéndose la quijada.

–¿Qué os ha sucedido, señor? –dijo Chimalmat, la mujer de Vucub Caquix.

–¡Qué ha de ser!, sino aquellos dos malhechores que me tiraron con cerbatana y me desquiciaron la mandíbula. A causa de ello se me menean los dientes y me duelen mucho. Pero yo he traído su brazo para ponerlo sobre el fuego. Allí que se quede colgado al humo y suspendido sobre el fuego, porque de seguro vendrán a buscarlo esos demonios. –Así habló Vucub Caquix mientras colgaba el brazo de Hunahpú[24].

Habiendo meditado Hunahpú e Ixbalanqué, se fueron a hablar con un viejo que tenía los cabellos completamente blancos y con una vieja, de verdad muy vieja y humilde, ambos doblados ya como gentes ancianas. Se llamaba el viejo Zaqui Nimaq y la vieja Zaqui Nimá Tziís. Los muchachos les dijeron a la vieja y al viejo:

–Acompañadnos a casa de Vucub Caquix para recuperar nuestro brazo. Nosotros iremos detrás. Diréis: «Estos que nos acompañan son nuestros nietos huérfanos, su madre y su padre ya están muertos; por esta razón ellos van a todas partes tras de nosotros, a donde nos dan limosna, pues lo único que nosotros sabemos hacer es sacar el gusano que se come los dientes y las muelas». Así le diréis. De esta manera Vucub Caquix nos verá como a niños y nosotros también estaremos allí para aconsejaros[25].

–Está bien –contestaron los viejos.

A continuación se pusieron en camino hacia el lugar donde se encontraba Vucub Caquix recostado en su trono. Caminaban la vieja y el viejo seguidos de los dos muchachos, que iban jugando tras ellos. Así llegaron al pie de la casa de Vucub Caquix, quien estaba gritando a causa del dolor que tenía en las muelas.

Al ver Vucub Caquix al viejo y a la vieja y a sus acompañantes, les preguntó:

–¿De dónde venís, abuelos?

–Andamos buscando de qué alimentarnos, respetable señor –contestaron aquéllos.

–¿Y cuál es vuestra comida? ¿No son vuestros hijos éstos que os acompañan?

–¡Oh, no, señor! Son nuestros nietos, pero les tenemos lástima, y lo que a nosotros nos dan lo compartimos con ellos –contestaron la vieja y el viejo.

Mientras tanto, daba gritos Vucub Caquix del dolor de muelas y sólo con gran dificultad podía hablar.

–¿Qué podéis hacer? ¿Qué es lo que sabéis curar? –les preguntó el señor.

Y los viejos contestaron:

–Oh, señor, nosotros sólo sacamos el gusano de las muelas, curamos el mal de los ojos y ponemos los huesos en su lugar.

–Está bien. Curadme los dientes, que me hacen sufrir día y noche, y a causa de ellos y de mis ojos no tengo sosiego y no puedo comer ni dormir. Todo esto se debe a que dos demonios me tiraron con sus cerbatanas, y me descompusieron la quijada y me estropearon los dientes. Así pues, tened piedad de mí, apretadme los dientes con vuestras manos porque todos se menean.

–Muy bien, señor. Un gusano es el que os hace sufrir. Bastará con sacar esos dientes y poneros otros en su lugar.

–No será bueno que me saquéis los dientes, porque sólo con ellos mantengo mi señorío, y todo mi poder son mis dientes y mis ojos, que son los adornos de mi rostro.

–Nosotros os pondremos otros en su lugar, hechos de hueso molido.

Pero el hueso molido no era más que granos de maíz blanco.

–Está bien, sacadlos, venid a socorredme –replicó.

Le sacaron entonces todos los dientes a Vucub Caquix, y en su lugar le pusieron solamente granos de maíz blanco, y estos granos de maíz le brillaban en la boca. Al instante se desfiguró, decayeron sus facciones y ya no parecía señor. Luego acabaron de sacarle los dientes y la boca quedó amoratada sin las joyas verdes y azules. Y por último le curaron los ojos a Vucub Caquix reventándole las niñas, y acabaron de quitarle todas sus riquezas.

Pero nada sentía ya. Sólo se quedó mirando sin ver mientras por consejo de Hunahpú e Ixbalanqué acababan de despojarlo de las cosas de que se enorgullecía[26].

Así murió Vucub Caquix y se perdieron sus riquezas. El curandero se apoderó de las joyas que lo protegían, de todas las piedras preciosas que habían sido su orgullo sobre la faz de la tierra. Luego recuperó su brazo Hunahpú. Y murió también Chimalmat, la mujer de Vucub Caquix.

La vieja y el viejo que estas cosas hicieron eran seres prodigiosos. Y habiendo recuperado el brazo, volvieron a ponerlo en su lugar y quedó bien otra vez. Solamente para lograr la muerte de Vucub Caquix obraron de esta manera, porque les pareció mal su soberbia y arrogancia.

Y en seguida se marcharon los dos muchachos, habiendo ejecutado así la orden del Corazón del Cielo.

3. Los hijos de Vucub Caquix

He aquí ahora los hechos de Zipacná, el primer hijo de Vucub Caquix.

–Yo soy el hacedor de las montañas –decía Zipacná.

Este Zipacná se estaba bañando en un río cuando pasaron cuatrocientos muchachos, que llevaban arrastrando un gran palo para utilizarlo como soporte de su casa. Los cuatrocientos caminaban después de haber cortado un árbol enorme para usarlo de viga maestra de su casa[27].

Llegó entonces Zipacná y, dirigiéndose hacia donde estaban los cuatrocientos jóvenes, les dijo:

–¿Qué estáis haciendo, muchachos?

–Sólo es este palo –respondieron–, que no lo podemos levantar y llevar en hombros.

–Yo lo llevaré. ¿A dónde ha de ir? ¿Para qué lo queréis?

–Para viga maestra de nuestra casa.

–Está bien –dijo Zipacná, y levantándolo se lo echó al hombro y lo llevó hacia la entrada de la casa de los cuatrocientos muchachos.

–Ahora quédate con nosotros –le dijeron a continuación–. ¿Tienes madre o padre?

–No tengo –contestó.

–Entonces te ocuparemos mañana en preparar otro palo para sostén de nuestra casa.

–Bueno –dijo Zipacná.

Los cuatrocientos jóvenes se reunieron de inmediato y dijeron:

–¿Cómo haremos con este muchacho para matarlo? Porque no está bien lo que ha hecho levantando él solo el palo. Cavemos un gran hoyo y cuando esté hondo hagámosle caer en él. «Baja a sacar y traer tierra del hoyo», le diremos, y cuando se haya metido en la excavación le dejaremos caer encima el árbol grande y allí en el hoyo morirá.

Esto fue lo que tramaron los cuatrocientos muchachos, y luego abrieron un gran hoyo muy profundo, y en seguida llamaron a Zipacná.

–Anda, ven a cavar un poco la tierra porque nosotros ya no alcanzamos –le dijeron.

–Está bien –contestó.

En seguida bajó al hoyo, y llamándolo mientras cavaba le gritaron:

–¿Has bajado ya muy hondo?

–Sí –contestó, mientras excavaba, pero el hoyo que estaba haciendo era para librarse del peligro pues sabía que lo querían matar; por eso, al abrir el pozo hizo, por un lado, un segundo agujero como una cueva para librarse.

–¿Hasta dónde has llegado? –gritaron hacia abajo los cuatrocientos muchachos.

–Todavía estoy cavando, ya os llamaré cuando esté terminado el trabajo –dijo Zipacná desde el fondo del hoyo. Pero no estaba cavando su sepultura, sino que estaba abriendo otro hueco lateral para refugiarse en él.

Por último Zipacná avisó a los muchachos, pero cuando llamó ya se había puesto a salvo dentro de la cueva.

–Venid a sacar y llevaros la tierra que he arrancado y que se amontona en el asiento del hoyo, porque ya está muy profundo. ¿No oís mi llamada? Yo sin embargo oigo vuestros murmullos. –Pero ellos no respondieron.

Esto decía Zipacná desde el agujero donde estaba escondido, gritando desde el fondo. Entonces los muchachos arrojaron violentamente su gran palo, que cayó en seguida con estruendo al fondo del agujero.

–¡Que nadie hable! Esperemos hasta oír sus gritos cuando muera –se dijeron entre sí, hablando en secreto y cubriéndose cada uno la cara, mientras caía el palo con estrépito. Zipacná respondió entonces desde su refugio lanzando un grito, de lo que se alegraron los muchachos.

–¡Qué bien nos ha salido lo que le hicimos! Ya murió –dijeron los jóvenes–. Si desgraciadamente hubiera continuado lo que había comenzado a hacer, estaríamos perdidos, porque ya se había metido entre nosotros[28].

Y llenos de alegría dijeron:

–Ahora vamos a fabricar nuestra bebida durante estos tres días. Mañana veremos y pasado mañana veremos también si vienen las hormigas entre la tierra a comérselo cuando hieda y se pudra. En seguida se tranquilizará nuestro corazón y lo celebraremos y tomaremos nuestra bebida dulce.

Zipacná escuchaba desde el hoyo todo lo que hablaban los muchachos. Y luego, al segundo día, llegaron gran cantidad de hormigas, yendo y viniendo y juntándose debajo del palo. Unas traían en la boca los cabellos y otras las uñas de Zipacná, pues se había cortado las uñas y los cabellos para engañar a los jóvenes.

Cuando vieron esto los cuatrocientos muchachos, dijeron:

–¡Ya pereció aquel demonio!, mirad cómo se han juntado las hormigas, cómo han llegado por montones.

Con lo que al tercer día empezaron a beber de la chicha que ya estaba fuerte, y se emborracharon y quedaron tendidos sin sentido, y saliendo entonces Zipacná derribó la casa sobre ellos y a todos los golpeó hasta quitarles la vida. Esto hizo Zipacná, el hijo de Vucub Caquix. Y una vez muertos los cuatrocientos muchachos de esta manera, fueron puestos en el cielo en el lugar de las siete cabrillas, que por eso se llaman *motz*, porque todos murieron en grupo y a la vez[29].

Ahora contaremos la derrota y muerte de Zipacná, cuando fue vencido por los dos muchachos Hunahpú e Ixbalanqué.

Los dos jóvenes sintieron mucho la muerte de los cuatrocientos muchachos a manos de Zipacná. Éste sólo buscaba pescados y cangrejos a la orilla de los ríos, que eran su comida habitual. Durante el día se paseaba buscando su comida y de noche se echaba los cerros y montañas a las espaldas.

En seguida Hunahpú e Ixbalanqué hicieron una figura a imitación de un cangrejo muy grande. De unas hojas llamadas *ec* le hicieron las patas largas, y las pequeñas de otras hojas llamadas *pahac,* y le pusieron una concha de piedra que le cubrió la espalda al cangrejo. Luego pusieron esta figura bajo una peña al pie de un gran cerro llamado *Meaván,* donde iban a vencer a Zipacná[30].

A continuación se fueron los dos jóvenes a encontrarse con Zipacná a la orilla de un río.

–¿A dónde vas, muchacho? –le preguntaron a Zipacná.

–No voy a ninguna parte, sólo ando buscando mi comida –contestó Zipacná.

–¿Y cuál es tu comida?

–Pescado y cangrejos, pero aquí no los hay y no he hallado ninguno; desde anteayer no he comido y ya no aguanto el hambre –dijo Zipacná a Hunahpú e Ixbalanqué.

–¡Allá en el fondo del barranco hay un cangrejo, y verdaderamente es muy grande, estaría bien que te lo comieras! A nosotros nos mordió cuando lo quisimos coger y por eso le tenemos miedo, por nada iríamos a cogerlo –dijeron Hunahpú e Ixbalanqué.

–¡Tened lástima de mí! Venid y llevadme a donde está –dijo Zipacná.

–No queremos, tenemos miedo. Anda tú solo, que no te perderás. Sigue por la vega del río y llegarás al pie de un gran cerro, allí está haciendo ruido.

–¡Ay, desgraciado de mí! ¿No lo podéis encontrar vosotros, muchachos? Venid a enseñármelo. Hay muchos pájaros que podéis cazar con la cerbatana, y yo sé dónde se encuentran –replicó Zipacná.

Su humildad convenció a los muchachos. Y éstos le dijeron:

–Pero ¿de veras lo podrás coger? Porque sólo por causa tuya vamos a volver; nosotros ya no lo intentaremos porque nos mordió cuando estábamos entrando boca abajo. Tuvimos miedo al entrar arrastrándonos, pero poco faltó para que lo cogiéramos. Así, pues, es bueno que tú entres agachándote –le dijeron.

–Está bien –dijo Zipacná–, y entonces se fue en su compañía. Llegaron al fondo del barranco, y allí, tendido sobre el costado, estaba el cangrejo mostrando su concha colorada. Y allí también, en el fondo del barranco, estaba el engaño de los muchachos.

–¡Qué bueno! –dijo entonces Zipacná con alegría–. ¡Quisiera tenerlo ya en la boca! –Y era que verdaderamente se estaba muriendo de hambre. Quiso probar a ponerse de bruces para entrar, pero el cangrejo iba subiendo. Se retiró en seguida y los muchachos le preguntaron:

–¿No le has cogido todavía?

–No –contestó–, porque se fue para arriba y a punto estuve de atraparlo. Pero tal vez sería conveniente que yo entrara de nuevo.

Y luego volvió a intentarlo arrastrándose con la espalda pegada al suelo, pero cuando ya casi había acabado de entrar y sólo mostraba la punta de los pies, se derrumbó la montaña y le cayó sobre el pecho. Ya no pudo darse la vuelta, y Zipacná quedó convertido en piedra.

Tal fue la destrucción de Zipacná por los muchachos Hunahpú e Ixbalanqué; según la antigua tradición, era quien hacía las montañas, el mayor de los hijos de Vucub Caquix.

Al pie del cerro llamado Meaván fue vencido. Sólo por un prodigio fue vencido el segundo de los soberbios. Quedaba otro, cuya historia contaremos ahora.

El tercero de los soberbios era el segundo hijo de Vucub Caquix, que se llamaba Cabracán.

—¡Yo derribo las montañas! —decía.

Pero Hunahpú e Ixbalanqué vencieron también a Cabracán. Por entonces Huracán, Chipi Caculhá y Raxa Caculhá hablaron y dijeron a Hunahpú e Ixbalanqué:

—Que el segundo hijo de Vucub Caquix sea humillado a su vez. Ésta es nuestra voluntad. Porque no está bien lo que hace sobre la tierra, exaltando su gloria, su grandeza y su poder, y no debe ser así. Llevadle con halagos allá donde nace el sol —les dijo Huracán a los dos jóvenes.

—Muy bien, respetable señor —contestaron ellos—, porque no es justo lo que vemos. ¿Acaso no eres tú quien eres, tú que eres la paz, tú, Corazón del Cielo? —dijeron los muchachos mientras escuchaban la palabra de Huracán.

Entre tanto Cabracán estaba ocupado sacudiendo las montañas. Por poco que golpease con sus pies sobre la tierra se rompían inmediatamente las montañas grandes y pequeñas. Así lo encontraron los muchachos, quienes preguntaron a Cabracán:

—¿A dónde vas, muchacho?

—A ninguna parte —contestó—. Aquí estoy moviendo las montañas, porque yo soy el que las derriba, y las estaré derribando para siempre, mientras haya sol y claridad —dijo.

A continuación les preguntó Cabracán a Hunahpú e Ixbalanqué:

—¿Qué venís a hacer aquí? No conozco vuestras caras. ¿Cómo os llamáis? —dijo Cabracán.

—No tenemos nombre —contestaron aquéllos—. No somos más que tiradores con cerbatana y cazadores con liga en los montes. Somos huérfanos y no tenemos nada que nos pertenezca, muchacho. Solamente recorremos las montañas pequeñas y grandes. Y precisamente hemos visto una gran montaña, allá donde se enrojece el cielo. Verdaderamente se levanta a gran altura y sobrepasa las cimas de todos los cerros. Así es que no hemos podido coger ni uno ni dos pájaros en ella. Pero ¿es verdad que tú puedes derribar todas las montañas, muchacho? –le dijeron Hunahpú e Ixbalanqué a Cabracán–. Si es así, ayúdanos a derribarla.

–¿De veras habéis visto esa montaña que decís? ¿En dónde está? En cuanto yo la vea la echaré abajo. ¿Dónde la visteis?

–Por allá está, donde se levanta el sol –dijeron Hunahpú e Ixbalanqué.

–Está bien, mostradme el camino –les dijo a los dos jóvenes.

–¡De ninguna manera! –contestaron éstos–. Tenemos que llevarte en medio de nosotros: uno irá a tu izquierda y otro a tu derecha, porque tenemos nuestras cerbatanas, y si hubiera pájaros les tiraremos.

Y así iban alegres, probando sus cerbatanas; pero cuando tiraban con ellas no usaban el bodoque de barro en el tubo de sus cerbatanas, sino que sólo con el soplo derribaban a los pájaros, de lo cual se admiraba grandemente Cabracán.

En seguida hicieron un fuego los muchachos y pusieron a asar los pájaros, pero untaron uno de ellos con tizate, le pusieron un polvo blanco por encima.

–Esto le daremos –dijeron Hunahpú e Ixbalanqué–, para que se le abra el apetito con el olor que despide.

Pero este pájaro será su perdición. Así como la tierra cubre este pájaro por obra nuestra, así daremos con él en tierra y en tierra lo sepultaremos.

–Grande será la sabiduría del ser creado, del ser formado, cuando aclare, cuando el día se muestre –exclamaron los muchachos.

–Como es una cosa natural al corazón del hombre desear comer y mascar con los dientes, así el corazón de Cabracán apetecerá este pájaro –se decían entre sí Hunahpú e Ixbalanqué.

Mientras, se asaban los pájaros, que se iban dorando al fuego, y la grasa y el jugo de los animales despedían el olor más apetitoso. Cabracán sentía grandes ganas de comérselos, se le hacía la boca agua, bostezaba y la baba y la saliva le corrían a causa del olor excitante de los pájaros.

Finalmente les preguntó:

–¿Qué es ese guiso que tenéis ahí? Verdaderamente es agradable el olor que siento. Dadme un pedacito –les dijo.

Le dieron entonces el pájaro a Cabracán, el pájaro que sería su ruina. Y en cuanto acabó de comerlo se pusieron en camino y llegaron al oriente, adonde estaba la gran montaña. Pero ya entonces se le habían aflojado las piernas y las manos a Cabracán, ya no tenía fuerzas a causa de la tierra con que habían untado el pájaro que se comió, y ya fue incapaz de hacerles nada a las montañas, ni le fue posible derribarlas.

En seguida lo amarraron los muchachos. Le ataron los brazos detrás de la espalda y le ataron también el cuello y los pies. A continuación lo tiraron al suelo, y allí mismo lo enterraron[31].

De esta manera fue vencido Cabracán tan sólo por obra de Hunahpú e Ixbalanqué. No sería posible enumerar todas las cosas que ellos hicieron aquí en la tierra.

Pero ha llegado el momento de que contemos ahora el nacimiento de Hunahpú e Ixbalanqué, después de haber relatado la destrucción de Vucub Caquix, la de Zipacná y la de Cabracán.

Segunda parte

4. El padre de los gemelos divinos

Diremos también el nombre del padre de Hunahpú e Ixbalanqué. Pero dejaremos en la sombra su origen, y cubriremos con el misterio la relación del nacimiento de Hunahpú e Ixbalanqué. Sólo diremos la mitad, una parte solamente de la historia de su padre.

He aquí, pues, esa historia. El nombre es *Hun Hunahpú*, así llamado. Sus padres eran Ixpiyacoc e Ixmucané. Por ellos fueron engendrados en la noche, antes de que hubiera sol ni luna, ni fuera creado el hombre, *Hun Hunahpú* y *Vucub Hunahpú*, por Ixpiyacoc e Ixmucané[32].

Ahora bien, Hun Hunahpú había engendrado y tenía dos hijos, el primero se llamaba *Hun Batz* y el segundo *Hun Chouén*. La madre de éstos se llamaba *Ixbaquiyalo*, así se llamaba la mujer de Hun Hunahpú. Y el otro Vúcub Hunahpú no tenía mujer, era soltero[33].

Los dos hijos de Ixpiyacoc e Ixmucané, por su naturaleza, eran grandes sabios y grande era su ciencia, eran adivinos aquí en la tierra, de buena índole y buenas costumbres. Por otro lado, a Hun Batz y Hun Chouén, los hijos de Hun Hunahpú, les fueron enseñadas todas las artes. Eran flautistas, cantores, tiradores con cerbatana, pintores, escultores, joyeros, plateros: esto eran Hun Batz y Hun Chouén.

Hun Hunahpú y Vucub Hunahpú se ocupaban solamente de jugar a los dados y a la pelota todos los días; y cuando se reunían los cuatro en el patio del juego de pelota se enfrentaban de dos en dos[34].

Allí venía a observarlos el Voc, el mensajero de Huracán, de Chipi Caculhá, de Raxa Caculhá; pero este gavilán no se quedaba lejos de la tierra, ni lejos de *Xibalbá,* y en un instante subía hasta el cielo al lado de Huracán.

Estaban jugando a la pelota en una ocasión, en el camino de Xibalbá, después de que hubiera muerto la madre de Hun Batz y Hun Chouén, cuando los oyeron *Hun Camé* y *Vucub Camé,* los señores de Xibalbá[35].

–¿Qué están haciendo sobre la tierra? ¿Quiénes son los que la hacen temblar y provocan tanto tumulto? ¡Que vayan a llamarlos! ¡Que vengan a jugar aquí a la pelota, donde los venceremos! Ya no somos respetados por ellos, ya no tienen consideración ni miedo a nuestra categoría, y hasta se ponen a competir sobre nuestras cabezas –dijeron todos los de Xibalbá.

En seguida entraron en consejo. Los nombrados Hun Camé y Vucub Camé eran los jueces supremos. A todos los señores les señalaban sus funciones y cada uno de ellos lo era por la voluntad de Hun Camé y Vucub Camé.

Xiquiripat y *Cuchumaquic* eran los señores así llamados, éstos son los que causan las pérdidas de sangre de los hombres.

Otros se denominaban *Ahalpuh* y *Ahalganá,* también señores. Y el oficio de éstos era hinchar a los hombres, que les brotara pus de las piernas y que les subiera la palidez a la cara, lo que se llama *Chuganal.* Tal era el oficio de Ahalpuh y Ahalganá.

Estaban también el señor *Chamiabac* y el señor *Chamiaholom,* alguaciles de Xibalbá, cuyas varas eran de hueso. La ocupación de éstos era enflaquecer a los hombres hasta que los volvían sólo huesos y calaveras y se morían y se los llevaban convertidos en puros esqueletos. Tal era el oficio de Chamiabac y Chamiaholom, como se les llamaba.

Otros eran los señores *Ahalmez* y *Ahaltocob,* así sonaban sus nombres. El oficio que tenían era causar desgracias a los hombres y que les sucedieran cosas adversas, ya fuera en la puerta o el patio de sus casas, y que los encontraran heridos, tendidos boca arriba en el suelo y muertos. Tal era la ocupación de Ahalmez y Ahaltocob.

Venían en seguida otros señores llamados *Xic* y *Patán,* cuyo oficio era conducir a la muerte a los hombres en los caminos, lo que se llama muerte repentina, subiéndoles la sangre a la boca hasta que morían vomitándola. El empleo de cada uno de estos señores era oprimirles la garganta y el pecho para que los hombres murieran en los caminos, haciéndoles llegar súbitamente la sangre a la garganta cuando caminaban. Ésta era la ocupación de Xic y Patán[36].

Y habiéndose reunido en consejo, trataron de la manera de atormentar y castigar a Hun Hunahpú y a Vucub Hunahpú. Verdaderamente, los de Xibalbá querían apoderarse de los instrumentos de juego de Hun Hunahpú y Vucub Hunahpú, sus cueros, sus rodilleras, sus guantes, los protectores del pecho y los brazos, los tocados y las máscaras, que eran los adornos y atavíos de Hun Hunahpú y Vucub Hunahpú[37].

Ahora contaremos su ida a Xibalbá y cómo dejaron tras de sí a los hijos de Hun Hunahpú, Hun Batz y Hun Chouén, cuya madre había muerto. Después diremos cómo Hun Batz y Hun Chouén fueron vencidos por Hunahpú e Ixbalanqué.

5. La muerte de Hun Hunahpú

En seguida fue la marcha de los mensajeros de Hun Camé y Vucub Camé.

–Partid –les dijeron los gobernantes de Xibalbá, *Ahpop Achih*–, señores consejeros, id a llamar a Hun Hunahpú y Vucub Hunahpú. «Venid con nosotros», les diréis. «Dicen los señores que vengáis.» Que vengan aquí a jugar a la pelota con nosotros, para que con ellos se alegren nuestras caras, porque verdaderamente nos causan admiración. Así, pues, que vengan –dijeron los señores–. Y que traigan sus instrumentos de juego, sus anillos, sus guantes, y que traigan también sus pelotas de hule. «Venid pronto», les diréis. –Eso les fue ordenado a los mensajeros.

Y estos mensajeros eran búhos: *Chayi Tucur, Huracán Tucur, Caquix Tucur* y *Holom Tucur*. Así se llamaban los mensajeros de Xibalbá. Chayi Tucur era veloz como una flecha; Huracán Tucur tenía alas y solamente una pierna;

Caquix Tucur tenía la espalda roja de fuego, y Holom Tucur tenía cabeza y alas, pero no tenía cuerpo ni piernas[38].

Los cuatro mensajeros tenían la dignidad de Ahpop Achih. Saliendo de Xibalbá llegaron rápidamente, llevando su mensaje, al lugar donde estaban jugando a la pelota Hun Hunahpú y Vucub Hunahpú, en el patio de juego que se llamaba *Nim Xob Carchah*[39]. Los búhos mensajeros se dirigieron al recinto y presentaron su mensaje, precisamente en el orden en que se lo dieron Hun Camé, Vucub Camé, Ahalpuh, Ahalganá, Chamiabac, Chamiaholom, Xiquiripat, Cuchumaquic, Ahalmez, Ahaltocob, Xic y Patán, que así se llamaban los señores que enviaban su recado por medio de los búhos.

–¿Será bien seguro que los señores Hun Camé y Vucub Camé han hablado así? ¿Será cierto que debemos acompañaros? –exclamaron los hermanos jugadores. Y los mensajeros contestaron:

–Han dicho los señores que debéis traer todos los instrumentos con los que jugáis.

–Está bien –dijeron los muchachos–. Esperadnos primero un momento, vamos a despedirnos de nuestra madre.

Tomaron, pues, el camino de su casa y dijeron a su madre, porque su padre ya había muerto:

–He aquí que nos vamos, señora madre, tenemos que ir. Los mensajeros han venido a buscarnos e insisten en que vayamos. Pero quedará un testigo de nuestra existencia, esta pelota de goma –agregaron, y de inmediato fueron a depositar esa pelota y la amarraron en el desván de la casa. Y avisaron a sus hijos Hun Batz y Hun Chouén y les dijeron:

»Vosotros entreteneos en tocar vuestras flautas y cantar, en pintar y escribir y hacer esculturas, y cuidad de la casa y consolad el espíritu de vuestra abuela.

Así les dijeron a Hun Batz y a Hun Chouén.

Al momento de despedirse de su madre, la emoción se apoderó de Ixmucané y le brotaron las lágrimas.

–No hay motivo para afligirse –le dijeron–, partimos pero no estamos todavía muertos.

En seguida se fueron Hun Hunahpú y Vucub Hunahpú, y los mensajeros iban delante y los llevaban por el camino. Así fueron bajando hacia Xibalbá, por unas escaleras muy empinadas. Descendieron hasta que llegaron a la orilla de un río que corría rápidamente entre los barrancos llamados *Nu zivan cul* y *Cuzivan,* y pasaron por ellos. Luego atravesaron el río hirviente que corre entre jícaros espinosos. Los jícaros eran innumerables, pero ellos pasaron por encima sin lastimarse.

Después llegaron a la orilla de un río de sangre y lo cruzaron sin beber su caudal; y llegaron a otro río que no llevaba más que agua, y no fueron vencidos en estas pruebas. Siguieron adelante hasta que alcanzaron el paraje donde se juntaban cuatro caminos y allí sí fueron vencidos, en el cruce de los cuatro caminos.

De estos cuatro caminos, uno era rojo, otro negro, otro blanco y otro amarillo. Y el camino negro les habló de esta manera:

–Yo soy el que debéis tomar porque yo soy el camino del señor –así habló el camino.

Y allí fue donde cayeron en la trampa. Se pusieron en marcha por el camino de Xibalbá, y cuando llegaron a la sala del consejo de los señores de Xibalbá, ya habían perdido la partida[40].

Ahora bien, los que estaban allí sentados eran solamente muñecos, hechos de madera labrada, arreglados por los de Xibalbá. Fue a ellos a los que saludaron primero:

–¿Salud, Hun Camé? –le dijeron al espantajo.

–¿Salud, Vucub Camé? –le dijeron al hombre de palo. Pero éstos no les respondieron. Al punto soltaron la carcajada los gobernantes de Xibalbá, y todos los demás señores se pusieron a reír ruidosamente, porque sentían que ya los habían derrotado, que habían vencido con ese engaño a Hun Hunahpú y Vucub Hunahpú.

Luego hablaron Hun Camé y Vucub Camé:

–Muy bien –dijeron–. Ya estáis aquí. Mañana preparad la máscara, vuestros brazaletes y vuestros guantes.

–Sentaos en nuestros bancos –dijeron a continuación.

Pero los bancos que les ofrecían eran de piedra ardiente y en los bancos se quemaron[41]. Se pusieron a dar vueltas y brincar en los asientos, pero no se aliviaron, y se levantaron con las posaderas chamuscadas.

Los de Xibalbá se echaron a reír de nuevo, se morían de risa, se criaba la culebra de la risa en sus corazones, en sus sangres, en sus huesos, reían todos los señores de Xibalbá.

–Idos ahora a aquella casa –les dijeron–, allí se os llevará vuestra astilla de ocote y vuestro cigarro y allí dormiréis.

En seguida llegaron a la Casa Oscura. No había más que tinieblas en el interior de la casa. Mientras tanto, los señores de Xibalbá discurrían lo que debían hacer.

–Sacrifiquémoslos mañana, que mueran lo más pronto posible, porque su juego nos ha turbado e inquietado.

Que sus instrumentos nos sirvan a nosotros para jugar –dijeron entre sí los señores de Xibalbá.

Ahora bien, el ocote era una punta redondeada de lo que llaman *zaquitoc* o pedernal blanco; éste es el *chay,* el pedernal de Xibalbá. Era puntiagudo y afilado y brillante, como astillas de hueso; muy duro era el pino de los de Xibalbá.

Hun Hunahpú y Vucub Hunahpú entraron en la Casa Oscura. Allí fueron a darles su ocote, un solo ocote encendido que les mandaban Hun Camé y Vucub Camé, junto con un cigarro para cada uno, encendido también, que les mandaban los señores.

Se hallaban en cuclillas en la oscuridad cuando llegaron los portadores del ocote y los cigarros. Al entrar, el ocote alumbraba vívidamente.

–Que enciendan su ocote y sus cigarros cada uno, y que ardan toda la noche; que vengan a devolverlos al amanecer, pero que no los consuman, sino que los entreguen enteros; esto es lo que mandan los señores que os digamos. –Así les dijeron y así fueron vencidos. Su ocote se acabó, y asimismo se consumieron los cigarros que les habían dado[42].

Los tormentos de Xibalbá eran numerosos, eran pruebas de muchas clases.

El primero era la Casa Oscura, *Quequma-ha,* en cuyo interior sólo había tinieblas.

El segundo, la Casa del Frío, *Xululim-ha,* dentro de la cual hacía mucho frío. Un viento helado y cortante soplaba en su interior.

El tercero era la Casa de los Jaguares, *Balami-ha,* así llamada, en la cual no había más que jaguares que se revolvían y se amontonaban con aspecto feroz, atacándose con los colmillos y haciendo crujir sus dientes. Los jaguares estaban encerrados dentro de la casa.

Zotzi-ha, la Casa de los Murciélagos, era el nombre del cuarto lugar de tormento. Dentro de esta casa no había más que murciélagos que chillaban, gritaban y revoloteaban en el interior. Los murciélagos no podían salir.

El quinto se llamaba la Casa de las Navajas, *Chayin-ha,* dentro de la cual había infinidad de navajas cortantes y afiladas, quietas o chocando las unas con las otras.

Muchos eran los lugares de padecimiento de Xibalbá, pero no entraron en ellos Hun Hunahpú y Vucub Hunahpú, únicamente los mencionamos ahora[43].

Cuando Hun Hunahpú y Vucub Hunahpú llegaron ante Hun Camé y Vucub Camé, oyeron que les decían:

–¿Dónde están mis cigarros? ¿Dónde está mi astilla de ocote, la que os dieron anoche?

–Se consumieron, señor –dijeron Hun Hunahpú y Vucub Hunahpú.

–Pues bien, hoy será el fin de vuestros días, moriréis, seréis destruidos, os haremos pedazos y aquí quedará sepultada y oculta vuestra memoria. Seréis sacrificados –dijeron Hun Camé y Vucub Camé.

En seguida los sacrificaron y los sepultaron en el lugar llamado *Pucbal Chah*[44]. Antes le cortaron la cabeza a Hun Hunahpú, y enterraron al hermano mayor junto con el hermano menor.

–Llevad la cabeza y ponedla en aquel árbol que está en medio del camino –dijeron Hun Camé y Vucub Camé. Y habiendo ido a poner allí la cabeza, al punto se cubrió de frutos. Era un árbol que jamás había fructificado antes de que pusieran entre sus ramas la cabeza de Hun Hunahpú. Y a esta jícara la llamamos hoy la cabeza de Hun Hunahpú, que así se dice.

Con admiración contemplaban Hun Camé y Vucub Camé el fruto del árbol. El fruto redondo estaba en todas partes, pero no se distinguía la cabeza de Hun Hunahpú, era un fruto igual a los demás. Solamente se veía su rostro entre los frutos del jícaro. Así aparecía ante todos los de Xibalbá cuando iban a contemplar la cabeza.

A juicio de aquéllos, la naturaleza de este árbol era maravillosa, por lo que había sucedido en un instante cuando pusieron entre sus ramas la cabeza de Hun Hunahpú. Y los señores de Xibalbá ordenaron:

–¡Que nadie venga a coger de esta fruta! ¡Que nadie venga a ponerse debajo de este árbol! –dijeron, y así se impedían mutuamente todos los de Xibalbá acercarse al lugar.

La cabeza de Hun Hunahpú no volvió a aparecer, porque se había vuelto la misma cosa que el fruto del árbol que se llama jícaro[45]. Sin embargo, una muchacha oyó la historia del prodigio y he aquí el relato de su llegada.

6. La historia de Ixquic

Oyendo, pues, cierta doncella llamada Ixquic, hija del señor Cuchumaquic, decir a su padre cómo aquel palo seco había fructificado, sintió curiosidad y se propuso ir a ver el prodigio.

–¿Por qué no he de ir a ver ese árbol del que hablan? –exclamó la joven–. Ciertamente deben ser sabrosos sus frutos.

A continuación se puso en camino ella sola y llegó al pie del árbol que estaba en el lugar del sacrificio del juego de pelota, en Pucbal Chah.

–¡Ah! –exclamó–, ¿qué frutos son los que produce este árbol? ¿No es admirable ver cómo se ha cubierto de frutos? ¿Me he de morir, me perderé si arranco uno de ellos? –dijo la doncella.

Habló entonces el hueso que estaba entre las ramas del árbol y dijo:

–¿Qué es lo que quieres? Estos frutos redondos que cubren las ramas del árbol no son más que calaveras. –Así dijo la cabeza de Hun Hunahpú dirigiéndose a la joven–. ¿Por ventura los deseas? –agregó.

–Sí los deseo –contestó la doncella.

–Muy bien –dijo la calavera–. Extiende adelante las manos abiertas.

–Bueno –replicó la joven, y, levantando sus manos abiertas, las extendió en dirección a la calavera.

En ese instante la calavera lanzó un chisguete de saliva que fue a caer directamente en la palma de la mano de la doncella. Mirándose ésta rápidamente y con atención la palma de la mano no pudo ver nada, pues la saliva de la calavera ya no estaba allí.

–En la saliva te he dado mi señal y mi descendencia –dijo la voz en el árbol–. Ahora mi cabeza ya no tiene nada encima, no es más que una calavera despojada de la carne e infunde miedo a la gente. Es lo que sucede con las cabezas de los grandes jefes, solamente sus carnes hacen bueno su rostro. Así es que el hijo viene a ser como saliva, como baba fue creado, es hijo de señor, mejor dicho hijo de sabios, de oradores, no se perderá, de este modo seguirá, que se cumpla, que no se extinga, que no desaparezca la generación de señores, hombres sabios, oradores, que queden siempre hijas e hijos como herencia. Es lo que he hecho yo contigo. Sube, pues, a la superficie de la tierra, que no morirás. Confía en mi palabra que así será –dijo la cabeza de Hun Hunahpú y de Vucub Hunahpú[46].

Y todo lo que había acontecido fue por las palabras y el mandato de Huracán, de Chipi Caculhá y Raxa Caculhá.

La joven volvió en seguida a su casa después que le fueron hechas estas y otras advertencias y amonestaciones, habiendo concebido inmediatamente los hijos en su vientre por la sola virtud de la saliva. Y así fueron engendrados Hunahpú e Ixbalanqué.

Llegó la joven a su casa, y después de haberse cumplido seis meses reparó el llamado Cuchumaquic en la preñez de su hija. Al instante fue descubierto el secreto de la joven por el padre, al observar su barriga. Se reunieron entonces en consejo todos los señores, y Hun Camé y Vucub Camé, con Cuchumaquic.

–Mi hija está preñada, ha sido deshonrada –exclamó Cuchumaquic cuando compareció ante los señores.

–Bueno –dijeron éstos–. Oblígala a declarar la verdad, y si se niega a hablar, que muera, que la lleven a sacrificar lejos de aquí.

–Muy bien, respetables señores –contestó.

A continuación interrogó a su hija:

–¿Quién es el dueño del hijo que tienes en el vientre, hija mía?

Y ella respondió:

–No tengo hijo, señor padre, no hay varón que conozca mi rostro.

–Está bien –replicó Cuchumaquic–. Indudablemente eres una fornicadora. Llevadla a sacrificar, vosotros los Ahpop Achih; traedme su corazón en una copa y volved hoy mismo ante los señores –les dijo a los búhos.

Los cuatro mensajeros tomaron el vaso y se marcharon, conduciendo sobre sus espaldas a la joven y llevando también el cuchillo de pedernal blanco para sacrificarla.

Y ella les habló así:

–Vosotros no me mataréis, oh mensajeros, porque no es una deshonra lo que llevo en el vientre, sino que se engendró solo cuando fui a admirar la cabeza de Hun Hunahpú que estaba en Pucbal Chah. Por lo tanto no debéis sacrificarme, oh mensajeros –dijo la joven dirigiéndose a ellos.

–¿Y qué pondremos en lugar de tu corazón? Se nos ha dicho por tu padre: «Traedme el corazón, volved ante los señores, cumplid vuestro deber, arrancadlo y traedlo pronto en el vaso, poned el corazón en el fondo del vaso». ¿Acaso no se nos habló así? ¿Qué le daremos en el vaso? Nosotros bien quisiéramos que no murieras –dijeron los mensajeros.

–Pero este corazón no les pertenece a ellos. Tampoco debe ser aquí vuestra morada. No solamente por fuerza ha de morir la gente; vuestros serán los auténticos fornicadores, y míos serán en seguida Hun Camé y Vucub Camé. Así, pues, la sangre y sólo la sangre y las calaveras serán de ellos y estarán en su presencia. Tampoco puede ser que este corazón sea quemado ante ellos. Recoged el producto de este árbol –dijo la doncella.

La roja savia brotó del árbol, cayó en el vaso y de inmediato se endureció y se hizo una bola resplandeciente que tomó la forma de un corazón; fue hecho con el jugo que corría de aquel árbol encarnado. Semejante a la sangre brotaba el líquido del árbol, imitando la verdadera sangre. Luego se cuajó allí dentro la sangre, o sea la savia del árbol rojo, y se cubrió de una capa muy encendida como de verdadera sangre al coagularse dentro del vaso, mientras que el árbol relumbraba por obra de la doncella. Es llamado árbol rojo de grana, *chuh cacché* se le dice, pero desde entonces tomó también el nombre de árbol de la sangre porque a su savia se le llama la sangre[47].

–Allá en la superficie de la tierra tendréis vuestra habitación y vuestro alimento, lo que os pertenece –dijo la joven a los búhos.

–Está bien, muchacha, nosotros iremos allá, subiremos a servirte, pero camina tu primero a la otra parte mientras nosotros vamos a presentar la savia en lugar del corazón ante los señores –dijeron los mensajeros.

Cuando llegaron a presencia de los señores, estaban todos aguardando.

–¿Ya se ha terminado todo eso? –preguntó Hun Camé.

–Todo está concluido, señores. Aquí está el corazón en el fondo del vaso.

–Muy bien, veamos –exclamó Hun Camé. Y cogiéndolo con los tres dedos lo levantó, y de aquel cuajarón comenzó a derramarse la sangre de vivo color rojo.

–Atizad bien el fuego y ponedlo sobre las brasas –agregó Hun Camé.

De inmediato lo arrojaron al fuego y comenzaron a sentir el olor los de Xibalbá, y levantándose todos se acercaron, y ciertamente sentían muy dulce la fragancia de la sangre.

Y mientras ellos se quedaban pensativos y aturdidos, se marcharon los búhos, remontaron el vuelo en bandada desde el abismo hacia la superficie de la tierra y se convirtieron en sus servidores.

Así fueron burlados los señores de Xibalbá. Por la doncella fueron engañados todos.

7. Ixquic e Ixmucané

Estaban con su madre Hun Batz y Hun Chouén cuando llegó la mujer llamada Ixquic. Llevaba a sus hijos en el vientre y faltaba poco para que nacieran Hunahpú e Ixbalanqué. Y aproximándose a la anciana, le dijo:

–He llegado, señora madre, yo soy vuestra nuera y vuestra hija.

Esas fueron sus palabras cuando entró a la casa de la abuela.

–¿De dónde vienes tú? ¿Dónde están mis hijos? ¿Por ventura no murieron en Xibalbá? ¿No ves a quienes heredaron su descendencia y linaje, y que se llaman Hun Batz y Hun Chouén? A saber de dónde vienes. ¡Sal de aquí! ¡Vete! –gritó la vieja airada a la muchacha.

–Y sin embargo, es la verdad que soy vuestra nuera, porque pertenezco a Hun Hunahpú. Ellos viven en lo que tengo, no han muerto Hun Hunahpú y Vucub Hunahpú, volverán a mostrarse claramente, mi señora suegra, y pronto veréis su figura en lo que traigo —le fue dicho a la vieja.

Entonces se enfurecieron Hun Batz y Hun Chouén. Sólo se entretenían en tocar la flauta y cantar, en pintar y esculpir, en lo que pasaban todo el día, y eran el consuelo de la vieja.

Habló luego la abuela y dijo:

—No quiero que tú seas mi nuera, porque lo que llevas en el vientre es fruto de tu deshonestidad. Además, eres una embustera: mis hijos a quienes mencionas ya han muerto.

Y agregó:

—Lo que te digo es verdad, pero en fin, tal vez he hablado demasiado. Está bien, tú eres mi nuera, según entiendo. Anda, pues, a traer la comida para los que hay que alimentar. Ve a cosechar una red grande de maíz y vuelve en seguida, puesto que eres mi nuera, según lo que oigo —le dijo a la muchacha.

—Muy bien —replicó la joven, y se fue en seguida hacia el campo donde estaban las sementeras de Hun Batz y Hun Chouén.

El camino había sido abierto por ellos y la joven lo tomó y así llegó a la milpa, pero no encontró más que una mata de maíz; no había dos, ni tres, y viendo que sólo había una mata con su espiga, se llenó de angustia el corazón de la muchacha.

—¡Ay, pecadora, desgraciada de mí! ¿A dónde iré a conseguir una red de maíz, como se me ha pedido? —exclamó. Y entonces pensó en invocar y llamar en su ayuda al *chahal* de los alimentos.

—¡Venid, presentaos, *Ixtoh, Ixcanil, Ixcacau,* vosotras las que preparáis el maíz con la ceniza; y tú chahal, guar-

dián de la comida de Hun Batz y Hun Chouén, venid en
mi ayuda! –exclamó la muchacha. Y a continuación cogió las barbas, los pelos rojos de la mazorca y los arrancó, sin cortar la mazorca. Luego los arregló en la red
como mazorcas de maíz y la gran red se llenó completamente[48].

Volviose enseguida la joven, los animales del campo
iban cargando la red, y cuando llegaron fueron a dejar la
carga en un rincón de la casa, como si ella la hubiera llevado. Llegó entonces la vieja y, luego que vio el maíz que
había en la gran red, exclamó:

–¿De dónde has traído todo este maíz? ¿Habrás acaso
acabado con nuestra milpa y te la has traído toda para
acá? Iré a verlo al instante –dijo la vieja, y se puso en camino para ir a ver la milpa. Pero la única mata de maíz
estaba allí todavía, y asimismo se veía el lugar donde había estado colocada la red. La vieja regresó entonces a
toda prisa a su casa y dijo a la muchacha:

–Esta es prueba suficiente de que realmente eres mi
nuera. Veré ahora tus obras, aquéllos que llevas en el
vientre y que también son hechiceros –le dijo a la joven.

8. Hermanos artistas

Contaremos el nacimiento de Hunahpú e Ixbalanqué. Aquí diremos cómo fue su nacimiento.

Cuando llegó el día parió la joven que se llamaba Ixquic, sin que lo viera la abuela. Sin sentir dolor, allá en el monte nacieron Hunahpú e Ixbalanqué. Los llevó a la casa pero no dormían de noche, sino que estaban llorando, lo que molestaba a la vieja.

–¡Anda y arrójalos fuera! –dijo la vieja–, porque verdaderamente es mucho lo que gritan. Y en seguida fueron a ponerlos sobre un hormiguero, pero allí durmieron tranquilamente. Luego los quitaron de ese lugar y los pusieron sobre unos espinos, y no sufrieron lesión alguna.

Ahora bien, lo que querían Hun Batz y Hun Chouén era que murieran allí en el hormiguero, o que murieran sobre las espinas. Deseábanlo así a causa del odio y de la envidia que por ellos sentían Hun Batz y Hun Chouén.

Al principio se negaban a recibir en la casa a sus hermanos menores, no los reconocían y por eso se criaron en las montañas.

Hun Batz y Hun Chouén eran grandes músicos y cantores, habían crecido en medio de muchos trabajos y necesidades, pasando por enormes sufrimientos, y llegaron a ser también muy sabios; eran a un tiempo músicos, cantores, pintores y talladores, todo lo podían hacer. Tenían noticia de su origen y comprendían que eran los sucesores de sus padres, los que fueron a Xibalbá y murieron allá. Hun Batz y Hun Chouén sabían en su interior todo lo relativo al nacimiento de sus hermanos menores, sin embargo no demostraban su sabiduría, por la envidia que les tenían, pues sus corazones estaban llenos de mala voluntad hacia ellos, sin que Hunahpú e Ixbalanqué los hubieran ofendido en nada[49].

Hunahpú e Ixbalanqué no hacían más que tirar con cerbatana todos los días, y no eran amados de la abuela ni de Hun Batz ni de Hun Chouén. No les daban de comer, solamente cuando ya estaba terminada la colación y habían comido Hun Batz y Hun Chouén, entonces llegaban ellos a aprovechar las sobras. Pero no se enojaban, ni se encolerizaban, y sufrían calladamente, porque sabían su condición y se daban cuenta de todo con claridad. Traían los pájaros que habían cazado cuando venían cada día, y Hun Batz y Hun Chouén se los comían, sin darle nada a ninguno de los dos.

La sola ocupación de Hun Batz y Hun Chouén era tocar la flauta y cantar. Y una vez que Hunahpú e Ixbalanqué volvieron sin traer ninguna clase de pájaros se enfureció la abuela.

–¿Por qué no traéis pájaros? –les dijo a Hunahpú e Ixbalanqué, y ellos contestaron:

–Lo que sucede, abuela, es que nuestros pájaros se han quedado trabados en las ramas espesas del árbol y no podemos trepar para cogerlos. Si nuestros hermanos mayores así lo quieren, que vengan con nosotros y que ayuden a bajar los pájaros –agregaron.

–Está bien –dijeron a su vez los hermanos mayores–, iremos con vosotros al amanecer.

Pensaron entonces los dos hermanos hijos de Ixquic la manera de vencer a Hun Batz y Hun Chouén.

–Solamente cambiaremos su naturaleza, su apariencia, que se cumpla nuestra palabra, por los muchos sufrimientos que nos han causado. Ellos deseaban que pereciésemos, que fuésemos aniquilados, nosotros, sus hermanos menores. En su interior nos tenían como sirvientes, sin reconocer lo que somos, por todo esto los venceremos y humillaremos.

Así iban hablando mientras se dirigían al pie del árbol llamado *canté*. Acompañados de sus hermanos mayores se entretenían tirando con la cerbatana. No era posible contar los innumerables pájaros que gorjeaban sobre el árbol, y Hun Batz y Hun Chouén se admiraban de ver tantos pájaros. Había pájaros, pero ni uno solo caía al pie del árbol.

–Nuestros pájaros no caen al suelo. Id a bajarlos –dijeron a sus hermanos mayores.

–Está bien –respondieron ellos.

Pero después que hubieron subido a la copa del árbol, el tronco empezó a crecer y ya no fueron capaces de bajar de lo alto.

Entonces exclamaron desde el remate del árbol:

–¿Qué nos ha sucedido, hermanos nuestros? ¡Desgraciados de nosotros! Este árbol nos causa espanto tan sólo de verlo, ¡oh hermanos, cómo haremos para bajar! –dijeron desde la altura. Y Hunahpú e Ixbalanqué les contestaron:

–Tomad vuestros ceñidores y atadlos debajo del vientre, dejando largas las puntas y tirando de ellas por detrás, de ese modo os iréis descolgando de las ramas al suelo.

Así les dijeron sus hermanos menores.

–Está bien –contestaron, tirando de la punta de sus ceñidores, pero al instante se convirtieron esas extremidades en colas y ellos adoptaron la apariencia de monos. En seguida se fueron saltando sobre el ramaje, por entre los montes grandes y pequeños, y se internaron en el bosque, haciendo muecas y columpiándose en las ramas de los árboles.

Así fueron vencidos Hun Batz y Hun Chouén por Hunahpú e Ixbalanqué, y sólo por arte de magia pudieron hacerlo[50].

Volvieron los muchachos a su casa, y al llegar hablaron con su abuela y con su madre, diciéndoles:

–¿Qué será, abuela nuestra, lo que les ha sucedido a nuestros hermanos mayores, que de repente se volvieron sus caras como caras de animales?

–Si vosotros les habéis hecho algún daño a vuestros hermanos, me habéis hecho desgraciada y me habéis llenado de tristeza. No hagáis semejante cosa a vuestros hermanos, ¡oh, hijos míos! –dijo la vieja a Hunahpú e Ixbalanqué, y ellos respondieron:

–No os aflijáis, abuela nuestra. Volveréis a ver la cara de nuestros hermanos, ellos regresarán, probaremos a traerlos, pero tened cuidado de no reiros. Y ahora, ¡examinemos su suerte! –dijeron.

En seguida se pusieron a tocar la flauta, tocando la canción llamada *Hunahpú Qoy*. Luego tomaron la flauta y el tambor, y tocaron y cantaron con sus flautas y su tambor. Después sentaron junto a ellos a su abuela y siguieron tocando y llamando a sus hermanos con la música y el canto, entonando la canción que se llama Hunahpú Qoy.

Por fin aparecieron Hun Batz y Hun Chouén, y al llegar se pusieron a bailar, pero cuando la vieja vio sus feos semblantes se echó a reír sin poder contener la risa, y ellos se fueron al instante y no se les volvió a ver la cara.

–¡Ya lo veis, abuela! Se han ido para el bosque. ¿Qué habéis hecho, abuela nuestra? Sólo cuatro veces podemos hacer esta prueba y no faltan más que tres. Vamos a llamarlos con la música de la flauta y con el canto, pero procurad contener la risa. ¡Que comience la prueba! –dijeron Hunahpú e Ixbalanqué.

En seguida se pusieron de nuevo a tocar. Hun Batz y Hun Chouén volvieron bailando y llegaron hasta el centro del patio de la casa, haciendo monerías y provocando tanto la alegría de su abuela que ésta soltó la carcajada. Realmente eran muy divertidos cuando llegaron con sus grotescas caras de mono, sus anchas posaderas, el meneo de sus colas y el vientre tembloroso, todo lo cual obligaba a la vieja a reírse.

Luego se fueron otra vez a los montes. Y Hunahpú e Ixbalanqué dijeron:

–¿Y ahora qué hacemos, abuela? Sólo esta tercera vez probaremos.

Tocaron de nuevo la flauta y volvieron los monos bailando. La abuela contuvo la risa. Entonces se encaramaron hasta el techo del edificio; sus ojos despedían una luz roja, alargaban y se restregaban los hocicos y causaban sobresalto las muecas que se hacían uno al otro.

En cuanto la abuela vio todo esto se echó a reír violentamente; y desaparecieron, y ya no se les volvieron a ver las caras, a causa de la risa de la vieja.

–Ya sólo esta vez los llamaremos, abuela, para que vengan aquí por la cuarta vez –dijeron los muchachos. Volvieron, pues, a tocar la flauta, pero ellos no regresaron la cuarta vez, sino que se fueron a toda prisa hacia el bosque[51].

Los muchachos le dijeron a la abuela:

–Hemos hecho todo lo posible, abuelita, primero vinieron, luego probamos a llamarlos de nuevo. Pero no os aflijáis, aquí estamos nosotros, vuestros nietos, que os consideramos como nuestra madre y nuestra abuela, puesto que nos hemos quedado en la casa en memoria de nuestros hermanos mayores, de aquéllos que se llamaron y tenían por nombre Hun Batz y Hun Chouén –dijeron Hunahpú e Ixbalanqu.

Hun Batz y Hun Chouén eran invocados por los músicos y los cantores que vivieron antiguamente. Los invocaban también los pintores y escultores en tiempos pasados. Pero fueron convertidos en animales y se volvieron monos porque se ensoberbecieron y maltrataron a sus hermanos menores[52].

De esta manera sufrieron sus corazones y su inteligencia, así fue su pérdida y fueron destruidos Hun Batz y Hun Chouén y se volvieron animales salvajes. Habían permanecido siempre en su casa, fueron músicos y cantores e hicieron también grandes cosas cuando vivían con su abuela y con su madre.

9. La juventud de los héroes

Comenzaron entonces a trabajar, para darse a conocer ante su abuela y ante su madre. Lo primero que harían sería la milpa.

–Vamos a sembrar la milpa, abuela y madre nuestra –dijeron–. No os aflijáis, aquí estamos nosotros, vuestros nietos; somos nosotros los que estamos en lugar de nuestros hermanos –dijeron Hunahpú e Ixbalanqué.

En seguida tomaron sus hachas, sus palos plantadores y sus azadas de madera y se fueron, llevando cada uno su cerbatana al hombro. Al salir de la casa le encargaron a su abuela que les llevara la comida.

–A mediodía nos traeréis la comida, abuela –le dijeron.

–Está bien, nietos míos –contestó la vieja.

Poco después llegaron al lugar de la siembra. Y al hundir el azadón en la tierra, éste labraba la tierra, el azadón hacía el trabajo por sí solo. Ellos no trabajaban. De la misma manera clavaban el hacha en el tronco de los árboles y en sus ramas y al punto caían y quedaban tendidos en el suelo todos los árboles y bejucos. Rápidamente caían los árboles, cortados de un solo hachazo.

Lo que había limpiado el azadón era mucho también. No se podían contar las zarzas y las espinas que habían arrancado con un solo golpe del azadón. Tampoco era posible calcular lo que habían cortado y derribado en todos los montes grandes y pequeños.

Y habiendo aleccionado a un animal llamado *Ixmucur,* lo hicieron subir a lo alto de un gran tronco y Hunahpú e Ixbalanqué le dijeron:

–Observa cuando venga nuestra abuela a traernos la comida, y al instante comienza a cantar y nosotros empuñaremos la azada y el hacha.

–Está bien –contestó Ixmucur.

En seguida se pusieron a tirar con la cerbatana; ciertamente no hacían ningún trabajo de labranza.

Poco después cantó la paloma torcaz e inmediatamente corrió uno a coger la azada y el otro a coger el hacha y, ensuciándose la cabeza, el uno se cubrió de tierra las manos intencionadamente y se manchó asimismo la cara como un verdadero labrador, y el otro se echó astillas de madera sobre la cabeza como si efectivamente hubiera estado talando los árboles.

Así fueron vistos por la abuela. En seguida comieron, pero realmente no habían hecho trabajo de labranza, no habían cultivado el maíz, y sin merecerla les dieron su comida. Luego se fueron a la casa.

–Estamos verdaderamente cansados, abuela –dijeron al llegar, estirando sin motivo las piernas y los brazos ante su abuela.

Regresaron al día siguiente, y al llegar al campo encontraron que se habían vuelto a levantar todos los árboles y bejucos, y que todas las zarzas y espinos estaban enmarañados y se habían vuelto a unir y enlazar entre sí.

–¿Quién se ha burlado de nosotros? –dijeron–. Sin duda lo han hecho todos los animales pequeños y grandes, el puma, el jaguar, el venado, el conejo, el gato de monte, el coyote, el jabalí, el pisote, los pájaros pequeños, los pájaros grandes; éstos fueron los que lo hicieron en una sola noche.

En seguida comenzaron de nuevo a preparar el maizal y a arreglar la tierra y cortar los árboles. A continuación discurrieron acerca de lo que habían de hacer una vez los árboles cortados y las hierbas arrancadas.

–Ahora velaremos nuestra milpa, es posible que sorprendamos al que viene a hacer todo este daño –acordaron entre sí. Y a continuación regresaron a la casa.

–¿Qué os parece, abuela, es que se han burlado de nosotros? Nuestro campo que habíamos labrado se ha vuelto un gran zacatal y bosque espeso. Así lo hallamos cuando llegamos hace un rato –le dijeron a su abuela y a su madre–. Pero volveremos allá y velaremos, porque no es justo que nos hagan tales cosas.

Luego se pertrecharon y se fueron de nuevo a su campo de árboles cortados, y allí se escondieron al acecho, amparándose en la sombra. Se reunieron allí entonces todos los animales, era una congregación de animales de cada especie, animales pequeños y animales grandes. Era medianoche cuando llegaron hablando todos y diciendo así en sus lenguas: «¡Levantaos, árboles! ¡Levantaos, bejucos!».

Esto decían cuando llegaron y se agruparon bajo los árboles y bajo los bejucos y fueron acercándose hasta manifestarse ante los ojos de los hermanos.

Eran los primeros el puma y el jaguar, y quisieron cogerlos, pero no se dejaron. Luego se acercaron al venado y al conejo y sólo les pudieron coger las colas. Solamente les arrancaron las puntas de las colas. La cola del venado les quedó entre las manos y por esta razón el venado y el conejo tienen cortas las colas.

El gato de monte, el coyote, el jabalí y el pisote tampoco se entregaron. Todos los animales pasaron frente a Hunahpú e Ixbalanqué, cuyos corazones ardían de cólera porque no los podían coger. Pero, por último, llegó otro saltando y brincando, era el ratón, y al instante lo atraparon y lo envolvieron en un paño. Y luego que lo cogieron, le apretaron la cabeza y lo quisieron ahogar, y le quemaron la cola en el fuego, de donde viene que la cola del ratón no tiene pelo y que sus ojos son saltones, porque le chamuscaron y le quisieron estrangular los dos muchachos Hunahpú e Ixbalanqué.

Y dijo entonces el ratón:

—No me matéis, no debéis matarme, y sabed que vuestro oficio tampoco es el de hacer milpa.

—¿Qué nos cuentas tú ahora? —le dijeron los muchachos al ratón.

—Soltadme un poco, que en mi pecho tengo algo que deciros y os lo diré en seguida, pero antes dadme algo de comer —dijo lastimero el ratón.

—Después te daremos tu comida, pero habla primero —le contestaron.

–Está bien. Sabréis, pues, que los bienes de vuestros padres Hun Hunahpú y Vucub Hunahpú, así llamados, aquellos que murieron en Xibalbá, o sea los instrumentos con que jugaban, existen todavía y están colgados en el techo de la casa: sus brazaletes, los guantes y la pelota de hule. Sin embargo, vuestra abuela no os los quiere enseñar porque a causa de ellos murieron vuestros padres.

–¿Lo sabes con certeza, dices la verdad? –le dijeron los muchachos al ratón. Y sus corazones se alegraron grandemente cuando oyeron la noticia de la pelota y los pertrechos del juego, y como ya había terminado de hablar el animalito, le señalaron su comida al ratón.

–Este será tu alimento: el maíz, las pepitas de chile, el frijol, el pataxte, el cacao, todo esto te pertenece, y si hay algo que esté guardado u olvidado, tuyo será también, puedes roerlo –le fue dicho al ratón por Hunahpú e Ixbalanqué.

–Magnífico, muchachos –dijo aquél–, pero ¿qué le diré a vuestra abuela si me ve?

–No te preocupes, porque nosotros estamos aquí y sabremos lo que hay que decirle a nuestra abuela. ¡Vamos!, lleguemos aprisa a esta esquina de la casa, sube pronto a donde están esas cosas colgadas; nosotros estaremos mirando al desván de la casa y atendiendo únicamente a nuestra comida –le dijeron al ratón.

Y habiéndolo dispuesto de esta manera durante la noche, después de hablarlo entre ellos, Hunahpú e Ixbalanqué llegaron a mediodía a la casa. Cuando llegaron llevaban consigo escondido al ratón; uno de ellos entró directamente a la casa y el otro se acercó a la esquina y desde allí hizo trepar al instante al ratón.

En seguida pidieron su comida a la vieja.

–Prepara nuestra comida, queremos un chilmol, abuela nuestra –dijeron. Y al punto les prepararon la comida y les pusieron delante un plato de caldo.

Pero esto era sólo para engañar a su abuela y a su madre. Después de derramar el agua que había en la tinaja, exclamaron:

–Secas están nuestras bocas verdaderamente, ve a traernos de beber –le dijeron a su abuela.

–Bueno –contestó ella, y se fue. Pusiéronse entonces a comer, pero lo cierto es que no tenían hambre, sólo estaban fingiendo. Vieron entonces reflejado en el guiso de chile cómo el ratón se dirigía rápidamente hacia la pelota que estaba colgada del techo de la casa. Al ver esto en su chilmol, despacharon a cierto *Xan,* el animal llamado Xan, que es como un mosquito, el cual fue al río y perforó la pared del cántaro de la abuela, y aunque ella trató de contener el agua que se salía, no pudo cerrar el agujero hecho por la picadura en el cántaro.

–¿Qué le pasa a nuestra abuela? Nos estamos asfixiando por falta de agua, nos estamos muriendo de sed –le dijeron a su madre, y la mandaron fuera. En seguida fue el ratón a cortar la cuerda que sostenía la pelota, la cual cayó del techo de la casa junto con los brazaletes, los guantes y los protectores de cuero. Se apoderaron de ellos los muchachos y corrieron al instante a ocultarlos en el camino que conducía al campo de juego de pelota. Después de esto se encaminaron al río, a reunirse con su abuela y su madre, que estaban atareadas tratando de tapar el agujero del cántaro. Y llegando cada uno con su cerbatana, dijeron:

–¿Qué estáis haciendo? Nos cansamos de esperar y nos vinimos para acá –les dijeron.

–Mirad el agujero de mi cántaro que no se puede tapar –dijo la abuela. Al instante lo taparon y juntos regresaron hacia la casa, marchando ellos delante de su abuela. Así fue el hallazgo de la pelota.

10. La llamada de Xibalbá

Muy contentos se fueron los muchachos a jugar al patio de juego de pelota de sus padres. Limpiaron el terreno y estuvieron jugando un largo rato hasta que les oyeron los señores de Xibalbá.

–¿Quiénes son esos que vuelven a jugar sobre nuestras cabezas y que no se avergüenzan de hacer temblar la tierra? ¿Es que no murieron Hun Hunahpú y Vucub Hunahpú, que quisieron engrandecerse ante nuestros ojos? ¡Id a llamarlos de inmediato!

Así dijeron Hun Camé, Vucub Camé y todos los señores. Y enviándolos a llamar dijeron a sus mensajeros:

–Partid y decidles cuando lleguéis allá: «Que vengan, han dicho los señores, porque aquí deseamos jugar a la pelota con ellos, dentro de siete días queremos jugar, decidles cuando lleguéis» –fue la orden que dieron a los mensajeros, y éstos vinieron entonces por el ancho camino por el que solían ir los muchachos y que conducía directamente a su casa. Llegaron así ante la abuela, que estaba comiendo.

–Dicen los señores que los muchachos deben ir sin falta –expusieron los mensajeros de Xibalbá a la abuela. E indicaron el día preciso–. Dentro de siete días los esperan –le dijeron a Ixmucané[33].

–Muy bien, mensajeros, allí estarán –respondió la vieja. Y los mensajeros se fueron de regreso a Xibalbá.

Entonces se llenó de angustia el corazón de la vieja. ¿A quién mandaré que vaya a llamar a mis nietos? ¿No fue de esta misma manera como aparecieron los mensajeros de Xibalbá en la ocasión pasada, cuando vinieron a llevarse a sus padres?, pensó la abuela entrando sola y afligida en su casa. Entonces le cayó un piojo de la falda, lo cogió y se lo puso en la palma de la mano, y el piojo asustado se meneó y echó a andar.

–Nieto mío, ¿quieres ser mi enviado para ir a llamar a mis nietos al juego de pelota? –le dijo al piojo–. «Han llegado mensajeros ante vuestra abuela», dirás; «que vengan dentro de siete días, que vengan, dicen los mensajeros de Xibalbá, así lo manda decir vuestra abuela» –le dijo al piojo.

Al instante se marchó el piojo *Uuq* contoneándose. Y estaba sentado en el camino un muchacho llamado *Tamazul,* o sea, el sapo.

–¿A dónde vas? –le dijo el sapo al piojo.

–Llevo un recado, voy a buscar a los muchachos que están en el patio de juego de pelota –le contestó el piojo al Tamazul.

–Está bien, pero veo que no te das prisa –le dijo el sapo al piojo–. ¿No quieres que te trague? Ya verás cómo corro yo, y así llegaremos rápidamente.

–Muy bien –le contestó el piojo al sapo. Y en seguida se tragó el sapo al piojo. Y el sapo caminó mucho tiempo, pero sin apresurarse. Luego encontró a su vez una gran culebra, que se llamaba *Zaquicaz*.

–¿A dónde vas, joven Tamazul? –díjole Zaquicaz al sapo.

–Voy de mensajero, llevo un recado en mi vientre –le dijo el sapo a la culebra.

–Veo que no caminas aprisa. ¿No llegaré yo más pronto? –le dijo la culebra al sapo. Y en seguida Zaquicaz se tragó al sapo. Esta fue desde entonces la comida de las culebras, que todavía hoy se tragan a los sapos.

Iba caminando apresurada la culebra, y habiéndola encontrado el *Vac,* que es un pájaro grande, al instante se tragó el gavilán a la culebra. Poco después llegó volando al juego de pelota. Desde entonces fue ésta la comida de los gavilanes, que devoran a las culebras en los campos. Y al llegar, el gavilán se posó sobre la cornisa del patio, donde Hunahpú e Ixbalanqué se divertían jugando. Entonces el gavilán se puso a gritar: ¡*Vaccó*! ¡*Vaccó*! ¡Aquí está el gavilán!, decía en su graznido ¡Aquí está el gavilán!

–¿Quién está gritando? ¡Vengan nuestras cerbatanas! –exclamaron los muchachos. Y disparándole con presteza al gavilán, le dirigieron el bodoque a la niña del ojo, y dando vueltas se vino al suelo. Corrieron a recogerlo y le preguntaron:

–¿Qué vienes a hacer aquí? –fue lo que le dijeron al pájaro.

–Traigo un mensaje en mi vientre. Curadme primero el ojo que me habéis reventado y después os diré –contestó el gavilán.

–Muy bien, dijeron ellos, y, sacando un poco de la resina de la pelota con que jugaban, se lo pusieron en el ojo al gavilán. *Lotzquic* la llamaron, y al instante quedó curada perfectamente la vista del gavilán.

–Habla pues –dijeron al gavilán. Y en seguida vomitó una gran culebra.

–Habla tú –le dijeron a la culebra.

–Bueno –dijo ésta, y vomitó al sapo.

–¿Dónde está el recado que anunciabas? –le dijeron al sapo.

–Aquí está en mi vientre –contestó el sapo. Y en seguida hizo esfuerzos, pero no pudo vomitar, solamente se le llenaba la boca como de baba, y no le venía el vómito. Los muchachos, impacientes, querían pegarle.

–Eres un mentiroso –le dijeron, dándole de puntapiés en el trasero. Probó de nuevo, pero sólo la baba le salía de la boca. Entonces le abrieron la boca al sapo los muchachos y buscaron dentro. El piojo estaba pegado a los dientes del sapo, en la boca se había quedado, no lo había tragado, sólo había intentado tragarlo. Así quedó burlado el sapo, caído de nalgas y con la boca rasgada, y no se conoce cuál es su alimento, babea, no puede correr y se volvió comida de culebras[54].

–¡Habla! –le dijeron al piojo, y entonces expuso el recado:

–Ha dicho vuestra abuela, muchachos: «Anda a llamarlos, han venido mensajeros de Hun Camé y Vucub Camé para que vayan a Xibalbá, diciendo: "Que vengan acá dentro de siete días para jugar a la pelota con nosotros, que traigan también sus instrumentos de juego, la pelota, los anillos, los guantes, los cueros, para que se diviertan aquí", eso dicen los señores». «De veras han venido», dice vuestra abuela. Por eso he venido yo. Porque de verdad dice esto vuestra abuela, y llora y se lamenta vuestra abuela, por eso he venido.

–¿Será cierto? –susurraron los muchachos para sus adentros cuando oyeron estas palabras. Y yéndose al instante llegaron al lado de su abuela; realmente sólo fueron a despedirse de su abuela.

–Nos vamos, abuela, solamente venimos a despedirnos. Pero ahí queda la señal que dejamos de nuestra suerte: cada uno de nosotros sembrará una caña, en medio de nuestra casa la sembraremos, si se secan, ésa será la señal de nuestra muerte. ¡Muertos son!, diréis, si llegan a secarse. Pero si retoñan: ¡Están vivos!, diréis, ¡oh abuela nuestra! Y tú, madre, no llores, que ahí os dejamos la señal de nuestra suerte –eso dijeron. Y antes de irse, sembró una caña Hunahpú y otra Ixbalanqué, las sembraron en la casa y no en el campo, ni tampoco en tierra húmeda y fértil, sino en tierra seca, en medio del hogar las dejaron sembradas[55].

Tercera parte

11. El país de la penumbra

Marcharon entonces, llevando cada uno su cerbatana, y fueron bajando en dirección a Xibalbá. Bajaron rápidamente los empinados escalones y pasaron varios ríos y barrancas. Pasaron entre unos pájaros llamados *molay* o pijijes[56]. Pasaron también por un río de fango y por un río de sangre, donde debían ser destruidos según pensaban los de Xibalbá, pero no los tocaron con sus pies, sino que los atravesaron sobre sus cerbatanas.

Salieron de allí y llegaron a una encrucijada de cuatro caminos. Ellos sabían muy bien cuáles eran los caminos de Xibalbá: el camino negro, el camino blanco, el camino rojo y el camino verde, y no dudaron. Así, pues, despacharon al animal llamado *Xan,* el zancudo. Éste debía recoger noticias y llevar a cabo una prueba:

–Pícalos uno por uno, primero pica al que está sentado en primer término y acaba picándolos a todos, pues ésa es la tarea que te corresponde, chupar la sangre de los hombres en los caminos –le dijeron al mosquito.

–Muy bien –contestó el insecto. Y en seguida se internó por el camino negro y se fue directamente hacia los primeros muñecos de palo que estaban sentados y cubiertos de adornos. Picó al primero, pero éste no habló, luego picó al otro, picó al segundo que estaba sentado, pero éste tampoco habló.

Picó después al tercero; el tercero de los que estaban sentados era Hun Camé.

–¡Ay! –exclamó cuando le picaron.

–¿Qué es eso, Hun Camé? ¿Qué es lo que te ha picado? ¿No sabéis quién te ha picado? –dijo el cuarto de los señores que estaban sentados.

–¿Qué hay, Vucub Camé? ¿Qué te ha picado? –dijo el quinto sentado.

–¡Ay! ¡Ay! –gimió entonces Xiquiripat, y Vucub Camé le preguntó:

–¿Qué te ha picado? –Y bramó cuando le picaron el sexto que estaba sentado:

–¡Ay!

–¿Qué es eso, Cuchumaquic? –le dijo Xiquiripat–. ¿Qué es lo que te ha picado?

Y dijo el séptimo sentado cuando le picaron:

–¡Ay!

–¿Qué ocurre, Ahalpuh? –le dijo Cuchumaquic–. ¿Qué te ha picado?

Y gruñó al sentirse picado el octavo de los sentados:

–¡Ay!

–¿Qué pasa, Ahalcaná? –le dijo Ahalpuh–. ¿Qué te ha picado?

Y dijo, cuando le picaron, el noveno de los sentados:
–¡Ay!
–¿Qué es eso, Chamiabac? –le dijo Ahalcaná–. ¿Qué te ha picado?

Y chilló, cuando le picaron, el décimo de los sentados:
–¡Ay!
–¿Qué sucede, Chamiaholom? –dijo Chamiabac–. ¿Qué te ha picado?

Y dijo el undécimo sentado sintiendo la picadura:
–¡Ay!
–¿Qué dices? –preguntó Chamiaholom–. ¿Qué te ha picado?

Y dijo el duodécimo de los sentados cuando le picaron:
–¡Ay!
–¿Qué es eso, Patán? –le interrogó su compañero–. ¿Qué te ha picado?

Y exclamó el decimotercero de los sentados cuando sintió la picadura:
–¡Ay!
–¿Qué ocurre, Quicxic? –le dijo Patán–. ¿Qué te ha picado?

Y dijo el decimocuarto de los sentados cuando a su vez le picaron:
–¡Ay!
–¿Qué te ha picado, Quicrixcac? –preguntó Quicré.

Así fue la declaración de sus nombres, que fueron diciéndose todos los unos a los otros; así se dieron a conocer, ellos mismos enseñaron sus caras, al llamarse por sus nombres. Y de esta manera se pronunció el nombre de cada uno de los señores cuando fueron interpelados, hasta el último que estaba sentado en su rincón.

Ni uno solo de los nombres se perdió. Todos acabaron por decir los nombres cuando los picó un pelo de la pierna de Hunahpú que éste se arrancó. En realidad, no era el mosquito Xan quien los picó y quien fue a oír los nombres de todos de parte de Hunahpú e Ixbalanqué[57].

Continuaron su camino los muchachos y llegaron a donde estaban los de Xibalbá.

–Saludad al señor, al que está sentado –les dijo uno para engañarlos.

–Ése no es un señor, no es más que una estatua, un muñeco de madera –contestaron, y siguieron adelante. Entoces comenzaron a saludar:

–¡Salud, Hun Camé! ¡Salud, Vucub Camé! ¡Salud, Xiquiripat! ¡Salud, Cuchumaquic! ¡Salud, Ahalpuh! ¡Salud, Ahalcaná! ¡Salud, Chamiabac! ¡Salud, Chamiaholom! ¡Salud, Quicxic! ¡Salud, Patán! ¡Salud, Quicré! ¡Salud, Quicrixcac! –dijeron llegando ante ellos. De todos descubrieron los semblantes, les dijeron sus nombres a todos, sin que se les escapara el nombre de uno solo. Los de Xibalbá hubieran deseado que sus nombres no fueran descubiertos por los engendrados.

–Sentaos aquí –les dijeron a continuación, esperando que se sentaran en el asiento que les indicaban, pero los jóvenes no quisieron hacerlo.

–No es asiento para nosotros, es sólo una piedra ardiente –dijeron Hunahpú e Ixbalanqué, y no pudieron vencerlos.

–Está bien, id a aquella casa –les dijeron. Y al momento entraron en la Casa Oscura. Y allí tampoco fueron vencidos.

12. Las primeras pruebas de Xibalbá

Ésta era la primera prueba de Xibalbá. Al entrar allí los muchachos, los de Xibalbá pensaban que sería el principio de su derrota. Entraron pues en la Casa Oscura, y en seguida les llevaron las astillas de pino encendidas, y los mensajeros de Hun Camé entregaron también a cada uno su cigarro.

–He aquí las astillas, ha dicho el señor que devuelvan estos ocotes mañana al amanecer junto con los cigarros, y que los traigan intactos. –Así hablaron los mensajeros cuando llegaron.

–Muy bien –contestaron ellos. Pero en realidad no quemaron las astillas de pino, sino que pusieron una cosa roja en su lugar, o sea, unas plumas de la cola de la guacamaya, que a los vigilantes les pareció que era ocote encendido. Y en cuanto a los cigarros, les pusieron luciérnagas en la punta.

Toda la noche fueron vigilados por los guardianes, que los dieron por vencidos.

–Están perdidos, han caído en la trampa –decían los guardianes, porque pensaban que el pino y los cigarros se estaban consumiendo. Pero el ocote no había ardido y tenía la misma forma que al principio, y los cigarros no se habían acabado y tenían el mismo aspecto que antes.

Llegada la mañana, fueron a dar la noticia a los señores.

–¿Cómo ha sido esto? ¿De dónde han venido esos muchachos? ¿Quién los engendró? ¿Quién los dio a luz? Verdaderamente arden de ira nuestros corazones, porque no está bien lo que nos hacen. Sus caras son extrañas y también es extraña su manera de conducirse –se dijeron unos a otros.

Luego los mandaron a llamar todos los señores.

–¡Vamos a jugar a la pelota, muchachos! –les dijeron. Al mismo tiempo fueron interrogados por Hun Camé y Vucub Camé.

–¿De dónde venís? ¡Contadnos, muchachos! –les preguntaron los de Xibalbá.

–¡Quién sabe de dónde venimos! Nosotros lo ignoramos –dijeron únicamente, y no hablaron más.

–Está bien, juguemos a la pelota, jóvenes –les dijeron los de Xibalbá.

–Bueno –contestaron.

–Usaremos nuestra pelota –dijeron los de Xibalbá.

–¿Entonces no vamos a emplear la nuestra? –preguntaron los hijos de Hun Hunahpú.

–No, será la nuestra la que usaremos –dijeron los de Xibalbá.

–Está bien –dijeron los muchachos.

–Vamos, pues, ellos con un gusano *chil* –dijeron los de Xibalbá.

–Eso no, sino que será la cabeza del puma –replicaron los muchachos.

–De ninguna manera –dijeron los de Xibalbá.

–Está bien –dijo Hunahpú[58].

Entonces los de Xibalbá arrojaron la pelota, la lanzaron directamente al yugo de Hunahpú. A continuación, mientras los de Xibalbá empuñaban amenazadoramente el cuchillo de pedernal blanco que había salido de su interior, la pelota rebotó y se fue saltando por todo el suelo del juego de pelota[59].

–¿Qué es esto? –exclamaron Hunahpú e Ixbalanqué. ¿Nos queréis dar muerte? ¿Acaso no nos mandasteis llamar? ¿Y no vinieron vuestros propios mensajeros a buscarnos? ¡En verdad, desgraciados de nosotros! Nos marcharemos inmediatamente –les dijeron los muchachos.

Eso era precisamente lo que pretendían hacer con los muchachos, que murieran allí mismo en el juego de pelota y que fuesen vencidos. Pero no sucedió así, y fueron los de Xibalbá los que resultaron vencidos por los engendrados.

–No os marchéis, muchachos, sigamos jugando a la pelota, pero ahora admitiremos la vuestra –les dijeron.

–Está bien –contestaron los jóvenes, y entonces lanzaron la pelota hacia los de Xibalbá, con lo cual terminó la partida.

Y lastimados por sus derrotas, dijeron en seguida los de Xibalbá:

–¿Cómo haremos para vencerlos?

Y dirigiéndose a los muchachos les dijeron:

–Id a recoger y a traernos al momento cuatro jícaras de flores. –Así dijeron los de Xibalbá.

–Muy bien. ¿Y qué clase de flores deseáis? –les preguntaron los muchachos a los de Xibalbá.

–Un ramo de rojos chipilines, un ramo de chipilines blancos, un ramo de chipilines amarillos y un ramo de *carinimac* –dijeron los de Xibalbá[60].

–Está bien –dijeron los muchachos.

Entonces partieron custodiados por los guardas armados con lanzas. Pero su ánimo estaba tranquilo cuando se entregaron a los que estaban decididos a vencerlos.

Los de Xibalbá se regocijaban pensando que ya los habían derrotado.

–Esto nos ha salido bien. Van a caer en la trampa –dijeron los de Xibalbá. ¿A dónde irán a buscar las flores?, decían para sus adentros.

–Sin ninguna excusa nos daréis mañana temprano nuestras flores; id, pues, a cortarlas –les dijeron a Hunahpú e Ixbalanqué los de Xibalbá.

–Está bien –contestaron–. De madrugada jugaremos de nuevo a la pelota –dijeron, y se despidieron.

En seguida metieron a los muchachos en la Casa de las Navajas, el segundo lugar de tormento de Xibalbá. Porque lo que deseaban los señores era que fuesen despedazados por las navajas, que fueran muertos rápidamente, así lo deseaban sus corazones.

Pero no murieron. Hablaron en seguida a las navajas y les advirtieron:

–No os mováis contra nosotros, vuestras serán las carnes de todos los animales –les dijeron a los cuchillos. Y no se movieron más, sino que estuvieron quietas todas las navajas.

Así pasaron la noche en la Casa de las Navajas, llamaron a todas las hormigas y les dijeron:

–Hormigas cortadoras, hormigas cargadoras, venid inmediatamente y andad todas al jardín de los señores a traernos las clases de flores que hay que cortar antes de que amanezca.

–Muy bien –dijeron ellas, y se fueron todas las hormigas a traer las flores de los jardines de Hun Camé y Vucub Camé.

Previamente les habían advertido los señores a los guardianes de las flores de Xibalbá:

–Tened cuidado con nuestras flores, no os dejéis robar por los muchachos que las irán a cortar. Aunque ¿cómo podrían ser vistas y cortadas por ellos? De ninguna manera. ¡Velad, pues, toda la noche!

–Está bien –contestaron. Pero nada sintieron los guardianes del jardín. Inútilmente sus bocas gritaban desde las ramas de los árboles. Allí estuvieron toda la noche, repitiendo sus mismos gritos y cantos.

–*Ixpur puvec, ixpur puvec* –decía el uno en su grito.

–*Puhuyú, puhuyú* –decía ululando el llamado pijuy[61].

Dos eran los guardianes del jardín de Hun Camé y Vucub Camé. Pero no percibieron a las hormigas que les robaban lo que estaban cuidando, yendo y viniendo en gran número y moviéndose de acá para allá buscando las flores, subiendo sobre los árboles a cortar las flores y recogiéndolas del suelo mientras esparcían un dulce olor.

Entre tanto los guardias seguían dando gritos, y no sentían que al mismo tiempo les estaban royendo sus colas y sus alas. Una cosecha de flores acarreaban entre las tenazas las hormigas que bajaban, y recogiéndolas las transportaban sin perder su aroma hasta la Casa de las Navajas.

Pronto llenaron las cuatro jícaras de flores, y estaban todavía húmedas cuando alboreaba. Poco después aparecieron los mensajeros para recogerlas.

–Que vengan, ha dicho el señor, y que traigan al instante lo que han cortado –les dijeron a los muchachos.

–Muy bien –contestaron, y se pusieron en marcha llevando las flores en las cuatro jícaras, y cuando llegaron a presencia de Hun Camé y los demás señores las flores que traían parecían frescas y recién cortadas. Así de esta manera fueron vencidos los de Xibalbá. Sólo a las hormigas habían enviado los hijos, y sólo en una noche los insectos cortaron las flores y las colocaron en los recipientes[62].

Todos los de Xibalbá se asombraron y sus caras palidecieron a causa de las flores. Luego mandaron llamar a los guardianes de las flores:

–¿Por qué os habéis dejado robar nuestras flores? Éstas que aquí vemos son nuestras flores –les dijeron a los guardianes.

–No sentimos nada, señor, nuestras colas también han sufrido –contestaron. Entonces les rasgaron la boca en castigo por haberse dejado robar lo que estaba bajo su custodia.

Así fueron vencidos Hun Camé y Vucub Camé por Hunahpú e Ixbalanqué, y éste fue el principio de sus obras.

Desde entonces trae partida la boca el mochuelo *purpuec,* y así hendida la tiene hoy.

En seguida bajaron a jugar a la pelota y jugaron también tantos iguales. Luego acabaron de jugar y acordaron lo que harían a la mañana siguiente.

–Basta por hoy –dijeron los de Xibalbá.

–Está bien –dijeron los muchachos al terminar.

13. La muerte de Hunahpú

Les hicieron entrar después en la Casa del Frío. El frío que hacía era insoportable, la casa estaba llena de hielo, porque en verdad era la mansión del frío. Pronto, sin embargo, se quitó el frío, quemando troncos viejos lo hicieron desaparecer los muchachos. De manera que no murieron, estaban vivos cuando amaneció. Ciertamente lo que querían los de Xibalbá era que murieran, pero no fue así, sino que al amanecer estaban llenos de salud, y salieron de nuevo con los rostros tranquilos cuando los fueron a buscar los mensajeros[63].

–¿Cómo es eso? ¿No han muerto todavía? –dijo el señor de Xibalbá. Se maravillaban de ver las obras de Hunahpú e Ixbalanqué.

A continuación entraron en la Casa de los Jaguares. La casa estaba llena de jaguares:

–¡No nos mordáis! Aquí está lo que os pertenece –les dijeron, y les arrojaron unos huesos a los animales, que se precipitaron sobre los huesos y los pulverizaron.

–¡Al fin, ya se acabó! Ya les comieron las entrañas, se han entregado. Ahora les están triturando los huesos. –Así decían los guardas, regocijándose todos por este motivo. Pero no murieron. Igualmente buenos y sanos salieron de la Casa de los Jaguares[64].

–¿De qué raza son éstos? ¿De dónde han venido? –se preguntaban todos los de Xibalbá.

Luego entraron en medio del fuego a una Casa del Fuego, donde sólo fuego había, pero no se quemaron. El fuego ardía y abrasaba. Sin embargo, sus rostros estaban sanos y buenos cuando vino el alba. Pero lo que querían los de Xibalbá era que murieran allí dentro, donde habían pasado la noche. No sucedió así, con lo cual desfallecieron los corazones de los señores de Xibalbá[65].

Los pusieron entonces en la Casa de los Murciélagos. No había más que murciélagos dentro de esta casa de dolor, la casa de *Camazotz,* un gran animal cuyos instrumentos de matar eran como los de Chakitzam, Pico Victorioso, unas fauces mortales, y al instante perecían los que llegaban a su presencia[66].

Entraron, pues, en esta mansión, pero durmieron dentro de sus cerbatanas; no fueron mordidos por los que estaban en la casa. Sin embargo, uno de los muchachos tuvo que rendirse a causa de otro Camazotz diferente que vino del cielo y por el cual salió de su refugio.

Estuvieron apiñados y en consejo toda la noche los murciélagos, aleteando: *Quilitz, quilitz,* decían; así pasaron susurrando toda la noche. Pararon un poco, sin embargo, y ya no se movieron los murciélagos, y permanecieron pegados a la punta de una de las cerbatanas.

Dijo entonces Ixbalanqué a Hunahpú:

–Celajes en el alborear, miremos, celajes amarillos quizás.

–Tal vez sí, voy a ver –contestó éste, y como tenía muchas ganas de asomarse fuera de la boca de la cerbatana, y quería comprobar si despuntaba el día, al instante le cortó la cabeza Camazotz y el cuerpo de Hunahpú quedó decapitado.

Nuevamente preguntó Ixbalanqué:

–¿No ha amanecido todavía? –Pero Hunahpú no se movía–. ¿A dónde te has ido, Hunahpú? ¿Qué es lo que has hecho? –Pero no se movía, y permanecía callado.

Entonces se sintió avergonzado Ixbalanqué y exclamó:

–¡Desgraciados de nosotros! ¡Estamos completamente vencidos!

Fueron en seguida los guardas a colgar la cabeza sobre el juego de pelota cumpliendo las órdenes de Hun Camé y Vucub Camé, y todos los de Xibalbá se regocijaron por lo que había sucedido a la cabeza de Hunahpú[67].

A continuación llamó Ixbalanqué a todos los animales, al coatí, al pecarí, a todos los animales pequeños y grandes, durante la noche, y les preguntó cuál era su comida.

–¿Cuál es el alimento de cada uno de vosotros?, pues yo os he llamado para que escojáis vuestra comida –les dijo Ixbalanqué.

–Muy bien –contestaron, y se fueron a tomar cada uno lo suyo, y se marcharon todos juntos. Unos fueron a tomar las cosas podridas, otros fueron a coger hierbas, otros fueron a recoger piedras, y otros fueron a recoger tierra. Variadas eran las comidas de los animales pequeños y de los animales grandes.

Detrás de ellos se había quedado la tortuga, la cual compareció zigzagueando para tomar su comida, y llegando al extremo del cuerpo muerto esa tortuga tomó la forma de la cabeza de Hunahpú, y al instante le fueron labrados los ojos[68].

Un gran número de sabios vino entonces del cielo, el Corazón del Cielo, el mismo Huracán, vino a planear sobre la Casa de los Murciélagos para obrar este prodigio. No fue fácil acabar de hacerle la cara, pero salió muy bien; la cabellera también tenía una hermosa apariencia, y asimismo pudo hablar.

Pero como ya quería amanecer, y el horizonte se teñía de rojo, le fue dicho a la zarigüeya:

–¡Oscurece otra vez, viejo! –esto le fue dicho al tacuatzin.

–Está bien –contestó el viejo, y al instante oscureció. «Ya oscureció la zarigüeya», dice ahora la gente[69].

Y así, durante la frescura del amanecer, comenzó su existencia.

–¿Estará bien? –dijeron–. ¿Saldrá parecido a Hunahpú?

–Está muy bien –contestaron. Y efectivamente, parecía de hueso la cabeza, se había transformado en una cabeza verdadera.

Luego hablaron entre sí los hermanos y se pusieron de acuerdo:

–No juegues tú a la pelota, haz únicamente como que juegas; yo solo lo haré todo –le dijo Ixbalanqué a Hunahpú.

En seguida le dio sus órdenes a un conejo:

–Anda a colocarte sobre el juego de pelota y quédate allí en el reborde –le fue dicho al conejo por Ixbalanqué–; cuando te llegue la pelota, sal corriendo inmediatamente, y yo haré lo demás –le dijo al conejo enviándole durante la noche[70].

Ya venía el alba y los rostros de los engendrados parecían buenos y sanos. Descendieron entonces a jugar a la pelota. La cabeza de Hunahpú estaba colgada sobre el muro del juego de pelota.

–¡Hemos triunfado! ¡Habéis labrado vuestra propia ruina, os habéis entregado! –les gritaban. De esta manera provocaban a Hunahpú:

–Pegadle a la cabeza como si fuera la pelota –decían. Pero no le molestaban con esto, él no se daba por enterado.

Luego arrojaron la pelota de hule los señores de Xibalbá. Ixbalanqué le salió al encuentro, la pelota iba derecha al anillo, pero la detuvo con su cinturón, y rebotando pasó rápidamente por encima del patio del juego de pelota y de un salto se dirigió hasta el borde, donde se detuvo.

El conejo salió al instante y se fue brincando; y los de Xibalbá corrían tras él persiguiéndolo. Iban en tumulto, haciendo ruido y vociferando tras el conejo. Acabaron por irse de allí todos los de Xibalbá.

En seguida se apoderó Ixbalanqué de la cabeza de Hunahpú; se llevó la tortuga que la había sustituido y fue a colocarla sobre el muro. Y aquella cabeza que estaba sobre el parapeto era verdaderamente la cabeza de Hunahpú, y los dos muchachos se pusieron muy contentos.

Corrían, pues, los de Xibalbá buscando la pelota, y en seguida la cogieron los gemelos, y llamaron a los otros diciendo:

–Venid, aquí está la pelota, nosotros la encontramos –decían, y la levantaban para que todos la vieran.

Cuando regresaron los de Xibalbá, exclamaron:

–¿Por qué no la hemos visto antes?

Luego comenzaron nuevamente a jugar. Tantos iguales hicieron por ambas partes. A continuación Ixbalanqué golpeó a la tortuga, que se vino al suelo y cayó en el patio del juego de pelota y se hizo mil trozos como una vasija de barro, esparciéndose sus blancos pedazos delante de los señores.

–¿Quién de vosotros ha traído esto? ¿Dónde está el que lo trajo? –dijeron los de Xibalbá.

Y así fueron vencidos los señores de Xibalbá por Hunahpú e Ixbalanqué. Grandes trabajos pasaron éstos, pero no murieron, a pesar de todo lo que les hicieron.

14. El sacrificio de los dioses

He aquí la memoria de la muerte de Hunahpú e Ixbalanqué. Ahora contaremos la manera como murieron.

Habiendo sido prevenidos de todos los sufrimientos que les querían imponer, no murieron de los tormentos de Xibalbá, ni fueron vencidos por todos los animales feroces que había en Xibalbá.

Los muchachos mandaron venir después a dos agoreros que parecían profetas, llamábanse *Xulú* y *Pacam* y eran grandes sabios[71], y les dijeron:

–Se os preguntará por los señores de Xibalbá acerca de nuestra muerte, que están concertando y preparando por el hecho de que todavía no hemos muerto, ni nos han podido vencer, ni hemos perecido en sus tormentos, ni nos han atacado los animales. Tenemos el presentimiento en nuestro corazón de que usarán piedras ardientes para darnos muerte. Todos los de Xibalbá se han reunido, pero la verdad es que no moriremos. He aquí, pues, nuestras instrucciones sobre lo que debéis decir si os vinieran a consultar acerca de nuestra muerte y de que seamos sacrificados, ¿qué diréis entonces vosotros, Xulú y Pacam? Si os dijeran: «¿No será bueno arrojar sus huesos en el barranco?». «¡No conviene –diréis– porque resucitarán después!» Si os dijeran: «¿No será bueno que los colguemos de los árboles?», contestaréis: «De ninguna manera, no es conveniente, porque entonces también les volveréis a ver las caras». Y cuando por tercera vez os digan: «¿Será bueno que arrojemos sus osamentas al río?», si así os fuera dicho por ellos, contestaréis: «Así conviene que mueran –diréis–; luego se deben moler sus huesos en la piedra, uno por uno, como se muele la harina de maíz; en seguida arrojadlos al río, allí donde brota la fuente, para que el agua se los lleve pasando entre pequeñas y grandes montañas». Así les responderéis cuando pongáis en práctica el plan que os hemos aconsejado –dijeron Hunahpú e Ixbalanqué. Y cuando se despidieron de ellos, ya tenían conocimiento de su muerte.

Hicieron entonces una gran hoguera, una especie de piedra ardiente prepararon los de Xibalbá y la cubrieron de ramas gruesas. Luego llegaron los mensajeros que habían de acompañarlos, los mensajeros de Hun Camé y de Vucub Camé.

–¡Que vengan! Id a buscar a los muchachos, id allá para que sepan que los vamos a quemar. –Esto dijeron los señores–. ¡Oh muchachos! –exclamaron los mensajeros.

–Está bien –contestaron los jóvenes. Y poniéndose rápidamente en camino llegaron junto al quemadero. Allí quisieron que sufrieran, que se sintieran burlados por ellos.

–¡Tomemos nuestras bebidas fermentadas y volemos cada uno cuatro veces por encima de la hoguera, muchachos! –les dijo Hun Camé[72].

–No tratéis de engañarnos –respondieron–. ¿Acaso no tenemos conocimiento de nuestra muerte, ¡oh, señores!, y de que eso es lo que aquí nos espera?

Entonces, abrazándose frente a frente, extendieron ambos los brazos, se inclinaron hacia el suelo y se precipitaron en la hoguera, y así murieron los dos juntos[73].

Todos los de Xibalbá se llenaron de alegría y, dando muchas voces y silbidos, exclamaban:

–¡Ahora sí los hemos vencido! ¡Por fin se han entregado!

En seguida llamaron a Xulú y Pacam, a quienes los muchachos habían dejado advertidos, y les preguntaron qué debían hacer con sus huesos, tal como ellos les habían pronosticado. Una vez que se llevó a cabo la adivinación, los de Xibalbá molieron los huesos y fueron a arrojarlos al río. Pero éstos no fueron muy lejos, pues asentándose al punto en el fondo del agua, se convirtieron en hermosos jóvenes. Verdaderamente, fueron sus semblantes los que se manifestaron de nuevo.

15. Resurrección y transfiguración

Al quinto día volvieron a aparecer y fueron vistos en el agua por la gente. Tenían ambos la apariencia de hombres-peces cuando los vieron los de Xibalbá, después de buscarlos por todo el río.

Pero en el siguiente amanecer se presentaron bajo la forma de dos pobres de rostro avejentado y aspecto miserable, vestidos de harapos, de apariencia poco recomendable. Cuando fueron vistos por los de Xibalbá, era poca cosa lo que hacían, y no mostraban lo que realmente eran. Solamente se ocupaban en bailar la danza del *Puhuy* [lechuza o chotacabras], el baile del *Cux* [comadreja] y el del *Iboy* [armadillo], y bailaban también el *Ixtzul* [ciempiés] y el *Chitic* [el que anda sobre zancos][74].

Además, obraban muchos prodigios. Quemaban las casas como si de veras ardieran y a continuación las volvían a su estado anterior. Muchos de los de Xibalbá los contemplaban con admiración. Luego se despedazaban a sí mismos, se mataban el uno al otro, y el primero que se había dejado matar se tendía como muerto, y al instante lo resucitaba el otro. Los de Xibalbá miraban con asombro todo lo que hacían, y ellos lo ejecutaban como si fuera el principio de su triunfo sobre los de Xibalbá.

Llegó en seguida la noticia de sus bailes a oídos de los señores Hun Camé y Vucub Camé. Al escucharla exclamaron:

–¿Quiénes son esos dos pordioseros? ¿Realmente os causan tanto placer?

–Ciertamente son muy hermosos sus bailes y todo lo que hacen –contestó el que había llevado la noticia a los señores.

Satisfechos al oír esto, enviaron entonces a sus mensajeros a que los llamaran con halagos:

–«Que vengan aquí, que vengan para que veamos lo que hacen, que los admiremos y nos maravillen. Esto dicen los señores.» Así les diréis a ellos –les fue encargado a los mensajeros.

Llegaron éstos rápidamente ante los bailarines y les comunicaron la orden de los señores.

–No queremos ir –contestaron–, porque francamente nos da vergüenza. ¿Cómo no nos ha de dar vergüenza presentarnos en la casa de los señores con nuestra mala catadura, nuestros ojos tan grandes y nuestra pobre apariencia? ¿No estáis viendo que no somos más que unos modestos bailarines? ¿Qué les diremos a nuestros compañeros de pobreza que han venido con nosotros y desean ver nuestros bailes y divertirse con ellos? ¿Por ventura podríamos hacer lo mismo con los señores? Así, pues, no queremos ir, mensajeros –dijeron Hunahpú e Ixbalanqué.

Sin embargo, a fuerza de ser importunados y con el rostro abrumado de contrariedad y de pesadumbre, partieron al fin contra su voluntad; pero por algún tiempo rehusaban caminar deprisa, y los mensajeros tuvieron que golpearles varias veces cuando se dirigían a la residencia de los señores.

Llegaron, pues, ante los señores, con aire atemorizado e inclinando la frente; entraron prosternándose, haciendo reverencias y humillándose. Parecían extenuados, iban andrajosos, y su aspecto era realmente de vagabundos cuando llegaron.

Les preguntaron en seguida por su patria y por su pueblo; y les preguntaron también por su madre y su padre.

–¿De dónde venís? –les dijeron.

–No lo sabemos, señor, apenas nos ha quedado un recuerdo. No conocemos la cara de nuestra madre ni la de nuestro padre, éramos pequeños cuando murieron –contestaron, y no dijeron una palabra más.

–Está bien. Ahora haced vuestros juegos para que os admiremos. ¿Qué deseáis? Os daremos vuestra recompensa –les ordenaron.

–No queremos nada, pero verdaderamente estamos llenos de temor –dijeron a los señores.

–No os aflijáis, no tengáis miedo. ¡Bailad! Y haced primero la parte en que os matáis; quemad mi casa, haced todo lo que sabéis para que podamos gozar con ello. Nosotros os admiraremos, pues eso lo que desean nuestros corazones. Después de eso partiréis, pobres gentes, y os daremos vuestra recompensa –les dijeron.

Entonces dieron principio a sus cantos y a sus bailes. Todos los de Xibalbá llegaron y se juntaron sentándose en derredor para verlos. Luego representaron el baile del *Cux,* bailaron el *Puhuy* y bailaron el *Iboy.*

Y les dijo el señor:

–Despedazad a mi perro y volvedlo después a la vida –eso les dijo.

–Está bien –contestaron, y despedazaron al perro. A continuación lo resucitaron. Verdaderamente lleno de alegría estaba el perro cuando fue resucitado, y movía la cola cuando lo revivieron.

El señor les dijo entonces:

–¡Quemad ahora mi casa! –Así les dijo. Al momento quemaron la casa del señor, y aunque estaban juntos todos los señores dentro de la casa, no se quemaron. Pronto volvió a quedar en perfecto estado y ni un instante estuvo perdida la casa de Hun Camé.

Todos los señores estaban maravillados de lo que veían, y asimismo sus bailes les producían mucho placer. Luego les dijo el señor:

–Matad ahora a un hombre, inmoladlo, pero que no muera.

–Muy bien –contestaron. Y cogiendo a un hombre lo sacrificaron de inmediato, le abrieron el pecho, y levantando en alto el corazón de este hombre lo pusieron ante los ojos de los señores.

Hun Camé y Vucub Camé estaban sorprendidos de nuevo. Un instante después fue vuelto a la vida el hombre por los muchachos, y se alegró grandemente cuando fue resucitado.

Los señores no salían de su asombro.

–¡Sacrificaos ahora a vosotros mismos, que lo veamos nosotros!

–Muy bien, señor –contestaron. Y a continuación se mataron entre sí. Hunahpú fue sacrificado por Ixbalanqué, uno por uno fueron cercenados sus brazos y sus piernas, fue separada su cabeza y llevada a distancia, su corazón arrancado del pecho y colocado delante de la gente. Todos los señores de Xibalbá estaban fascinados y se embriagaban con el espectáculo. Miraban estupefactos mientras Ixbalanqué seguía danzando.

–¡Levántate! –dijo de pronto éste, y al punto Hunahpú volvió a la vida. Alegráronse mucho los jóvenes, y los señores se regocijaron también. En verdad, lo que hacían alegraba el ánimo de Hun Camé y Vucub Camé, quienes sentían como si ellos mismos estuvieran bailando.

Sus corazones se llenaron en seguida de deseo y ansiedad por los bailes de Hunahpú e Ixbalanqué. Excitados, dejaron escapar estas palabras Hun Camé y Vucub Camé.

–¡Haced lo mismo con nosotros! ¡Sacrificadnos! –dijeron–. ¡Despedazadnos uno por uno! –les dijeron Hun Camé y Vucub Camé a Hunahpú e Ixbalanqué.

–Está bien, después resucitaréis, porque ¿puede existir la muerte para vosotros? ¿Acaso no nos habéis traído para que os divirtamos, a vosotros los señores, y a vuestros hijos y vasallos? –les dijeron a los señores.

Y he aquí que primero sacrificaron al que era su jefe y señor, el llamado Hun Camé, rey de Xibalbá, y muerto Hun Camé se apoderaron de Vucub Camé. No vivieron más sus rostros. Y no los volvieron a la vida. Los de Xibalbá se dieron a la fuga luego que vieron a los grandes señores sacrificados y muertos. En un tiempo muy breve fueron ellos mismos sacrificados, como un merecido castigo. Rápidamente mataban a un jefe y no revivía, y a todos los demás señores, y no los resucitaban, y uno se salvó humillándose entonces, presentándose ante los bailarines. No lo habían descubierto, ni lo habían visto antes:

–¡Tened piedad de mí! –dijo cuando se dio a conocer.

Huyeron todos los hijos e hijas de Xibalbá a un gran barranco, y se metieron todos en un hondo precipicio. Allí estaban amontonados cuando llegaron innumerables hormigas que los descubrieron y los desalojaron del barranco. De esta manera los sacaron al camino y cuando llegaron se prosternaron y se entregaron todos, se humillaron y se mostraron afligidos. Así fueron vencidos los señores de Xibalbá. Sólo mediante los prodigios y por su transformación pudieron hacerlo Hunahpú e Ixbalanqué.

16. La derrota de Xibalbá y el advenimiento del sol

En seguida dijeron sus nombres y se exaltaron ante todos los de Xibalbá.

–Oíd nuestros nombres. Os diremos también los nombres de nuestros padres. Nosotros somos Ixhunahpú e Ixbalanqué, éstos son nuestros nombres. Nuestros padres son aquéllos que matasteis y que se llamaban Hun Hunahpú y Vucub Hunahpú. Nosotros, los que aquí veis, somos, pues, los vengadores de los dolores y sufrimientos de nuestros padres. Por eso nosotros soportamos todos los males que nos hicisteis. En consecuencia, os aniquilaremos a todos vosotros, os daremos muerte y ninguno escapará –les dijeron.

Al instante se oyeron los llantos y los gritos de todos los de Xibalbá.

–¡Tened misericordia de nosotros, Hunahpú e Ixbalanqué! Es cierto que cometimos un crimen contra vuestros padres, como decís, cuando los matamos y los enterramos en Pucbal Chah –dijeron.

–Está bien, he aquí nuestra sentencia, la que pronunciamos contra vosotros. Oídla todos los de Xibalbá.

»Puesto que ya no es grande vuestra gloria, ni vuestra estirpe, y tampoco merecéis misericordia, será rebajada la condición de vuestra sangre. No será para vosotros el juego de pelota. Solamente os ocuparéis de hacer cacharros, comales y piedras de moler maíz. Solamente para vuestras madres desgranaréis allí el maíz. Sólo los hijos de las malezas y del desierto hablarán con vosotros. Sólo los hijos del desamparo. Los hijos del alba, las hijas puras no os pertenecerán y se alejarán de vuestra presencia. Los criminales, los malvados, los tristes, los miserables, los que se pervierten, ésos son los que os acogerán. Ya no os apoderaréis repentinamente de los hombres, como lo hacíais cuando os manchaba la sangre de las calaveras. Así les dijeron a todos los de Xibalbá[75].

De esta manera comenzó su destrucción y comenzaron a lamentarse y a ser despreciados. No era mucho su poder antiguamente, sino que eran enemigos y contrarios de los hombres. En verdad no tenían antaño la condición de dioses, y sus caras horribles causaban espanto. Eran como los búhos que incitaban al mal y a la discordia. Eran también falsos de corazón, negros y blancos a la vez, hipócritas y tiranos, según contaban. Además, se pintaban y untaban la cara con colores[76].

Así fue la pérdida de su grandeza y la decadencia de su imperio, y esto fue lo que hicieron Hunahpú e Ixbalanqué.

Mientras tanto la abuela lloraba y se lamentaba frente a las cañas que ellos habían dejado sembradas. Las cañas retoñaron, luego se secaron cuando los quemaron en la hoguera, después retoñaron otra vez. La abuela encendió el fuego y quemó copal ante las cañas en memoria de sus nietos. Y su corazón se llenó de alegría cuando por segunda vez retoñaron las cañas. Entonces fueron consagradas por la abuela y las llamó el Centro de la Casa, *Nicah* [el centro] se llamaron, «Cañas vivas en la tierra llana» [*Cazam ah chatam uleu*] fue su nombre. Fueron llamadas el Centro de la Casa porque en medio de su casa sembraron ellos las cañas. Se llamó Tierra Llana al lugar, y Cañas Vivas en la Tierra Llana, a las cañas que sembraron. Y las denominó Cañas Vivas porque reverdecieron[77]. Este nombre les fue dado por Ixmucané a las que dejaron sembradas Hunahpú e Ixbalanqué para que fueran recordados por su abuela.

Ahora bien, sus padres, los que murieron antiguamente, fueron Hun Hunahpú y Vucub Hunahpú. Los engendrados vieron también los rostros de sus padres allá en Xibalbá, y de sus padres hablaron sus descendientes, los que vencieron a los de Xibalbá. He aquí cómo fueron honrados sus padres por ellos. Honraron a Vucub Hunahpú, fueron a rendirle homenaje al lugar de los sacrificios del juego de pelota, y asimismo quisieron hacerle la imagen. Buscaron allí todo su ser, la boca, la nariz, los ojos, los huesos. Encontraron su cuerpo, pero muy poco pudieron hacer. No pronunció el nombre de Hunahpú, no pudo decirlo su boca. Y, finalmente, se levantaron hacia lo alto y dejaron los corazones de sus padres allá en el Pucbal Chah.

Mas he aquí cómo ensalzaron la memoria de sus padres, a quienes dejaron en el juego de pelota: «Vosotros seréis invocados», les dijeron sus hijos, cuando se fortaleció su corazón. «Seréis los primeros en levantaros sobre la bóveda del cielo y los primeros en ser adorados y glorificados por los hijos puros, por las hijas puras, y vuestro nombre no se perderá jamás.» Así sea, dijeron a sus padres para consolar sus espíritus. «Nosotros somos los vengadores de vuestra muerte, de las penas y dolores que os causaron.»

Esta fue su despedida, cuando ya habían vencido a todos los de Xibalbá. Luego subieron en medio de la luz y al instante se elevaron al cielo. Uno fue el sol y otro la luna. Inmediatamente se iluminó el interior del cielo y la faz de la tierra. Y ellos moran en el cielo[78].

Entonces subieron también los cuatrocientos muchachos a quienes mató Zipacná, y así se volvieron compañeros de aquéllos y se convirtieron en estrellas del cielo.

Cuarta parte

17. La creación del hombre

He aquí, pues, el principio de cuando se dispuso hacer al hombre, y cuando se buscó lo que debía entrar en la carne del hombre.

Dijeron los Progenitores, los Creadores y Formadores que se llaman Tepeu y Gucumatz: «Ha llegado el tiempo del amanecer, de que se termine la obra y que aparezcan los que nos han de sustentar y nutrir, la hija del alba, el hijo del alba; que aparezca el hombre, la humanidad, sobre la superficie de la tierra». Así dijeron.

Se reunieron, vinieron y celebraron consejo en la oscuridad y en la noche; luego buscaron y deliberaron, movieron la cabeza y pensaron lo que debían hacer. De esta manera surgieron claramente sus decisiones, y encontraron y descubrieron lo que debía entrar en la carne del hombre. Poco faltaba para que el sol, la luna y las estrellas se manifestaran ante los de encima, los Creadores y Formadores.

De *Paxil,* de *Cayalá,* como llaman al lugar, vinieron las mazorcas amarillas y las mazorcas blancas.

Éstos son los nombres de los animales que trajeron aquel alimento: *Yac* [el gato de monte], *Utiú* [el coyote], *Quel* [el perico] y *Hoh* [el cuervo]. Estos cuatro animales les dieron la noticia de las mazorcas de maíz amarillo y de las mazorcas de maíz blanco, les dijeron que fueran a Paxil y les enseñaron el camino de Paxil, y así obtuvieron la comida que entró en la composición de la carne del hombre creado, del hombre formado; ésta fue su sangre, de maíz se hizo la sangre del hombre. Así entró el maíz en el hombre por obra de los que engendran y dan el ser, Alom, Qaholom[79].

De esta manera se llenaron de alegría, porque habían descubierto una hermosa tierra, llena de deleites, abundante en maíz amarillo y en maíz blanco, y abundante también en pataxte y cacao, con innumerables zapotes, anonas, jocotes, nances, matasanos y miel[80]. Abundancia de sabrosos alimentos había en aquel lugar, Paxil y Cayalá, que tal era su nombre. Había alimentos de todas clases, alimentos pequeños y grandes, plantas pequeñas y plantas grandes. Los animales enseñaron el camino. Y moliendo entonces las mazorcas amarillas y las mazorcas blancas hizo Ixmucané nueve bebidas, y de este alimento provinieron la fuerza y el vigor y con él crearon los músculos y la carne del hombre[81]. Esto hicieron los Progenitores, Tepeu y Gucumatz, como se les llama.

A continuación pusieron en palabras la creación y la hechura de nuestra primera madre y de nuestro primer padre. De maíz amarillo y de maíz blanco se hizo su carne, de masa de maíz se hicieron los brazos y las piernas del hombre. Únicamente masa de maíz entró en la carne de nuestros padres, los cuatro hombres que fueron creados.

18. Los nombres de los primeros seres humanos

Éstos son los nombres de los primeros hombres que fueron creados y formados: el primer hombre fue *Balam Quitzé,* el segundo *Balam Acab,* el tercero *Mahucutah* y el cuarto *Iqui Balam.* Éstos son los nombres de nuestros primeros padres y madres[82].

Se dice de ellos que sólo fueron hechos y formados, no tuvieron madre, no tuvieron padre. Simplemente se les llamaba hombres. No nacieron de mujer sino que fueron engendrados por el que crea y el que da el ser. Por un prodigio, por obra de encantamiento fueron creados y formados por el Hacedor, el Formador, los Progenitores, Tepeu y Gucumatz. Y como tenían la apariencia de hombres, hombres fueron; hablaron, razonaron, vieron y oyeron, anduvieron, agarraban las cosas; eran hombres buenos y hermosos, varoniles sus rostros y sus presencias.

Fueron dotados de inteligencia; vieron y al punto se elevó su vista, su mirada lo abrazó todo, alcanzaron a conocer todo lo que hay en el mundo. Cuando miraban, al instante veían lo que estaba a su alrededor, y contemplaban en torno a ellos la bóveda del cielo y la superficie de la tierra. Las cosas ocultas y distantes las veían todas a su voluntad, sin tener primero que moverse; en seguida dirigían la vista al mundo y veían igualmente todo lo que contiene.

Grande era su sabiduría, su conocimiento abarcaba los árboles, las rocas, los lagos, los mares, las montañas y los valles. En verdad eran gentes admirables Balam Quitzé, Balam Acab, Mahucutah e Iqui Balam.

Entonces les preguntaron el Creador y el Formador:

–¿Qué pensáis de vuestro estado? ¿No miráis? ¿No oís? ¿No son buenos vuestro lenguaje y vuestra manera de andar? Mirad pues y contemplad el mundo, ved si aparecen las montañas y los valles, procurad verlos ahora –les dijeron, y en seguida acabaron de ver cuanto había en el mundo. Luego dieron las gracias a Tzacol, Bitol, al Hacedor y al Formador:

–¡Verdaderamente os damos gracias dos y tres veces! Hemos sido creados, se nos ha dado una boca y una cara, hablamos, oímos, pensamos y andamos, podemos reproducirnos, sentimos perfectamente y conocemos lo que está lejos y lo que está cerca. Vemos también lo grande y lo pequeño en el cielo y en la tierra. Os damos gracias, pues, por habernos creado ¡oh Creador y Formador!, por habernos dado el ser ¡oh, abuela nuestra!, ¡oh, abuelo nuestro! –dijeron dando las gracias por su creación y formación.

Acabaron de conocerlo todo y examinaron las cuatro esquinas y los cuatro ángulos de la bóveda del cielo y de la superficie de la tierra, del interior del cielo y del interior de la tierra.

Pero Alom, Qaholom, no oyeron esto con gusto.

—No está bien lo que dicen nuestras criaturas, nuestras obras; todo lo saben, lo grande y lo pequeño —dijeron. De modo que celebraron consejo nuevamente los Progenitores:

—¿Qué haremos ahora con ellos? ¡Que su vista sólo alcance a lo que está cerca, que sólo vean un poco de la faz de la tierra! Porque no está bien lo que dicen. ¿Acaso no son por su naturaleza simples criaturas y hechuras nuestras? ¿Han de ser ellos también dioses? ¿Que así no procreen y se multipliquen cuando amanezca, cuando salga el sol? ¿Que así no se propaguen? —Eso dijeron.

—Refrenemos un poco sus deseos, pues no está bien lo que vemos. ¿Por ventura se han de igualar ellos a nosotros, sus autores, que podemos abarcar grandes distancias, que lo sabemos y vemos todo? —Así hablaron el Corazón del Cielo, Huracán, Chipi Caculhá, Raxa Caculhá, Tepeu, Gucumatz, los Progenitores, Ixpiyacoc, Ixmucané, el Constructor y el Formador. Esto dijeron, y en seguida cambiaron la naturaleza de sus obras, de sus criaturas.

Entonces el Corazón del Cielo les echó un vaho sobre los ojos, los cuales se empañaron como el aliento empaña la superficie de un espejo. Sus ojos se velaron y sólo pudieron ver lo que estaba cerca, sólo esto era claro para ellos.

Así perdieron su sabiduría y conocimientos los cuatro hombres, en el origen, en el principio. Así fueron creados y formados nuestros abuelos, nuestros padres por el Corazón del Cielo, el Corazón de la Tierra.

Entonces existieron también sus esposas, fueron hechas sus mujeres. Los dioses mismos las hicieron cuidadosamente. Llegaron durante el sueño, verdaderamente hermosas, sus mujeres, al lado de Balam Quitzé, Balam Acab, Mahucutah e Iqui Balam. Allí estaban sus mujeres, cuando despertaron, y al instante se llenaron de alegría sus corazones.

He aquí los nombres de sus mujeres: *Cahá Paluná* era la mujer de Balam Quitzé; *Chomihá* se llamaba la mujer de Balam Acab; *Tzununihá,* la mujer de Mahucutah, y *Caquixahá* era el nombre de la mujer de Iqui Balam. Éstos son los nombres de sus mujeres, que fueron señoras principales[83]. Ellos engendraron a los hombres, a las tribus pequeñas y a las tribus grandes, y fueron el origen de nosotros, la gente del Quiché. Muchos eran los sacerdotes y sacrificadores, sacrificadores con espinas, sacrificadores con pedernal; no eran solamente cuatro, pero estos cuatro fueron los progenitores de nosotros la gente del Quiché.

Ya tenían diferentes nombres cada uno cuando se multiplicaron allá en el Oriente, y muchos eran los nombres de las naciones: *Tepeu, Olomán, Cohah, Quenech, Ahau,* que así se llamaban estas gentes en el Oriente, donde se multiplicaron. Se conoce también el origen de los *Tamub* y de los *Ilocab,* que vinieron juntos de allá del Oriente. Balam Quitzé era el abuelo y el padre de las nueve Casas Grandes de los *Cavec;* Balam Acab era el abuelo y padre de las nueve Casas Grandes de los *Nihaib;* Mahucutah, el abuelo y padre de las cuatro Casas Grandes de *Ahau Quiché.*

Tres grupos de familias existieron, pero no olvidaron el nombre de sus abuelos y padres, los que se propagaron y multiplicaron allá en el Oriente. Vinieron también los Tamub y los Ilocab, con trece tribus o ramas de pueblos, los trece de *Tecpán*, y los *Rabinales*, los *Cakchiqueles*, los de *Tziquinahá*, y los *Zacahib* y los *Lamaquib*, los de *Cumatz, Tuhalhá, Uchabahá*, los de *Chumilahá*, después los de *Quibahá*, los de *Batenabá, Acul Vinac, Balamihá*, los *Canchaheleb* y *Balam Colob*.

Estas son solamente las tribus principales, las cabezas de los pueblos que nosotros mencionamos, sólo de las principales hablaremos. Muchas otras se originaron de cada grupo del pueblo, pero no escribiremos sus nombres. Ellas también se propagaron en el Oriente. Muchos hombres fueron hechos y en la oscuridad se multiplicaron. Era el tiempo de las tinieblas, antes de que el sol apareciese y hubiera luz, cuando se multiplicaron. Juntos vivían todos, en gran número existían y andaban de acá para allá en el Oriente, aún no habían buscado donde establecerse. Sin embargo, no sustentaban ni mantenían a sus dioses; solamente alzaban sus miradas al cielo y no sabían dónde ir ni qué habían venido a hacer tan lejos.

Allí vivían pues en gran número los hombres negros y los hombres blancos, hombres de muchas clases, hombres de muchos géneros de lengua. Había linajes en el mundo, había gentes montaraces, a las que no se les veía la cara, no tenían casas, sólo andaban errantes por los montes pequeños y grandes, como locos, por lo cual eran menospreciados por las otras gentes. Así decían allí donde se veía salir el sol, en el Oriente. Una misma fue entonces la lengua de todos. No adoraban todavía palo ni piedra, y su memoria era la palabra del Constructor y

Formador, Tzacol y Bitol, del Corazón del Cielo, del Corazón de la Tierra. Estaban esperando con inquietud la llegada del amanecer, y elevaban sus plegarias, ellos los adivinos de la palabra sagrada, llenos de amor, obedientes y temerosos, levantando las caras al cielo cuando pedían hijas e hijos:

–Oh tú, Tzacol, tú Bitol, tú que nos ves y nos oyes, ¡Míranos, escúchanos! No nos abandones, no nos desampares, tú, dios del cielo y de la tierra, Corazón del Cielo, Corazón de la Tierra. ¡Danos nuestra descendencia, nuestra sucesión, al caminar el sol, al caminar la luz, mientras alboree! ¡Que amanezca, que llegue la aurora! ¡Danos caminos abiertos, buenos caminos planos! ¡Que los pueblos tengan paz quieta y sosegada, y que sean felices; y danos buena vida y útil existencia! ¡Oh tú, Huracán, Chipi Caculhá, Raxa Caculhá, Chipi Nanauac, Raxa Nanauac, Voc, Hunahpú, Tepeu, Gucumatz, Alom, Qaholom, Ixpiyacoc, Ixmucané, abuela del sol, abuela de la luz! ¡Que amanezca y que llegue la aurora!

Así decían mientras miraban a lo alto e invocaban la salida del sol, la llegada de la luz; y contemplaban el lucero del alba, la gran estrella anunciadora del nacimiento del sol que había de alumbrar la bóveda del cielo y la superficie de la tierra, iluminando los pasos de los hombres creados y formados[84].

19. La migración. El viaje a Tulán

Balam Quitzé, Balam Acab, Mahucutah e Iqui Balam dijeron:

–Aguardemos todavía hasta que amanezca.

Así hablaron aquellos sabios, los varones instruidos, los dignos conocedores. Grandes los llamaban.

Nuestras primeras madres y padres no tenían todavía madera ni piedra que guardar y proteger[85], y sus corazones estaban cansados de esperar el sol. Eran ya muy numerosos todos los pueblos, y estaba además la gente *yaqui,* los sacerdotes y sacrificadores con espina y con pedernal.

–¡Vayámonos, vamos a buscar y a ver si encontramos alguna señal, si descubrimos cuál debe ser la ofrenda! pues estando de esta manera sólo fingimos la existencia, no tenemos quien vele por nosotros[86] –dijeron Balam Quitzé, Balam Acab, Mahucutah e Iqui Balam. Y habiendo llegado a sus oídos la noticia de una ciudad, se dirigieron hacia allá.

Ahora bien, el nombre del lugar a donde se dirigieron Balam Quitzé, Balam Acab, Mahucutah e Iqui Balam, y los de Tamub e Ilocab, era *Tulán Zuiva, Vucub Pec, Vucub Ziván*. Este era el nombre de la ciudad a donde fueron a recibir sus dioses[87].

Así, pues, llegaron todos a Tulán. No era posible contar los hombres que llegaron, eran muchísimos y caminaban ordenadamente. Recibieron entonces sus dioses; primero los de Balam Quitzé, Balam Acab, Mahucutah e Iqui Balam, quienes se llenaron de alegría:

—¡Por fin hemos hallado lo que buscábamos! —dijeron.

El primero que salió fue *Tohil,* que así se llamaba este dios, y lo sacó a cuestas en su arca Balam Quitzé. En seguida sacaron al dios que se llamaba *Avilix,* a quien llevó Balam Acab. Al dios que se llamaba *Hacavitz* lo llevaba Mahucutah, y al dios llamado *Nicahtacah* lo condujo Iqui Balam[88]. Y, junto con la gente del Quiché, recibieron también su dios los de Tamub, y asimismo Tohil fue el dios de los de Tamub, y lo acogieron el abuelo y padre de los señores Tamub que conocemos hoy día. En tercer lugar estaban los de Ilocab. Tohil era también el nombre del dios que recibieron los abuelos y los padres de los señores a quienes igualmente conocemos ahora.

Así fueron llamadas las tres familias quichés, y no se separaron porque era uno el nombre de su dios, Tohil de los Quichés, Tohil de los Tamub y de los Ilocab; uno solo era el nombre del dios, y por eso no se dividieron las tres familias quichés. Grande era en verdad la naturaleza de los tres, Tohil, Avilix y Hacavitz. Y entonces llegaron todos los pueblos, los de Rabinal, los cakchiqueles, los de Tziquinahá y las gentes que ahora se llaman yaquis. Allí fue donde se alteró el lenguaje de las tribus, se volvieron diferentes sus lenguas. Ya no podían entenderse claramente entre sí después de haber llegado a Tulán. Allí también se separaron, algunas hubo que se fueron para el Oriente, pero muchas vinieron hacia este rumbo. Y sus vestidos eran solamente pieles de animales; no tenían buenas ropas que ponerse, las pieles de los animales eran su único atavío. Eran pobres, nada poseían, pero su naturaleza era de hombres prodigiosos.

Cuando llegaron a Tulán Zuiva (Tulán del Agua Sangrienta), Vucub Pec (Siete Cuevas), Vucub Ziván (Siete Barrancos), dicen las antiguas historias que habían andado mucho, que el camino había sido muy largo.

20. El fuego y la sangre

No había entonces fuego. Solamente tenían a Tohil, éste era el dios de las tribus y el primero que creó el fuego. No se sabe cómo apareció, porque ya estaba ardiendo el fuego cuando lo vieron Balam Quitzé y Balam Acab.

–¡Ay, se ha extinguido nuestro fuego! Moriremos de frío –dijeron. Entonces Tohil les habló:

–¡No os aflijáis! Volveréis a tener el fuego perdido de que habláis, y de vosotros dependerá el guardarlo o destruirlo –les dijo el dios.

–¿Será así verdaderamente? ¡Oh dios, nuestro sostén, nuestro alimento, tú, nuestro dios! –dijeron, ofreciéndole presentes.

Y Tohil les respondió:

–Está bien, ciertamente yo soy vuestro dios, ¡que así sea! Yo soy vuestro señor, ¡que así sea! Eso les fue dicho a los sacrificadores con espina, a los sacrificadores con pedernal, por Tohil, que produjo el fuego haciendo girar un taladro. De este modo recibieron su fuego las tribus y se pudieron calentar, regocijándose a causa del fuego.

Pero en seguida comenzó a caer un gran aguacero, cuando ya estaba ardiendo el fuego de las tribus. Gran cantidad de granizo cayó sobre las cabezas de todas las tribus, y el fuego se apagó a causa del granizo, y nuevamente se extinguieron el calor y la luz.

Entonces Balam Quitzé y Balam Acab pidieron una vez más el fuego a Tohil:

–¡Ah, Tohil, en verdad nos morimos de frío! –le dijeron a Tohil.

–Está bien, no os aflijáis –contestó Tohil, y al instante hizo salir fuego golpeando su sandalia.

Alegráronse Balam Quitzé, Balam Acab, Mahucutah e Iqui Balam, e inmediatamente se calentaron.

He aquí que el fuego de las tribus se había apagado igualmente, y aquéllos se morían de frío. Llegaron por eso a pedir el fuego a Balam Quitzé, Balam Acab, Mahucutah e Iqui Balam. Ya no podían soportar el frío ni la helada, estaban temblando y dando diente con diente, ya no tenían vida, las piernas y las manos entumecidas les temblaban y nada podían coger con ellas cuando vinieron.

–No nos causa vergüenza venir ante vosotros a pediros que nos deis un poco de vuestro fuego –dijeron al llegar. Pero no fueron bien recibidos. Y entonces se llenó de tristeza el corazón de las tribus.

–El lenguaje de Balam Quitzé, Balam Acab, Mahucutah e Iqui Balam es ya diferente. ¡Ay, hemos abandonado nuestra lengua común! ¿Qué es lo que hemos hecho? Estamos perdidos. ¿En dónde fuimos engañados? Una sola era nuestra lengua cuando llegamos allá a Tulán; de una sola manera habíamos sido creados y enseñados. No está bien lo que hemos hecho, dijeron todas las tribus bajo los árboles y los bejucos[89].

Entonces se presentó un hombre ante Balam Quitzé, Balam Acab, Mahucutah e Iqui Balam, y habló de esta manera el mensajero de Xibalbá:

–He aquí a vuestro dios; este es vuestro sostén y alimento, y es, además, la representación, la sombra de vuestro Creador y Formador. No les deis, pues, el fuego a los pueblos, hasta que ellos hagan ofrendas a Tohil. No es necesario que os den ahora algo a vosotros. Preguntad a Tohil qué es lo que deben dar cuando vengan a pedir el fuego –les dijo el de Xibalbá, que tenía unas alas como las alas del murciélago–. Yo he sido enviado por vuestro Creador, por vuestro Formador –dijo el de Xibalbá.

Llenáronse entonces de alegría, y se ensancharon también los corazones de Tohil, Avilix y Hacavitz cuando habló el de Xibalbá, el cual desapareció al instante de su presencia.

Pero no perecieron las tribus cuando llegaron, aunque se morían de frío. Había mucho granizo, lluvia helada y neblina, y hacía un frío indescriptible. Se hallaban todas las tribus trémulas y balbucientes de frío cuando llegaron a donde estaban Balam Quitzé, Balam Acab, Mahucutah e Iqui Balam. Grande era la aflicción de sus corazones, y sus bocas y sus miradas reflejaban su enorme tristeza.

En seguida llegaron los suplicantes a presencia de Balam Quitzé, Balam Acab, Mahucutah e Iqui Balam.

–¿No tendréis compasión de nosotros, que solamente os pedimos un poco de vuestro fuego? ¿Acaso no estábamos juntos y reunidos? ¿No fue uno mismo nuestro país y una misma nuestra morada cuando fuisteis creados, cuando fuisteis formados? ¡Tened, pues, piedad de nosotros! –dijeron.

–¿Qué nos daréis para que tengamos compasión de vosotros? –les preguntaron.

–Pues bien, os daremos riquezas –contestaron las tribus.

–No queremos riquezas –dijeron Balam Quitzé y Balam Acab.

–¿Y qué es lo que queréis?

–Ahora lo preguntaremos.

–Está bien –dijeron las tribus.

–Le preguntaremos a Tohil y luego os diremos –les contestaron.

–¿Qué deben dar las tribus, ¡oh Tohil!, que han venido a pedir tu fuego? –dijeron entonces Balam Quitzé, Balam Acab, Mahucutah e Iqui Balam.

–Pues bien, ¿querrán ellas unirse a mí y dar su pecho y su sobaco? ¿Consienten sus corazones en adorarme? Pero si así no lo desean, no les daré el fuego –respondió Tohil–. Decidles que eso será más tarde, que no tendrán que venir ahora a ofrecer su pecho y sus sobacos[90]. Así nos manda hablar, les diréis. –Esta fue la respuesta a Balam Quitzé, Balam Acab, Mahucutah e Iqui Balam.

Entonces transmitieron la palabra de Tohil.

–Está bien, nos uniremos a él y lo abrazaremos –dijeron los pueblos cuando oyeron y recibieron la palabra de Tohil. Y no obraron con tardanza:

–¡Bueno –dijeron–, pero que sea pronto! –Y en seguida recibieron el fuego. Luego se calentaron.

21. Los sacrificios y el escondite de los dioses

Hubo, sin embargo, una tribu que robó el fuego entre el humo, fueron los de la casa de *Zotzil*. El dios de los cakchiqueles se llamaba *Chamalcán* y tenía la figura de un murciélago. Cuando se apoderaron del fuego, pasaron sigilosamente entre el humo. No pidieron el fuego los cakchiqueles porque no quisieron entregarse como vencidos, de la manera en que fueron vencidas las demás tribus cuando ofrecieron su pecho y su sobaco para que se los abrieran. Y ésta era la abertura que había dicho Tohil: que sacrificaran todas las tribus ante él, que se les abriera a las gentes el pecho y el costado y se les arrancara el corazón. Esta costumbre no se practicaba todavía cuando fue propuesta por Tohil la toma del poder y el señorío por Balam Quitzé, Balam Acab, Mahucutah e Iqui Balam.

De Tulán Zuiva venía el hábito de no comer, observaban un ayuno perpetuo, mientras aguardaban la llegada de la aurora y atisbaban la salida del sol. Turnábanse para ver la gran estrella que se llama *Icoquih,* que sale primero por la mañana delante del sol, antes de que nazca el astro del día, la brillante Icoquih, que siempre estaba allí frente a ellos en el Oriente, cuando estuvieron en la llamada Tulán Zuiva, de donde vino su dios.

No fue aquí, pues, donde recibieron su poder y señorío, sino que allá sometieron y subyugaron a las tribus grandes y pequeñas, cuando las sacrificaron ante Tohil y le ofrendaron la sangre, la sustancia, el pecho y el costado de todos los hombres[91].

En Tulán les llegó al instante su poder, la gran sabiduría con la que obraban, en la oscuridad y en la noche. Luego se vinieron, salieron de allá y abandonaron el Oriente, porque Tohil les dijo:

–¡Esta no es nuestra casa, vámonos y veamos dónde nos hemos de establecer!

En verdad les hablaba a Balam Quitzé, Balam Acab, Mahucutah e Iqui Balam:

–Dad gracias ante todo, disponed lo necesario para horadar las orejas, punzaos los codos, y ofreced el sacrificio de vuestra sangre; éste será vuestro agradecimiento ante la imagen de dios.

–Está bien –dijeron, y entonces hirieron sus orejas y se sacaron sangre, y pusieron estas cosas en sus cantos cuando salieron de Tulán; gimieron sus corazones al ponerse en camino, al abandonar Tulán.

–¡Ay de nosotros! Ya no veremos aquí el amanecer, cuando nazca el sol y alumbre la faz de la tierra –dijeron al partir. Pero dejaron algunas gentes en el camino por donde iban para que se establecieran y se alimentaran, y cada una de las tribus se levantaba continuamente para ver la estrella precursora del sol. Esta señal de la aurora ocupaba siempre sus pensamientos cuando vinieron de allá del Oriente, y con la misma esperanza partieron y atravesaron aquella gran distancia, según dicen en sus cantos hoy día[92].

En aquel tiempo, pues, llegaron a la cima de una montaña; allí se reunieron todos los de la nación quiché con las tribus, tuvieron consejo y se consultaron entre sí. El nombre de la montaña es hoy Chi Pixab («montaña de la Consulta»). En aquella reunión buscaron su gloria nombrándose:

–Yo soy el Quiché, y tú eres Tamub, ése será tu nombre. Y del mismo modo se habló a los de Ilocab:

–Tú eres Ilocab, ése será tu nombre; estos tres nombres quichés no se perderán, y nuestro espíritu es uno con nuestra palabra –repitieron ellos imponiéndose los nombres. También entonces se nombró a los cakchiqueles, Gagchekeleb («ladrones del fuego») fue su nombre, y lo mismo se hizo con los de Rabinal, que ése llegó a ser su nombre y no se ha borrado hasta hoy. También estuvieron los de Tziquinahá, cuyo nombre es el mismo actualmente. He ahí, por tanto, los nombres que se pusieron.

Mientras estaban reunidos en consejo esperaban a la aurora y acechaban la salida de la estrella de la mañana en el Oriente, esa estrella que llega delante del sol cuando éste está a punto de nacer.

–De allá hemos venido, pero finalmente nos hemos separado –se decían los unos a los otros.

Pero sus corazones estaban afligidos, y grande era el sufrimiento que experimentaban: no tenían comida, no tenían sustento; solamente olían la punta de sus bastones y así se imaginaban que comían, pero verdaderamente no se alimentaban apenas cuando emprendieron el camino.

No está claro, sin embargo, cómo fue su paso sobre el mar. Como si no hubiera mar pasaron hacia este lado, sobre piedras pasaron, sobre piedras en hilera sobre la arena. Por esta razón fueron llamados aquellos parajes *Piedras alineadas, Arenas desprendidas,* nombres que ellos les dieron cuando pasaron entre el mar, habiéndose dividido las aguas cuando pasaron[93].

Y sus corazones estaban afligidos mientras deliberaban entre sí, porque no tenían qué comer, sólo un trago de agua que bebían y un puñado de maíz.

Allí estaban, pues, congregados en la montaña llamada Chi Pixab, y habían llevado también a Tohil, Avilix y Hacavitz. Un ayuno completo observaba Balam Quitzé con su mujer Cahá Paluná, que éste era el nombre de su mujer. Así lo hacían también Balam Acab y su mujer, llamada Chomihá, como igualmente Mahucutah observaba un ayuno absoluto con su mujer, llamada Tzununihá, e Iqui Balam con su mujer, llamada Caquixahá. Estos eran los que ayunaban en las tinieblas de la noche. Grande fue su tristeza cuando estaban en el monte que ahora se llama Chi Pixab, donde sus dioses continuaban hablándoles.

Y nuevamente hablaron con sus dioses[94]. Así les hablaron entonces Tohil, Avilix y Hacavitz, a aquellos llamados Balam Quitzé, Balam Acab, Mahucutah e Iqui Balam:

—¡Vámonos ya, levantémonos ya, no permanezcamos aquí, llevadnos a un lugar escondido! Ya se acerca el amanecer. ¿No sería una desgracia para vosotros que fuéramos capturados por los enemigos en estos muros donde nos tenéis, vosotros, sacrificadores con espinas, sacrificadores con pedernal? Llevadnos pues separadamente y ponednos a cada uno en lugar seguro –dijeron cuando hablaron.

–Muy bien. Nos marcharemos, iremos en busca de un asilo en los bosques –contestaron todos.

A continuación cogieron sus divinidades, cargando cada uno de ellos la suya. Llevaron a Avilix al barranco llamado *Cuabal Ziván,* así nombrado por ellos, un gran barranco en el bosque que ahora llamamos *Pavilix,* y allí lo dejaron. En este barranco fue dejado por Balam Acab.

En orden fueron dejándolos. El primero que dejaron así fue Hacavitz, sobre una gran casa colorada, en el monte que se llama ahora *Hacavitz.* Allí fue fundado su pueblo, en el lugar donde estuvo el dios llamado Hacavitz.

Asimismo se quedó Mahucutah con su dios, que fue el segundo dios escondido por ellos. No estuvo Hacavitz en el bosque, sino que en un cerro sin vegetación fue escondido Hacavitz.

Luego vino Balam Quitzé, llegó allá al gran bosque para esconder a Tohil. Por eso vino Balam Quitzé al cerro que hoy se llama *Patohil.* Entonces celebraron la ocultación de Tohil en la barranca, en su refugio, en el asilo secreto del dios. Gran cantidad de culebras, de pumas, víboras y cantiles había en el bosque en donde fue escondido por los sacerdotes y sacrificadores[95].

Juntos estaban Balam Quitzé, Balam Acab, Mahucutah e Iqui Balam; juntos esperaban el amanecer sobre el cerro llamado Hacavitz. Y a poca distancia estaba el dios de los de Tamub y de los de Ilocab. *Amac Tan* se llamaba el lugar donde estaba el dios de los Tamub, y allí les amaneció. *Amac Uquincat* se llamaba el lugar donde les amaneció a los de Ilocab; allí estaba el dios de los de Ilocab, a corta distancia de la montaña. Allí estaban también todos los de Rabinal, los cakchiqueles, los de Tziquinahá, todas las tribus pequeñas y las tribus grandes. Juntos se detuvieron aguardando la llegada de la aurora y la salida de la gran estrella llamada Icoquih, que sale primero delante del sol, cuando alborea, según cuentan.

Juntos estaban, pues, Balam Quitzé, Balam Acab, Mahucutah e Iqui Balam. No dormían ni tenían reposo, permanecían de pie y grande era la ansiedad de sus corazones y los gemidos de sus vientres por la aurora y el amanecer que venía. Allí también sintieron vergüenza, les sobrevino una gran aflicción, una gran angustia y estaban abrumados por el dolor.

–Hasta aquí hemos llegado. ¡Ay, hemos venido sin alegría! Si al menos pudiéramos ver por fin el nacimiento del sol. ¿Qué haremos ahora? Si éramos de un mismo sentir en nuestra patria, ¿cómo nos hemos ausentado de ella así? –decían hablando entre ellos, con voces plañideras, en medio de la tristeza y la congoja.

Hablaban, pero no se calmaba la inquietud de sus corazones por presenciar la llegada de la aurora:

–Ved a los dioses situados en las barrancas, en los bosques, están entre las altas hierbas, entre el musgo, ni siquiera se les ha dado un asiento de tablas –decían.

Primeramente estaban Tohil, Avilix y Hacavitz. ¡Grandes eran su gloria, su fuerza y su poder sobre los dioses de todas las tribus! ¡Muchos eran sus prodigios e innumerables sus viajes y peregrinaciones en medio del frío, y grande era también el espanto que su ser inspiraba en el corazón del pueblo! Tranquilos estaban respecto a ellos los corazones de Balam Quitzé, Balam Acab, Mahucutah e Iqui Balam. No sentían fatiga ni abatimiento en su pecho por los dioses que habían recibido y traído a cuestas desde que salieron de Tulán Zuiva, allá en el Oriente.

Estaban, pues, allí en el bosque que ahora se llama *Zaquiribal, Pa-Tohil, P'Avilix, Pa-Hacavitz,* y entonces amaneció y brilló la mañana sobre nuestros abuelos y nuestros padres.

Ahora contaremos la llegada de la aurora y la aparición del sol, la luna y las estrellas.

22. El nacimiento de la luz

He aquí, pues, la aurora, y la aparición del sol, la luna y las estrellas.

Grande fue la alegría de Balam Quitzé, Balam Acab, Mahucutah e Iqui Balam cuando vieron a la Estrella de la Mañana. Ella fue la primera que salió con su faz resplandeciente, cuando apareció delante del sol.

En seguida desenvolvieron el *pom* que habían traído desde el Oriente con la idea de quemarlo en el momento oportuno; fue el primer rito para ellos, y entonces abrieron los paquetes con las tres ofrendas.

El incienso que traía Balam Quitzé se llamaba *Mixtán Pom;* el incienso que traía Balam Acab se llamaba *Caviztán Pom,* y el que traía Mahucutah se llamaba *Cabauil Pom.* Solamente estos tres tenían su pom. Lo quemaron y a continuación se pusieron a bailar en dirección al Oriente. Lloraban de alegría cuando estaban bailando y quemaban su incienso, su precioso incienso[96]. Luego gi-

mieron porque no veían ni contemplaban todavía el nacimiento del sol. Pero muy pronto salió el sol. Se alegraron los animales pequeños y grandes, y se incorporaron
en las vegas de los ríos, en las barrancas y en la cima de
las montañas; todos dirigieron la vista hacia donde sale
el sol.

Luego rugieron el puma y el jaguar. Aunque el primer
pájaro que cantó se llama *Queletzú*. Verdaderamente todos los animales se llenaron de alegría, y extendieron sus
alas el águila, el zopilote, las aves pequeñas y las aves
grandes[97].

Los sacerdotes y sacrificadores estaban arrodillados;
grande era el gozo que experimentaban los sacrificadores con espina y los sacrificadores con pedernal[98], y los de
Tamub e Ilocab y los rabinaleros, los cakchiqueles, los
de Tziquinahá y los de Tuhalhá, Uchabahá, Quibahá, los de
Batená y los Yaqui Tepeu, tribus todas que existen aún
hoy día. Era innumerable la gente que había, y la aurora
alumbró a un mismo tiempo a todas las naciones[99].

En seguida se secó la superficie de la tierra a causa del
sol. Semejante a un hombre era el sol cuando se manifestó, y su rostro ardía cuando secó la superficie de la tierra.

Antes de que saliera el sol la superficie de la tierra estaba húmeda y cubierta de fango, pero el sol apareció y
se elevó semejante a un hombre. Su calor era insoportable. Sólo se manifestó al nacer, su presencia después es
semejante a un espejo. No era ciertamente el mismo sol
que nosotros vemos ahora, se dice en las historias[100].

Inmediatamente después se convirtieron en piedra Tohil, Avilix y Hacavitz, junto con los seres deificados, el
puma, el jaguar, la culebra, el cantil y el quebrantahuesos

(*sac queshol* o *zaqui coxol*). Sus imágenes se escondieron entre los árboles cuando aparecieron el sol, la luna y las estrellas. Todos se volvieron por igual pedazos de piedras. Tal vez no estaríamos vivos nosotros hoy día a causa de los animales voraces, el puma, el jaguar, la culebra de cascabel, el cantil y el *sac queshol;* quizás no existiría ahora nuestra gloria si los primeros animales no hubieran sido petrificados por el sol[101].

Cuando él apareció se llenaron de júbilo los corazones de Balam Quitzé, Balam Acab, Mahucutah e Iqui Balam. Grande fue su alegría cuando amaneció. Y no eran muchos los hombres que estaban en aquel lugar, sólo eran unos pocos los que estaban sobre el monte Hacavitz. Allí les amaneció, allí quemaron el incienso y bailaron, dirigiendo la mirada hacia el Oriente, de donde habían venido. Allá estaban sus tierras y sus valles, allá de donde vinieron Balam Quitzé, Balam Acab, Mahucutah e Iqui Balam, así llamados.

Pero fue aquí donde se multiplicaron, en estas montañas, y ésta llegó a ser también su ciudad; aquí estaban, además, cuando aparecieron el sol, la luna y las estrellas, cuando amaneció y se alumbró la faz de la tierra y el mundo entero. Aquí también comenzaron su canto, que se llama *Camucú;* lo cantaron gimiendo en sus corazones y en sus entrañas y sintiendo lo que expresaban:

–¡Ay de nosotros! En Tulán nos perdimos, nos separamos, y allí quedaron nuestros hermanos mayores y menores. ¡Ay, nosotros hemos visto el sol!, pero ¿dónde están ellos ahora que ya ha amanecido? –les decían a los sacerdotes y a los sacrificadores yaquis. Porque, en verdad, el llamado Tohil es el mismo dios de los yaquis, cuyo nombre era *Yolcuat Quitzalcuat* cuando estábamos en Tulán Zuiva; de ahí salimos juntos y ésa fue la cuna común de nuestra raza, de donde hemos venido, decían entre sí. Entonces se acordaron de sus hermanos mayores y de sus hermanos menores, los yaquis, a quienes les amaneció en el país que hoy se llama México. Había también una parte de la gente que se quedó allá en el Oriente, los llamados *Tepeu Olimán,* esos son sus nombres, dijeron[102].

Gran aflicción sentían sus corazones en el monte Hacavitz, y lo mismo sentían los de Tamub y de Ilocab, que estaban igualmente allí en el bosque llamado de *Amac Tan,* donde la aurora alumbró a los sacerdotes y sacrificadores de Tamub y a su dios, que era también Tohil, pues no había más que un nombre para el dios de las tres ramas del pueblo quiché. Y también es el nombre del dios de los rabinaleños, pues hay poca diferencia con el nombre de *Huntoh,* que así se llama el dios de los rabinaleños; por eso dicen que quisieron igualar su lengua a la del Quiché.

Ahora bien, la lengua de los cakchiqueles es diferente, porque era diferente el nombre de su dios cuando vinieron de Tulán Zuiva. *Tzotzihá Chimalcán* era el nombre de su dios, y hablan hoy una lengua diferente, y también de su dios tomaron su nombre las tribus *Ahpozotzil* y *Ahpoxá,* así llamadas. Se cambió la lengua por el dios, cuando les dieron su dios allá en Tulán, y por la piedra fue distinta su lengua cuando vinieron de Tulán en la oscuridad. Y estando juntas les amaneció y les brilló su aurora a todas las tribus, separados los nombres de los dioses de cada uno de los grupos.

Ahora contaremos su estancia y su permanencia allá en la montaña, donde se hallaban juntos los cuatro hombres llamados Balam Quitzé, Balam Acab, Mahucutah e Iqui Balam. Lloraban sus corazones por Tohil, Avilix y Hacavitz, a quienes habían dejado entre las hierbas altas y el musgo.

He aquí, pues, cómo hicieron los sacrificios al pie del sitio donde pusieron a Tohil, cuando llegaron ante la presencia de Tohil y de Avilix. Este es el principio de la adoración de Tohil. Iban a verlos y a saludarlos, y darles gracias también por la llegada de la aurora. Ellos estaban en la espesura, entre las hierbas, en medio del bosque. Y sólo por efecto de su poder misterioso su voz se hizo oír cuando llegaron los sacerdotes y sacrificadores ante Tohil[103]. No traían grandes presentes, sólo resina, restos de goma *noh* y pericón quemaron ante su dios. Y entonces habló Tohil, y misteriosamente también les dio sus preceptos a los sacerdotes y sacrificadores. Y los dioses hablaron entonces y dijeron: «Verdaderamente estas serán nuestras montañas y nuestros valles. Nosotros seremos vuestros siempre; grandes serán nuestra gloria y nuestro esplendor por obra de todos los hombres. Os pertenecerán todas las tribus, y nosotros seremos vuestros compañeros y guías. Cuidad del pueblo y nosotros os daremos consejos y reglas de conducta.

»No nos mostréis a las tribus cuando estemos enojados por las palabras de sus bocas y por su comportamiento. Verdaderamente son muy numerosas ahora, por tanto no dejéis que caigamos en manos de vuestros enemigos. Dadnos a nosotros en cambio los retoños de la hierba y del campo, y también las crías de los venados y de las aves. Venid a darnos un poco de su sangre, tened compasión de nuestros rostros. Quedaos con la pelambre de los venados y guardadla.

»Así, pues, el venado será nuestro sustituto y representación que mostraréis ante las tribus. Cuando se os pregunte ¿dónde está Tohil?, presentaréis el venado ante sus ojos. Tampoco os presentéis vosotros mismos, pues tendréis otras cosas que hacer. Grande será vuestra condición, dominaréis a todas las tribus, humillaréis su sangre y la traeréis ante nuestra presencia, y los que vengan a abrazarnos, nuestros serán también», dijeron entonces Tohil, Avilix y Hacavitz[104].

Tenían apariencia de muchachos cuando los vieron llegar a ofrendarles los presentes. Entonces comenzó la persecución de las crías de las aves y los venados monteses, y el producto de la caza era recibido por los sacerdotes y sacrificadores. Y en cuanto encontraban a las aves y a los hijos de los venados, al punto iban a derramar su sangre en la boca de las piedras de Tohil y de Avilix. Y una vez que la sangre había sido bebida por los dioses, entonces hablaba la piedra, cuando llegaban los sacerdotes y sacrificadores, cuando iban a llevarles sus ofrendas. Y de igual manera lo hacían delante de los símbolos de sus padres, quemando resina *(col)*, yerba pericón *(yia)* y cabezas de hongos *(holom ocox)*.

Los emblemas de cada uno permanecían donde habían sido colocados por ellos, en la cumbre de la montaña. Pero los sacerdotes no vivían en sus casas durante el día, sino que andaban por los montes, y sólo se alimentaban de las larvas de los tábanos y de las avispas y de las abejas que buscaban; no tenían buena comida ni buena bebida. Y tampoco eran conocidos los caminos de sus casas, ni se sabía dónde habían quedado sus mujeres.

23. Ofrendas de sangre

He aquí que ya se habían fundado muchos pueblos separados unos de otros, y las diferentes ramas de las tribus se iban reuniendo y agrupando en esos lugares, junto a los caminos que habían abierto.

En cuanto a Balam Quitzé, Balam Acab, Mahucutah e Iqui Balam, no se sabía claramente dónde estaban. Pero cuando veían a las tribus que pasaban por los caminos, al instante se ponían a gritar en la cumbre de los montes, lanzando el aullido del coyote y el grito del gato de monte, e imitando el rugido del puma y del jaguar. Viendo las tribus estas cosas cuando caminaban, dijeron:

–Sus gritos son de coyote, de gato de monte, de puma y de jaguar. Quieren aparentar que no son hombres ante todas las tribus. Y sólo hacen esto para engañarnos a nosotros. Algo desean sus corazones. Ciertamente no se espantan de lo que hacen. Algo se proponen con el rugido del puma, con el rugido del jaguar que lanzan cuando ven a uno o dos hombres caminando; lo que quieren es acabar con nosotros –añadían.

Cada día llegaban los sacerdotes y sacrificadores a sus casas al lado de sus mujeres, llevando solamente las larvas de los abejorros y de las avispas, y las larvas de las abejas, y esto era lo que les daban a sus mujeres.

Cada día llegaban también ante Tohil, Avilix y Hacavitz, y decían en sus corazones:

–He aquí a Tohil, Avilix y Hacavitz. Sólo la sangre de los venados y de las aves podemos ofrecerles, nos sacaremos entonces sangre de las orejas y de los brazos. Pidámosles fuerzas y vigor a Tohil, Avilix y Hacavitz. ¿Qué dirán de las muertes de la gente del pueblo, que uno por uno los vamos matando? –decían entre sí cuando se dirigían a la presencia de Tohil, Avilix y Hacavitz.

Luego se punzaban las orejas y los brazos ante la divinidad, recogían su sangre y la ponían en un vaso, junto a la piedra. Pero en realidad los dioses no parecían de piedra, sino que se presentaba cada uno bajo la figura de un muchacho[105].

Se regocijaban con la sangre los sacrificadores con espina y los sacrificadores con pedernal cuando venían con esta muestra de sus obras:

–¡Seguid ese camino, ahí está vuestra autoridad! De allá vino, de Tulán, cuando nos trajisteis –les dijeron–, cuando os dieron la piel llamada *Pazilizib,* untada de sangre. ¡Que se derrame su sangre y que ésta sea la ofrenda a Tohil, Avilix y Hacavitz!

24. La guerra de los dioses

He aquí de qué manera comenzó el secuestro de los hombres de las tribus por Balam Quitzé, Balam Acab, Mahucutah e Iqui Balam. En seguida vino la matanza de las tribus, de las cuales cogían a los que iban caminando, solos o de dos en dos, y no se sabía cuándo los cogían, y a continuación los iban a sacrificar ante Tohil y Avilix.

Después regaban la sangre en el camino y ponían las cabezas por separado. Y decían las tribus: «El jaguar los ha devorado», y lo decían así porque eran como pisadas de jaguar los rastros que dejaban sin que nunca se les viese.

Ya eran muchos los hombres que habían robado, pero no se dieron cuenta las tribus hasta más tarde.

–¿Si serán Tohil y Avilix los que se introducen entre nosotros? Solamente ellos sostienen a los sacerdotes y sacrificadores. ¿Dónde estarán sus casas? ¡Sigamos sus pisadas! –dijeron todos los pueblos.

Entonces celebraron consejo entre ellos, y a continuación comenzaron a seguir las huellas de los sacerdotes y sacrificadores, pero éstas no estaban claras. Sólo eran pisadas de fieras, rastros de animales monteses, rastros de jaguares lo que veían, solamente extravío eran, pues no se podían distinguir con nitidez los pasos. No eran evidentes las primeras huellas, ya que estaban como invertidas, hechas así para confundir a los rastreadores, y no estaba claro su camino y dirección. Se formaban neblinas en aquellos lugares elevados, que producían lloviznas negras y mucho lodo. Esto era lo que los pueblos veían ante ellos. Y sus corazones se cansaban de la búsqueda y la persecución por los caminos, porque como era tan grande el ser de Tohil, Avilix y Hacavitz, buscando se alejaban hasta la cima de las montañas, en los dominios de las gentes que hacían la matanza.

Así comenzó el rapto de la gente cuando los brujos cogían a los miembros de las tribus en los caminos y los inmolaban ante Tohil, Avilix y Hacavitz, quienes salvaron a sus hijos allá en la montaña.

Tohil, Avilix y Hacavitz tenían la apariencia de tres muchachos que caminaban, y esto era por la virtud mágica de la piedra. Había un río donde se bañaban y allí, en la orilla del agua, únicamente se manifestaban. Se llamaba por eso el *Baño* de *Tohil,* y éste era el nombre del río. Muchas veces los veían las tribus, pero desaparecían inmediatamente cuando eran observados por las gentes.

Se tuvo entonces noticia de dónde estaban Balam Quitzé, Balam Acab, Mahucutah e Iqui Balam, y al instante celebraron consejo las tribus sobre la manera de darles muerte. En primer lugar quisieron tratar sobre la manera de vencer a Tohil, Avilix y Hacavitz. Y los sacerdotes y sacrificadores de las tribus exclamaron ante la asamblea:

–Que todos se levanten, que se llame a todos, que no haya un grupo ni dos grupos de entre nosotros que se quede atrás de los demás.

Convocáronse todos, se reunieron en gran número y deliberaron entre sí. Y dijeron, preguntándose los unos a los otros:

–¿Cómo haremos para vencer a los quichés de *Cavec?*[106]. ¿Por qué están acabando con nuestros hijos? No sabemos con seguridad de qué manera realizan la destrucción y la matanza en la gente. Si debemos perecer por medio de estos raptos, que así sea, y si es tan grande el poder de Tohil, Avilix y Hacavitz, entonces que sea nuestro dios este Tohil, y ojalá que lo podáis hacer cautivo. No es posible que ellos nos venzan. ¿No hay acaso bastantes hombres entre nosotros? Y los Cavec no son muchos –dijeron cuando estuvieron todos reunidos.

Y algunos hablaron así dirigiéndose a las tribus:

–¿Quién ha visto a esos que se bañan en el río todos los días? Si ellos son Tohil, Avilix y Hacavitz, los venceremos primero a ellos y después emprenderemos la derrota de los sacrificadores con espina y los sacrificadores con pedernal. –Esto dijeron varios de ellos cuando hablaron.

–¿Pero cómo los venceremos? –preguntaron de nuevo.

–Este será el procedimiento para vencerlos: Como ellos tienen aspecto de muchachos cuando se dejan ver entre el agua, que vayan dos doncellas que sean verdaderamente las más hermosas y amables, y que les entren deseos de poseerlas –replicaron.

–Muy bien. Vamos pues, busquemos dos doncellas bien blancas y preciosas –exclamaron. Y en seguida fueron a buscar a sus hijas. Y verdaderamente eran bellísimas las jóvenes.

Luego les dieron instrucciones a las muchachas:

–Partid, hijas nuestras, idos a lavar la ropa al río, y si viereis a los tres muchachos, desnudaos ante ellos, y si sus corazones desean poseeros, ¡llamadlos! Si os dijeren: «¿Podemos llegar a vuestro lado?». «Sí», les responderéis. Y cuando os pregunten: «¿De dónde venís, de quién sois hijas?», contestaréis: «Somos hijas de jefes». Luego les diréis: «Dadnos una prenda vuestra». Y si después que os hayan dado alguna cosa los tres jóvenes desean vuestros rostros, entregaos de veras a ellos. Y si no os entregáis, os mataremos. Después nuestro corazón estará satisfecho. Cuando tengáis la prenda, traedla para acá y ésta será la prueba, a nuestro juicio, de que ellos fueron a vosotras.

Así dijeron los señores cuando aconsejaron a las dos doncellas. He aquí los nombres de las muchachas: *Ixtah* se llamaba una de ellas, y la otra *Ixpuch,* y a las dos llamadas Ixtah e Ixpuch las mandaron al río, al baño de Tohil, Avilix y Hacavitz. Tal fue lo que dispusieron todas las tribus[107].

Después de esto se marcharon en seguida, bien adornadas, y verdaderamente estaban muy hermosas cuando se fueron hacia donde se bañaba Tohil, llevando la ropa para lavar. Cuando ellas se fueron, se alegraron los señores porque habían enviado a sus hijas.

Luego que llegaron al río comenzaron a lavar. Ya se habían desnudado las dos y estaban arrimadas a las piedras cuando llegaron Tohil, Avilix y Hacavitz. Llegaron allí a la orilla del río y quedaron un poco sorprendidos al ver a las dos jóvenes que estaban lavando, y las muchachas se avergonzaron cuando llegó Tohil. Pero a Tohil no se le antojaron las doncellas. Solamente les preguntó:

–¿De dónde venís? –Así les dijo a las dos doncellas, y agregó–: ¿Qué es lo que queréis, pues habéis venido hasta la orilla de nuestro río?

Y ellas contestaron:

–Se nos ha mandado por los señores que vengamos aquí. «Id a verles las caras a esos Tohil y hablad con ellos», nos dijeron los señores, y «traed luego la prueba de que les habéis visto la cara», se nos ha dicho. –Así hablaron las dos muchachas, dando a conocer el objeto de su presencia.

Ahora bien, lo que querían las tribus era que las doncellas fornicaran con los naguales[108] de Tohil, pero Tohil, Avilix y Hacavitz les dijeron, hablando de nuevo a Ixtah e Ixpuch, que así se llamaban las dos doncellas:

–Está bien, con vosotras irá la prueba de nuestra conversación. Esperad un poco y luego se la daréis a los señores –les dijeron.

Luego entraron en consulta con los sacerdotes y sacrificadores, y les dijeron a Balam Quitzé, Balam Acab, Mahucutah e Iqui Balam:

–Pintad tres capas, trazad en ellas la señal de vuestro ser para que les llegue a las tribus y se vayan con las dos muchachas que están lavando. Dádselas a ellas –eso les dijeron a Balam Quitzé, Balam Acab y Mahucutah, después de lo cual se pusieron los tres a pintar. Primero pintó un jaguar Balam Quitzé, era su imagen; la figura fue pintada en la superficie de la tela. Luego Balam Acab pintó la figura de un águila sobre la superficie del manto; y luego Mahucutah pintó por todas partes abejorros y avispas, cuya figura y dibujos realizó sobre la tela. Y acabaron sus pinturas los tres, tres piezas de tela pintaron.

A continuación fueron a entregar las capas a Ixtah e Ixpuch, así llamadas, y les dijeron Balam Quitzé, Balam Acab y Mahucutah:

–Aquí está la prueba de vuestra conversación con los jóvenes en el río. Llevadla ahora ante los señores de las tribus, y les diréis: «En verdad nos ha hablado Tohil, he aquí la prueba que traemos», ésas serán vuestras palabras, y que se vistan con los mantos que les entregaréis. –Esto les dijeron a las doncellas cuando las despidieron. Ellas se fueron en seguida, llevando los mantos pintados.

Cuando estuvieron de vuelta, los señores de las tribus sintieron gran regocijo al verlas y al comprobar que de sus manos colgaba lo que habían ido a pedir.

–¿Le visteis la cara a Tohil? –les preguntaron–. La hemos visto ciertamente –respondieron Ixtah e Ixpuch–. Muy bien. ¿Y cuál es la prueba que traéis, si es verdad? –preguntaron los señores, pensando que ésta era la señal de su pecado.

Extendieron entonces las jóvenes las telas pintadas, todas llenas de jaguares y de águilas y cubiertas de abejorros y de avispas, pintados en la superficie y que brillaban a la vista. En seguida les entraron a todos vehementes deseos de ponérselas.

Nada le hizo el jaguar cuando el señor se echó a las espaldas la primera pintura. Luego se puso la segunda tela con el dibujo del águila. El señor se sentía muy bien, metido dentro de ella, y daba vueltas y se paseaba delante de todos. Luego se quedó desnudo ante los ojos de las gentes y se vistió con la tercera capa pintada. Y he aquí que se echó encima los abejorros y las avispas que contenía. Al instante le picaron las carnes los zánganos y las avispas, y no pudiendo sufrir ni soportar las picaduras de los insectos, el señor empezó a vociferar a causa de los animales cuyas figuras solamente estaban pintadas en la tela, la pintura de Mahucutah, que fue la tercera que pintaron.

Así fueron burlados los jefes y los pueblos. Después de esto, los señores de las tribus injuriaron a las doncellas llamadas Ixtah e Ixpuch:

–¿Qué clase de ropas son las que habéis traído? ¿Dónde fuisteis a traerlas, ingratas? –les dijeron a las doncellas cuando las reprendieron.

Todas las tribus, por tanto, fueron derrotadas por Tohil. Sin embargo, lo que querían era que Tohil hubiera poseído a Ixtah e Ixpuch, y que éstas se hubieran vuelto fornicadoras, pues creían las tribus que les servirían para que Tohil cayera en la tentación. Pero no fue posible que lo lograran, y así no fueron vencidos aquellos hombres prodigiosos, Balam Quitzé, Balam Acab, Mahucutah e Iqui Balam[109].

Entonces celebraron consejo nuevamente todas las tribus y se preguntaron:

–¿Qué haremos con ellos? En verdad es grande su condición –dijeron cuando se reunieron de nuevo–. Pues bien, los acecharemos, los mataremos, nos armaremos de arcos y de escudos. ¿No somos acaso numerosos? Que no haya uno ni dos de entre nosotros que se quede atrás. –Así hablaron cuando deliberaron y, en consecuencia, se armaron todos los pueblos. Muchos eran los guerreros cuando se unieron todos los pueblos para darles muerte.

Mientras tanto Balam Quitzé, Balam Acab, Mahucutah e Iqui Balam estaban en la cima de la montaña llamada Hacavitz. Estaban allí para poner a sus hijos a salvo en lo alto del promontorio, y no era numerosa su gente, no tenían una muchedumbre como la de las tribus, pues era pequeña la cumbre del monte que les servía de fortaleza, y por eso las tribus se confiaron cuando se reunieron y se levantaron todas para disponer su muerte.

Así fue, pues, la reunión de todos los pueblos, todos armados de sus flechas y sus escudos. Resultaba imposible describir la riqueza de sus armas; en verdad era admirable el aspecto de todos los guerreros y capitanes, y ciertamente todos cumplían las órdenes.

–Sin duda serán destruidos, y en cuanto a Tohil, será nuestro dios, lo adoraremos, si lo hacemos prisionero –dijeron entre ellos. Pero Tohil sabía todo lo que pasaba, y lo sabían también Balam Quitzé, Balam Acab y Mahucutah. Ellos oían todo lo que preparaban, porque no dormían, ni descansaban desde que se armaron con sus armas todos los guerreros.

En seguida se levantaron todos los guerreros y se pusieron en marcha con la intención de introducirse por la fuerza durante la noche. Pero no llegaron, sino que hicieron alto en el camino, y luego fueron derrotados por Balam Quitzé, Balam Acab y Mahucutah. Permanecieron todos en vela en el camino hasta que, sin que se dieran cuenta, acabaron por dormirse, cayeron en un profundo sueño porque estaban exhaustos. A continuación comenzaron a arrancarles las cejas y los bigotes, luego les quitaron los adornos de metal precioso, y sus diademas y collares. Y les quitaron el metal del cuello de sus lanzas. Lo hicieron así para castigarlos y humillarlos y para darles una muestra del poderío de la gente quiché.

En cuanto despertaron quisieron agarrar sus diademas y sus mazas, pero ya no tenían el metal en la empuñadura, ni tampoco estaba en sus tocados.

–¿Quién nos ha despojado? ¿Quién nos ha arrancado los bigotes? ¿De dónde han venido a robarnos nuestros metales preciosos? –decían todos los guerreros–. ¿Serán esos embaucadores que secuestran a los hombres? Pero no conseguirán infundirnos miedo. Entremos por la fuerza en su ciudad y así volveremos a ver el brillo de nuestro precioso metal, eso haremos –exclamaron todas las tribus, y todos ciertamente estaban dispuestos a cumplir su palabra[110].

Entre tanto había vuelto la calma a los corazones de los sacerdotes y sacrificadores en la cumbre de la montaña. Y habiéndose reunido para argumentar Balam Quitzé, Balam Acab, Mahucutah e Iqui Balam, decidieron construir una muralla que rodeara su ciudad, y la fortificaron con empalizadas y troncos. Además hicieron unos muñecos con apariencia de hombres, y los pusieron en fila sobre la muralla, los armaron de escudos y de flechas y los adornaron poniéndoles las diademas de metal que habían quitado a los pueblos en el camino. Hicieron también unos fosos alrededor de la ciudad, y en seguida le pidieron consejo a Tohil:

–¿Nos matarán? ¿Nos vencerán? –dijeron sus corazones a Tohil.

–No os aflijáis. Yo estoy con vosotros y os diré lo que debéis hacer. No tengáis miedo –les dijo Tohil a Balam Quitzé, Balam Acab, Mahucutah e Iqui Balam.

Más tarde trajeron los abejorros y las avispas, y los pusieron en cuatro grandes calabazas que colocaron alrededor de la ciudad. Encerraron a los abejorros y las avispas dentro de las calabazas para combatir con ellos a las tribus.

La ciudad estaba siendo vigilada desde lejos, espiada y observada por los enviados de las tribus.

–No son numerosos –decían. Pero sólo vieron a los muñecos y los maniquíes que meneaban suavemente sus arcos y sus escudos. Verdaderamente tenían la apariencia de hombres, tenían aspecto de combatientes cuando los miraban las tribus, y todas las gentes se regocijaron porque vieron que no eran muchos.

Estas tribus eran muy numerosas, no era posible contar la gente, los guerreros y soldados preparados para matar a los de Balam Quitzé, Balam Acab y Mahucutah, quienes estaban en el monte Hacavitz, que tal era el nombre del lugar.

Ahora contaremos cómo fue su llegada.

Estaban allí, pues, Balam Quitzé, Balam Acab, Mahucutah e Iqui Balam, estaban todos juntos en la montaña con sus mujeres y sus hijos cuando acometió una multitud de guerreros. Las tribus no se componían sólo de dieciséis mil, ni de treinta y cuatro mil hombres. Rodearon toda la ciudad, lanzando grandes gritos, armados de flechas y escudos, tañendo tambores, golpeándose la boca y aullando consignas de guerra, silbando, vociferando, incitando a la pelea, cuando llegaron al pie de la ciudad.

Pero todo aquello no consiguió amedrentar a los sacerdotes y sacrificadores, que los miraban desde el borde de la muralla, donde estaban colocados en buen orden con sus mujeres y sus hijos, pensando con entereza únicamente en los actos y palabras de las tribus cuando trepaban por las faldas del monte.

Poco faltaba ya para que se arrojaran sobre la entrada de la ciudad, y fue entonces cuando abrieron las cuatro calabazas que estaban en los extremos de la ciudad, saliendo los tábanos y las avispas, como una humareda salieron por las aberturas de las calabazas. Y así perecieron los guerreros a causa de los insectos que les picaban las niñas de los ojos, y se les prendían de las narices, la boca, las piernas y los brazos.

–¿Dónde las habrán ido a coger –exclamaban los atacantes–, cómo han podido reunir a todos los abejorros y avispas que hay aquí?

Directamente iban a picarles en los ojos, zumbaban en bandadas los animalejos sobre cada uno de los hombres que se revolcaban en el suelo; y aturdidos por los abejorros y las avispas ya no pudieron empuñar sus flechas ni sus escudos, que estaban caídos y abandonados.

Tendidos por tierra en las faldas de la montaña estaban inconscientes y sentían como que se les clavaban las flechas y los herían las hachas. Sin embargo, no eran nada más que palos sin punta los que usaron Balam Quitzé y Balam Acab. Sus mujeres ayudaron también a matar a los enemigos. Sólo una parte del ejército atacante regresó, y todas las tribus echaron a correr huyendo despavoridas. Los que encontraron primero gritaron cuando los mataban; no fueron pocos los hombres que murieron, y no murieron de la manera que tenían pensada, sino que los insectos los atacaban. Tampoco fue la acción de hombres valientes, porque no murieron por las flechas ni por los arcos.

Entonces se rindieron todas las tribus, se humillaron los pueblos ante Balam Quitzé, Balam Acab y Mahucutah.

–Tened compasión de nosotros, no nos matéis –exclamaron los vencidos.

–Muy bien, aunque sois dignos de morir, pero os volveréis nuestros vasallos por toda la vida, mientras camine el sol, mientras camine la luz –les dijeron.

De esta manera fue la derrota de todas las tribus por nuestros primeros padres y madres; y esto pasó sobre el monte Hacavitz, como ahora se le llama. Allí fue donde estuvieron asentados en un principio, donde se multiplicaron y aumentaron, engendraron sus hijas, dieron el ser a sus hijos, sobre el monte Hacavitz[111].

Estaban muy satisfechos cuando vencieron a todas las tribus, a las que derrotaron allá en la cumbre del monte. Así fue como llevaron a cabo la derrota de las tribus, de todas las tribus. Después de esto descansaron sus corazones. Y les dijeron a sus hijos que cuando los quisieron matar sus enemigos ya se acercaba la hora de su muerte.

Ahora contaremos, pues, la muerte de Balam Quitzé, Balam Acab, Mahucutah e Iqui Balam, así llamados.

25. La muerte de los padres

Como ya presentían su muerte y su fin, se dispusieron a aconsejar a sus hijos. No estaban enfermos, no sentían dolor ni agonía cuando transmitieron la tradición a sus hijos.

Éstos son los nombres de sus hijos: Balam Quitzé tuvo dos hijos, *Qocaib* se llamaba el primero y *Qocavib* era el nombre del segundo hijo de Balam Quitzé, el abuelo y padre de los de *Cavec*. Dos fueron los hijos que engendró Balam Acab, he aquí sus nombres: *Qoacul* se llamaba el primero de sus hijos y *Qoacutec* le decían al segundo hijo de Balam Acab, de los de *Nihaib*. Mahucutah tuvo solamente un hijo, que se llamaba *Qoahau*.

Aquéllos tres tuvieron hijos, pero Iqui Balam no tuvo hijos. Ellos eran verdaderamente nobles, sacrificadores con espina, sacrificadores con pedernal, y éstos son los nombres de sus hijos a quienes les dejaron la tradición.

Así, pues, se despidieron de ellos. Estaban juntos los cuatro y se pusieron a cantar, sintiendo tristeza en sus corazones; y sus corazones lloraban cuando cantaron el *Camucú* (Nuestra Desaparición), que así se llamaba la canción que cantaron cuando se despidieron de sus hijos.

–¡Oh hijos nuestros! Nosotros nos vamos, nosotros regresamos; clara verdad, clara orden, sabios consejos os dejamos. Y vosotras también, que vinisteis de un lejano país, ¡oh esposas nuestras!, les dijeron a sus mujeres, y de cada una de ellas se despidieron. Nosotros nos volvemos a nuestro origen, ya está en su sitio Nuestro Señor de los Venados, manifiesto está en el cielo. Vamos a emprender el regreso, hemos cumplido nuestra misión, nuestros días están terminados, debemos irnos. Pensad, pues, en nosotros, no nos borréis de la memoria, ni nos olvidéis. Volveréis a ver vuestros hogares y vuestras montañas, estableceos allí, y que así sea. Continuad vuestro camino y veréis de nuevo el lugar de donde vinimos.

Estas palabras pronunciaron cuando se despidieron. Luego dejó Balam Quitzé la señal de su existencia:

–Éste es el testimonio y mandato que dejo para vosotros. Éste será vuestro poder y vuestra fortaleza. Yo me despido lleno de tristeza –agregó. Entonces dejó la señal de su ser, el *Pizom-Gagal,* así llamado, cuyo contenido era invisible, porque estaba envuelto y no podía desatarse; no se veía la costura y nadie lo vio cuando lo envolvieron.

De esta manera aconsejaron y se despidieron, y en seguida desaparecieron allá en la cima del monte Hacavitz. No fueron enterrados por sus mujeres, ni por sus hijos, porque no se vio qué fue de ellos cuando se desvanecieron. Sólo se vio claramente su despedida, y así el envoltorio, la «Envoltura de la Fortaleza», fue muy querido y sagrado para ellos. Era el testimonio de sus padres, e inmediatamente quemaron copal ante este recuerdo de sus padres[112].

Entonces fue la multiplicación de los hombres y el apogeo de los señores que sucedieron a Balam Quitzé, cuando dieron principio los abuelos y padres de los de Cavec; aquel comienzo tampoco lo olvidaron sus hijos, los llamados Qocaib y Qocavib.

Así, pues, murieron los cuatro, nuestros primeros abuelos y padres; así desaparecieron, dejando a sus hijos sobre el monte Hacavitz, allá fue donde permanecieron sus hijos, y estando ya los pueblos sometidos, y terminada su grandeza, las tribus no tenían ningún poder y vivían todas reunidas y dedicadas a servir diariamente.

Se acordaban de sus padres; grande era para ellos la gloria del Envoltorio. Jamás lo desataban, sino que estaba siempre cerrado y con ellos. Envoltorio de Grandeza le llamaron cuando ensalzaron y pusieron nombre a la custodia de esos secretos que les dejaron sus padres como señal de su existencia, de lo que entonces hicieron.

Esta fue la desaparición y fin de Balam Quitzé, Balam Acab, Mahucutah e Iqui Balam, los primeros varones que vinieron del otro lado del mar, de donde nace el sol. Hacía mucho tiempo que habían venido aquí cuando murieron, siendo muy viejos, los jefes y sacrificadores, así llamados.

26. El viaje a Oriente

Luego los herederos dispusieron irse al Oriente, pensando cumplir de esa manera la recomendación de sus padres que no habían olvidado. Hacía mucho tiempo que sus padres habían muerto cuando las tribus les dieron sus mujeres, y se emparentaron cuando los tres tomaron mujer, y al marcharse dijeron:

–Vamos al Oriente, allá de donde vinieron nuestros padres.

Así dijeron cuando se pusieron en camino los tres hijos. *Qocaib* llamábase el uno y era hijo de Balam Quitzé, de los de Cavec. El llamado *Qoacutec* era hijo de Balam Acab, de los de Nihaib; y el otro que se llamaba *Qoahau* era hijo de Mahucutah, de los Ahau-Quiché.

Estos son, pues, los nombres de los que fueron al otro lado del mar; los tres se fueron entonces, y estaban dotados de inteligencia y de experiencia, su condición no era de hombres vanos. Despidiéronse de todos sus hermanos y parientes y se marcharon jubilosos.

–No moriremos, volveremos –dijeron cuando se fueron los tres.

Seguramente pasaron sobre el mar cuando llegaron allá al Oriente, cuando fueron a recibir la investidura de reyes. Y ahora se dirá cuál era el nombre del señor y monarca del Oriente a donde llegaron. Cuando llegaron ante el Señor *Nacxit,* que éste era el nombre del gran señor, el único juez supremo de todos los reinos, aquél les dio las insignias del reino y todos sus distintivos. Entonces vinieron las insignias de los Ahpop y los Ahpop Camhá, y de allí procede la señal de la grandeza y del señorío del Ahpop y el Ahpop Camhá, y Nacxit acabó de darles las insignias de la realeza, cuyos nombres son: la sombra (el dosel), el trono, las flautas de hueso, el tambor *cham-cham,* cuentas negras y amarillas, garras de puma, garras de jaguar, cabezas y patas de venado, palios, conchas de caracol, tabaco, carcaj, plumas de papagayo, estandartes de pluma de garza real, cetro y pedernal de sacrificio. Todo esto trajeron los que vinieron, cuando fueron a recibir al otro lado del mar el arte de pintar, la escritura, las pinturas de Tulán, como le llamaban a aquello en que ponían sus historias[113].

Luego, habiendo llegado a su pueblo llamado Hacavitz, se juntaron allí todos los de Tamub y de Ilocab; todas las tribus se juntaron y se llenaron de alegría cuando llegaron Qocaib, Qoacutec y Qoahau, quienes tomaron nuevamente allí el gobierno de las tribus.

Se regocijaron los de Rabinal, los cakchiqueles y los de Tziquinahá. Ante ellos se manifestaron las insignias de la majestad real. Y así recuperaron también las tribus la grandeza, aunque aún no se había acabado de formar su poderío. Estaban allí en Hacavitz, estaban todos con los que vinieron del Oriente. Allí pasaron mucho tiempo, en la cima de la montaña se establecieron en gran número. Y allí también murieron las mujeres de Balam Quitzé, Balam Acab y Mahucutah.

Muchos salieron después, abandonando su ciudad y buscando otros lugares donde establecerse. Incontables son los sitios que fundaron y donde se asentaron, donde estuvieron, y a los cuales les dieron nombre. Así se reunieron y aumentaron nuestras primeras madres y nuestros primeros padres. Eso decían los antiguos cuando contaban cómo despoblaron su primera ciudad llamada Hacavitz y vinieron a fundar otra ciudad que llamaron *Chi Quix*.

Mucho tiempo estuvieron en esta otra ciudad, donde tuvieron hijas y tuvieron hijos. Allí vivieron en gran número, y eran cuatro los montes a cada uno de los cuales le dieron el nombre de su ciudad. Casaron a sus hijas y a sus hijos; ponían el precio de sus hijas, y los regalos y mercedes que les hacían por ellas los recibían como una ofrenda o una gracia, y así llevaban una existencia feliz.

Pasaron después por cada uno de los barrios de la ciudad, cuyos diversos nombres son: *Chi Quix, Chichac, Humetahá, Culbá* y *Cavinal.* Tales eran los nombres de los lugares y colinas donde moraron, y examinaban los cerros en los alrededores de sus ciudades y buscaban los lugares deshabitados porque todos juntos eran ya muy numerosos.

Por entonces habían muerto los que fueron al Oriente a recibir el señorío y las insignias reales. Eran viejos cuando llegaron a cada una de las ciudades, y no se acostumbraron a los diferentes lugares que atravesaron y habitaron; grandes trabajos y penas sufrieron, y hasta después de mucho tiempo los abuelos y padres no llegaron a la tierra que convenía y en donde fundar su ciudad. He aquí el nombre de la ciudad a donde llegaron.

27. Izmachí y Gumarcah

Izmachí es el nombre del asiento de su ciudad, donde llegaron y se establecieron definitivamente. Allí desarrollaron su poder y construyeron edificios de cal y canto bajo la cuarta generación de reyes.

Gobernaron, pues, Conaché y Beleheb Queh, el Galel Ahau. En seguida reinaron el rey Cotuhá con Iztayul, así llamados, Ahpop y Ahpop Camhá, quienes reinaron allí en Izmachí, que fue la hermosa ciudad que construyeron[114].

Solamente tres Casas Grandes existieron allí en Izmachí. No había entonces las veinticuatro Casas Grandes de las que hablaremos luego, solamente tres eran sus Casas Grandes, una sola de los Cavec, otra de los Nihaib y una de los Ahau Quiché. Sólo dos eran las ramas de la familia [los quichés y los Tamub]. Estaban allí en Izmachí con un solo pensamiento, sin animadversiones ni dificultades, tranquilo estaba el reino, no tenían pleitos ni riñas, sólo la paz y la felicidad estaban en sus corazones.

No había envidia ni tenían celos. Su grandeza era limitada, no habían pensado en engrandecerse ni en crecer. Cuando trataron de hacerlo, empuñaron el escudo en Izmachí y sólo para dar muestras de su majestad, en señal de su poder y de su fuerza.

Viendo esto los de Ilocab, comenzó la guerra por su parte, quisieron ir a matar al rey Cotuhá, deseando tener solamente un jefe suyo. Y en cuanto al señor Iztayul, querían castigarlo, que los de Ilocab le castigasen y que le diesen muerte. Pero su envidia no les dio resultado contra el rey Cotuhá, quien cayó sobre ellos antes que los de Ilocab pudiesen llegar a matarle.

Este fue el principio de la revuelta y de las disensiones de la guerra. Primero atacaron la ciudad y llegaron los guerreros. Y lo que querían era la ruina de los quichés, deseando reinar ellos solos. Pero únicamente vinieron a morir, fueron capturados y cayeron en cautividad y pocos de entre ellos lograron escapar.

En seguida comenzaron a sacrificarlos, los de Ilocab fueron sacrificados ante el dios, y éste fue el pago de sus culpas que tuvo lugar por orden del rey Cotuhá. Muchos fueron también los que cayeron en esclavitud y en servidumbre; sólo fueron a entregarse y ser vencidos por haber dispuesto la guerra contra los señores y contra la ciudad. La destrucción y la ruina de la gente y del rey del Quiché era lo que deseaban sus corazones, pero no lo consiguieron.

De esta manera empezaron los sacrificios de los hombres ante los dioses, cuando se libró la guerra de los escudos, que fue la causa de que se levantaran las fortificaciones de la ciudad de Izmachí. Allí comenzó y se originó su poderío, porque era realmente grande el imperio del rey del Quiché. En todo sentido eran reyes prodigiosos; no había quien pudiera dominarlos, ni había nadie que los pudiera humillar. Fueron asimismo los creadores de la grandeza del reino que se fundó en Izmachí.

Allí creció el temor a su dios, sentían temor y se llenaron de espanto todas las tribus, grandes y pequeñas, que presenciaban la llegada de los cautivos, los cuales eran sacrificados y muertos por obra del poder y señorío del rey Cotuhá, del rey Iztayul y los de Nihaib y de Ahau Quiché.

Solamente estas tres ramas de la familia quiché estuvieron allí en Izmachí, que así se llamaba la ciudad, y allí igualmente comenzaron los festines y grandes banquetes con motivo de sus hijas, cuando iban a pedirlas en matrimonio. Y así se juntaban las tres Casas Grandes, como las llamaban, y bebían sus bebidas y comían también su comida, que era el precio de sus hermanas, el precio de sus hijas, y sus corazones se alegraban cuando lo hacían y comían y bebían entre las Casas Grandes[115].

–Estos son nuestros agradecimientos y así abrimos el camino a nuestra posteridad y nuestra descendencia, ésta es la demostración de nuestro consentimiento para que sean esposas y maridos –decían. Allí se les dieron sus nombres a los recién nacidos en esas fiestas, y también se distribuyeron en parcialidades, en las siete tribus principales y en barrios o cantones.

–Unámonos, nosotros los Cavec, nosotros los Nihaib y nosotros los Ahau Quiché –dijeron las tres familias y las tres Casas Grandes. Por largo tiempo estuvieron allí en Izmachí, hasta que encontraron y vieron otra ciudad y abandonaron la de Izmachí.

Después de haberse marchado de allí, llegaron a la ciudad de *Gumarcah,* nombre que le dieron los quichés cuando vinieron los reyes Cotuhá y Gucumatz y todos los señores. Habían entrado entonces en la quinta generación de hombres desde el principio del alba y de la población, el principio de las vidas y de las existencias.

En ese lugar, pues, hicieron muchos sus viviendas y asimismo construyeron el templo del dios; en el centro de la parte alta de la ciudad lo pusieron cuando llegaron y se establecieron.

Luego fue el crecimiento de su imperio. Eran muchos y numerosos cuando celebraron consejo las familias. Se reunieron y se dividieron, porque habían surgido disensiones y existían celos entre ellos por el precio de sus hermanas y de sus hijas, y porque ya no ofrecían las bebidas acostumbradas en su presencia.

Esta fue, pues, la causa de que se dividieran y que se volvieran unos contra otros y se arrojaran los huesos y las calaveras de los muertos.

Entonces se dividieron en nueve clanes, y habiendo terminado el pleito de las hermanas y de las hijas, ejecutaron la disposición de dividir el reino y la autoridad en veinticuatro Casas Grandes, lo que se llevó a cabo. Hace mucho tiempo que vinieron todos aquí a su ciudad, cuando se terminaron las veinticuatro Casas Grandes, en la ciudad de Gumarcah, que fue bendecida por el señor Obispo. Posteriormente la ciudad fue abandonada y ahora está vacía[116].

Allí se engrandecieron, allí instalaron con esplendor sus tronos y sitiales, y se distribuyeron los honores entre todos los señores. Formáronse nueve familias con los nueve señores de Cavec, nueve con los señores de Nihaib, cuatro con los señores de Ahau Quiché y dos con los señores de Zaquic. Se volvieron muy numerosos y muchos eran también los que seguían a cada uno de los señores, éstos eran las cabezas y los primeros entre sus vasallos, y muchísimas eran las familias de cada uno de los señores.

Diremos ahora los nombres de los títulos de los señores en cada una de las Casas Grandes. He aquí, pues, los nombres de los señores de Cavec. El primero era el *Ahpop,* luego el *Ahpop Camhá,* el *Ah Tohil,* el *Ah Gucumatz,* el *Nim Chocoh Cavec,* el *Popol Vinac Chituy,* el *Lolme Quehnay,* el *Popol Vinac Pa Hom Tzalatz* y el *Uchuch Camhá.* Estos eran los señores de los Cavec, nueve señores. Cada uno tenía su Casa Grande y su rango. Más adelante aparecerán de nuevo.

He aquí los señores de los de Nihaib. El primero era el *Ahau Gales,* luego vienen el *Ahau Ahtzic Vinac,* el *Galel Camhá,* el *Nimá-Camhá,* el *Uchuch Camhá,* el *Nim Chocoh Nihaibab,* el *Avilix,* el *Yacolatam Utzam Pop Zaclatol* y el *Nimá Lolmet Ycoltux,* los nueve señores de los Nihaib.

Y en cuanto a los de Ahau Quiché, éstos son los nombres de los señores: *Ahtzic Vinac, Ahau Lolmet, Ahau Nim Chocoh Ahau* y *Ahau Hacavitz,* cuatro señores de los Ahau Quiché, en el orden de sus Casas Grandes.

Finalmente, dos eran las familias de los Zaquic, los señores *Tzutuhá* y *Gales Zaquic.* Estos dos señores sólo tenían una Casa Grande.

28. Los reyes maravillosos

De esta manera se completaron los veinticuatro señores y existieron las veinticuatro Casas Grandes. Entonces crecieron la majestad y el poder del Quiché, y entonces se incrementaron el dominio y la superioridad de los hijos del Quiché, cuando construyeron de cal y canto la ciudad entre los barrancos[117].

Vinieron los pueblos pequeños y los pueblos grandes ante la persona del rey. Se engrandeció el Quiché cuando surgió su gloria y majestad, cuando se levantaron las casas de los dioses y las casas de los señores. Pero no fueron ellos los que las levantaron ni las trabajaron, ni tampoco edificaron sus casas, ni hicieron las casas de los dioses, pues fueron hechas por sus hijos y vasallos, que se habían multiplicado, y no fue mediante el engaño ni la violencia como fueron atraídos, porque en realidad pertenecían todos y cada uno a los jefes, y fueron muchos los hermanos mayores y los hermanos menores que se habían juntado y se reunían para oír las palabras y las órdenes de cada uno de los señores.

Verdaderamente los amaban y grande era la gloria de los señores, y la veneración que se les tenía crecía lo mismo que su fama, y era respetado el día en que habían nacido los señores por sus hijos y vasallos, cuando se multiplicaron los habitantes del campo y de la ciudad.

Pero no sucedió que llegaran a entregarse todas las tribus, ni que cayeran en batalla los que vivían en los campos y las ciudades, sino que a causa de sus prodigios se hicieron poderosos los señores, el rey Gucumatz y el rey Cotuhá. Ciertamente, Gucumatz era un rey hechicero: siete días subía al cielo y siete días caminaba para descender a Xibalbá; siete días se convertía en culebra y verdaderamente se volvía serpiente; siete días se convertía en águila, siete días se convertía en jaguar, y verdaderamente su apariencia era de águila y de jaguar. Otros siete días se convertía en sangre coagulada y solamente era sangre en reposo[118].

En verdad era maravillosa la naturaleza de este rey, y todos los demás señores se llenaban de temor ante él. Extendiose la noticia de la magia del rey y la oyeron todos los jefes de las tribus. Y éste fue el principio de la grandeza del Quiché, cuando el rey Gucumatz dio estas muestras de su poder. No se perdió su imagen en la memoria de sus hijos y sus nietos. Nunca se había visto que los poderes de un rey prodigioso decidieran el destino de las tribus, pero él lo hacía como un medio de dominar a todos los pueblos, como una demostración de que sólo uno era llamado a ser el jefe de los pueblos.

Fue la cuarta generación de reyes, la del rey prodigioso llamado Gucumatz, quien fue asimismo Ahpop y Ahpop

Camhá, según dice la tradición. Quedaron sucesores y descendientes que reinaron y dominaron, y que tuvieron sus hijos e hicieron otras muchas cosas. Fueron engendrados Tepepul e Iztayul, cuyo reinado fue la quinta generación de reyes, y asimismo cada una de las generaciones de estos señores tuvo sucesión.

29. Los reyes de la sexta generación

He aquí ahora los nombres de la sexta generación de reyes. Fueron dos grandes reyes, *Gag Quicab* se llamaba el primer rey, y el otro *Cavizimah,* y ambos hicieron grandes cosas y engrandecieron el Quiché, porque ciertamente eran de naturaleza portentosa.

Y siguieron la destrucción y conquista de los campos y los poblados de las naciones vecinas, pequeñas y grandes. Entre ellas estaba la que antiguamente fue la patria de los cakchiqueles (Iximché), la actual *Chuvila* (Chichicastenango), y las montañas de Rabinal, *Pamacá* (Zacualpa), la patria de los *Canqué, Sacabahá,* y las ciudades de *Zaculeu,* de *Chuvi Miquiná* (Coxtum), *Xelahú* (Quetzaltenango), *Chuvá Tzac* (Momostenango) y *Tzolohché* (Chiquimula).

Estos pueblos aborrecían a Quicab. Él les hizo la guerra y ciertamente conquistó y arruinó los campos y ciudades de los rabinaleros, los cakchiqueles y los de Zaculeu, llegó y venció a todos los pueblos. Lejos llevaron la muerte los guerreros de Quicab. Una o dos tribus no trajeron el tributo, y entonces cayó sobre sus ciudades y tuvieron que llevar por la fuerza el tributo ante Quicab y Cavizimah. Hicieron esclavos a los rebeldes, fueron heridos y asaeteados contra los árboles y ya no tuvieron gloria, no tuvieron poder. Así fue la destrucción de las ciudades que quedaron al instante arrasadas hasta los cimientos. Semejante al rayo que hiere y destroza la roca, así por el terror también aniquilaban los quichés a las naciones.

Frente a *Colché,* como señal de una ciudad destruida por él, hay ahora una montaña de piedras, que casi fueron cortadas como con el filo de un hacha. Está allá sobre la cuesta llamada de *Petatayub,* donde pueden verlo todavía hoy las gentes que pasan, como testimonio del valor de Quicab[119].

No pudieron matarlo ni vencerlo, porque verdaderamente era un hombre valiente, y todos los pueblos le rendían tributo. Entonces celebraron consejo todos los señores, y se fueron a fortificar las barrancas y los poblados, habiéndose apoderado a continuación de las ciudades de todas las tribus. Luego salieron los vigías para observar al enemigo; y se fundaron colonias a manera de pueblos en los lugares conquistados:

–Por si acaso vuelven las tribus a ocupar la ciudad –dijeron cuando se reunieron en consejo todos los señores.

En seguida partieron hacia los lugares que les fueron señalados.

–Estos serán como nuestros fortines y nuestros pueblos, nuestras murallas y defensas; aquí se probarán nuestro valor y nuestra fuerza –dijeron los señores cuando se dirigieron al puesto designado a cada parcialidad para pelear con los enemigos.

Cuando hubieron sido advertidos de lo que tenían que hacer, se pusieron en camino para tomar posesión del país de las naciones vencidas.

–¡Id allá, porque ahora es tierra nuestra! ¡No tengáis miedo si hay todavía enemigos que vengan a vosotros para mataros, venid aprisa a decírmelo y yo iré a darles muerte! –les dijo Quicab cuando los despidió a todos en presencia del Galel y el Ahtzic Vinac.

Marcháronse entonces con armas y bagajes los flecheros y los honderos, así llamados. Y se repartieron por los distintos lugares los abuelos y padres de toda la nación quiché. Estaban en cada uno de los montes y eran como guardias de los montes, como guardianes de las flechas y las hondas y centinelas de la guerra. No eran de distinto origen ni tenían diferente dios cuando se fueron. Solamente iban a fortificar sus ciudades.

Salieron entonces de la capital todos los de *Uvilá,* los de *Chutimal, Zaquiyá, Baquieh, Chi Temah, Vahxalahuh,* y los de *Cabracán, Chabicac Chi Hunahpú,* y los de *Macá,* los de *Xoyabah,* los de *Zaccabahá,* los de *Ziyahá,* los de *Miquiná,* los de *Xelahuh* y los de la costa. Salieron de llanuras y de montes a atender la guerra y a guardar la tierra, cuando se fueron por orden de Quicab y Cavizimah, el Ahpop y el Ahpop Camhá, y del Galel y el Ahtzic Vinac, que eran los cuatro señores.

Fueron enviados para vigilar a los enemigos de Quicab y Cavizimah, nombres de los reyes, ambos de la Casa de Cavec, de Quemá, nombre del señor de los de Nihaib, y de Achac Iboy, nombre del señor de los Ahau Quiché. Éstos eran los nombres de los señores que los enviaron y despacharon cuando se fueron sus hijos y vasallos a establecerse en aquellos países y en las montañas, en cada una de las montañas.

Partieron en seguida y trajeron cautivos, trajeron prisioneros a presencia de Quicab, Cavizimah, el Galel y el Ahtzic Vinac. Hicieron la guerra por todas partes los flecheros y los honderos, trayendo siempre nuevos cautivos. Fueron unos héroes los defensores de los emplazamientos en las fronteras, y los señores les dieron y prodigaron sus recompensas cuando aquéllos vinieron a entregar todos sus cautivos y prisioneros.

Después de lo cual se reunieron en consejo por orden de los señores, el Ahpop, el Ahpop Camhá, el Galel y el Ahtzic Vinac, y dispusieron y dijeron que los que allí estaban primero tendrían la dignidad de representantes de sus familias.

–¡Yo soy el Ahpop! ¡Yo soy el Ahpop Camhá!, mía será la dignidad de Ahpop, mientras que la tuya, Ahau Galel, será la dignidad de Galel –dijeron todos los señores cuando celebraron su consejo.

Lo mismo hicieron los de Tamub y los de Ilocab; igual fue la condición de las tres parcialidades del Quiché cuando nombraron capitanes y ennoblecieron por primera vez a sus hijos y vasallos. Tal fue el resultado de la consulta. Pero no fueron hechos capitanes aquí en el Quiché. Tiene su nombre el monte donde fueron hechos capitanes por primera vez los hijos y vasallos, cuando los enviaron a todos, cada uno a su monte, y se reunieron y congregaron. *Xebalax* y *Xecamax* son los nombres de los montes donde fueron hechos capitanes y recibieron sus cargos y su poder. Esto pasó en *Chulimal*.

Así fue el nombramiento, la distinción y la toma de posesión de sus dignidades de los veinte Galel y de los veinte Ahpop, que fueron nombrados por el Ahpop y el Ahpop Camhá y por el Galel y el Ahtzic Vinac. Recibieron sus cargos todos los *Galel Ahpop,* de las grandes Casas *Nim Chocoh,* los *Galel Ahau, Galel Zaquic, Galel Achih, Rahpop Achih, Rahtzalam Achih, Utzam Achih,* nombres que recibieron los guerreros cuando les confirieron los títulos y distinciones en sus tronos y asientos, siendo ellos los primeros hijos y vasallos de la nación quiché, sus vigías, sus escuchas, los flecheros, los honderos, de las murallas, puertas, fortines y bastiones del Quiché[120].

Así también lo hicieron los de Tamub e Ilocab; nombraron y ennoblecieron a los hijos y vasallos primeros en rango que había en cada lugar. Éste fue, pues, el origen de los Galel Ahpop y de las dignidades que existen ahora en cada uno de estos lugares. Así fue su origen cuando surgieron, por deseo del Ahpop y el Ahpop Camhá, por el Galel y el Ahtzic Vinac, por eso aparecieron y de ellos recibieron el ser.

30. La casa del dios y la condición de los reyes

Diremos ahora aquí el nombre de la casa del dios. Los nombres de los dioses dieron origen a los nombres de sus respectivos templos. El *Gran Edificio de Tohil* era el nombre del edificio del templo de Tohil, de los de Cavec. *Avilix* era el nombre del edificio del templo de Avilix, de los de Nihaib, y *Hacavitz* era el nombre del templo del dios de los Ahau Quiché.

Tzutuhá, que se ve en *Cahbahá,* es el nombre de un gran edificio, en el cual había una piedra que adoraban todos los señores del Quiché y también todas las gentes de las tribus. Los pueblos hacían primero sus sacrificios ante Tohil y después iban a ofrecer sus respetos al Ahpop y al Ahpop Camhá. Luego iban a presentar sus plumas ricas y su tributo ante el rey. Y los reyes a quienes sostenían eran el Ahpop y el Ahpop Camhá que habían conquistado sus ciudades.

Grandes señores y hombres extraordinarios fueron los reyes portentosos Gucumatz y Cotuhá, y también los reyes hacedores de maravillas Quicab y Cavizimah. Ellos sabían si se haría la guerra y todo era claro ante sus ojos; veían si habría mortandad o hambre, si habría pleitos. Sabían dónde estaba el que les manifestaba todas las cosas, y existía un libro para saberlo, el Libro del Tiempo, por ellos llamado *Popol Vuh*[121].

Pero no era sólo de esta manera como mostraban los reyes la grandeza de su condición. Grandes eran también sus ayunos, y esto era en pago de haber sido creados y en pago de sus palacios y su reino. Ayunaban mucho tiempo y hacían ofrendas a sus dioses. He aquí cómo ayunaban: Nueve hombres ayunaban y otros nueve hacían sacrificios y quemaban incienso. Trece hombres más ayunaban, otros trece hacían ofrendas y quemaban copal ante Tohil. Delante de su dios se alimentaban únicamente de frutas, de zapotes, de matasanos y de jocotes. Y delante de su dios no tenían tortillas que comer, sino zapotes, matasanos y jocotes.

Ya fuesen diecisiete hombres los que hacían el sacrificio, o diez los que ayunaban, de verdad no comían. Cumplían con sus grandes preceptos, y así demostraban su condición de señores.

Tampoco tenían mujeres con quienes dormir, sino que se mantenían solos, ayunando. Estaban en la casa del dios, todo el día en oración, quemando el *pom* y haciendo sacrificios. Así permanecían del anochecer a la madrugada, gimiendo en sus corazones y en su pecho, y pidiendo por la felicidad y la vida de sus hijos y súbditos, y asimismo por su reino, y levantando sus rostros al cielo[122].

He aquí la demanda que dirigían a sus dioses, cuando oraban; ésta era la súplica de sus corazones:

«¡Oh tú, bondad del día! ¡Tú, Huracán, Corazón del Cielo y de la Tierra! ¡Tú que das la riqueza y la felicidad, dador de las hijas y de los hijos! Vuelve hacia nosotros tu gloria y cólmanos de prosperidad por tus beneficios; concédeles el ser y la vida a las hijas de mis hijos, que engendren, que nazcan y que se multipliquen los que han de alimentarte y mantenerte, los que te invocan en los caminos, en los campos, a la orilla de los ríos, en los barrancos, bajo los árboles, bajo los bejucos.

»Dales sus hijas y sus hijos. Que no encuentren desgracia ni infortunio, que no se introduzca el engañador ni detrás ni delante de ellos. Que no caigan, que no se lastimen ni sean heridos, que no forniquen, ni sean condenados por la justicia. Que no se caigan en la bajada ni en la subida del camino. Que no encuentren obstáculos ni detrás ni delante de ellos, ni cosa que los golpee. Condúcelos por los verdes caminos, por las verdes sendas. Que no tengan tribulación, ni desgracia que venga de ti, de tu hechicería.

»Que sea buena la existencia de los que mantienen tu casa y te dan el sustento y el alimento en tu boca, en tu presencia, a ti, Corazón del Cielo, Corazón de la Tierra, Envoltorio de la Majestad. ¡Oh, Tohil, Avilix, Hacavitz, bóveda del cielo, vientre de la tierra, los cuatro rincones, las cuatro esquinas! ¡En tanto existan tribus, en tanto exista la luz, dentro de tu boca, ante tu presencia, tú, dios!».

Así hablaban los señores, mientras ayunaban los nueve hombres, los trece hombres y los diecisiete hombres. Ayunaban durante el día y gemían sus corazones por sus hijos e hijas, y por todas las mujeres concebidas, cuando hacían su ofrenda cada uno de los señores[123].

Éste era el precio de la vida feliz, el precio del poder, he aquí el poder del Ahpop, el Ahpop Camhá, el Galel y el Ahtzic Vinac. De dos en dos entraban al gobierno y se sucedían unos a otros para llevar la carga del pueblo y de toda la nación quiché.

Uno solo fue el origen de su tradición y el origen de la costumbre de mantener y alimentar a los dioses y a los reyes, y uno también el origen de la tradición y de las costumbres semejantes de los de Tamub e Ilocab y los rabinaleros y cakchiqueles, los de Tziquinahá, de Tuhulhá y Uchabahá. Verdaderamente eran un solo tronco cuando escuchaban allí en el Quiché lo que a todos ellos les correspondía.

Pero no fue solamente así como reinaron. No derrochaban los dones de los que los alimentaban y sostenían, sino que se los comían y bebían. Tampoco los compraban, sino que los habían ganado y arrebatado por su imperio y poderío.

No fue únicamente de esta manera, conquistando y ocupando los campos y ciudades, como obtenían su sustento, pues los pueblos pequeños y los pueblos grandes pagaron cuantiosos rescates; trajeron piedras preciosas y metales, trajeron miel de abejas, pulseras y cetros de diversas piedras, y entregaron guirnaldas hechas de plumas azules, el tributo de todos los pueblos[124]. Llegaron a presencia de los reyes prodigiosos Gucumatz y Cotuhá, y ante Quicab y Cavizimah, el Ahpop, el Ahpop Camhá, el Galel y el Ahtzic Vinac.

No fue poco lo que hicieron, ni fueron pocos los pueblos que sometieron. Muchas ramas de esos pueblos vinieron a pagar tributo al Quiché; llenos de pesadumbre llegaron a entregarlo. Sin embargo, su poder no creció rápidamente, Gucumatz fue quien dio principio al engrandecimiento del reino. Fue él quien logró el crecimiento y la grandeza del Quiché.

Y ahora enumeraremos las generaciones de los señores y sus nombres, de nuevo nombraremos por orden a todos los señores.

31. El orden de los reinados

He aquí, pues, las generaciones y el orden de todos los reinados que nacieron con nuestros primeros abuelos y nuestros primeros padres, Balam Quitzé, Balam Acab, Mahucutah e Iqui Balam, en el tiempo en que apareció el sol y se mostraron la luna y las estrellas.

Ahora daremos cuenta de las generaciones, del orden de los reinados, desde el principio de su descendencia, cómo fueron sucediéndose los señores, desde su ascensión hasta su muerte, cada generación de señores y antepasados, así como los jefes de las ciudades, todos y cada uno de los señores. Aquí, pues, se manifestarán la persona y los títulos de cada uno de los señores del Quiché.

Balam Quitzé, tronco de los de Cavec.

Qocavib, segunda generación de Balam Quitzé.

Balam Conaché, con quien comenzó el título real de Ahpop, tercera generación.

Cotuhá e *Iztayub,* cuarta generación.

Gucumatz y *Cotuhá,* comienzo de los reyes portentosos, que fueron la quinta generación.

Tepepul e *Iztayul,* del sexto orden.

Quicab y *Cavizimah,* la séptima sucesión del reino, igualmente maravillosos.

Tepepul e *Iztayub,* octava generación.

Tecum y *Tepepul,* novena generación.

Vahxaqui Caam y *Quicab,* décima generación de reyes.

Vucub Noh y *Cavatepech,* el undécimo orden de reyes.

Oxib Queh y *Beleheb Tzi,* la duodécima generación de reyes. Estos eran los que reinaban cuando llegó *Donadiú* y fueron ahorcados por los castellanos[125].

Tecum y *Tepepul,* que tributaron a los castellanos; éstos dejaron hijos y fueron la decimotercera generación de reyes.

Don Juan de Rojas y *don Juan Cortés,* decimocuarta generación de reyes, fueron hijos de Tecum y Tepepul.

Estas son, pues, las generaciones y el orden del reinado de los señores Ahpop y Ahpop Camhá de los quichés de Cavec. Y ahora nombraremos de nuevo a las familias y a los principales. Estas son las Casas Grandes de cada uno de los señores que siguen al Ahpop y al Ahpop Camhá. Estos son los nombres de los nueve clanes de los Cavec, de las nueve Casas Grandes, y estos son los títulos de los señores de cada una de las Casas Grandes:

Ahau Ahpop, una Casa Grande. *Cuhá* era el nombre de la Casa Grande.

Ahau Ahpop Camhá, cuya Casa Grande se llamaba *Tziquinahá.*

Nim Chocoh Cavec, jefe de una Casa Grande.

Ahau Ah Tohil, una Casa Grande.

Ahau Ah Gucumatz, una Casa Grande.

Popol Vinac Chituy, una Casa Grande.

Lolmet Quehnay, una Casa Grande.

Popol Vinac Pahom Tzalatz Ixcuxebá, una Casa Grande.

Tepeu Yaqui, una Casa Grande.

Estos son, pues, los nueve clanes de Cavec. Eran incontables los hijos y las hijas de las tribus que seguían y obedecían a estas nueve Casas Grandes.

He aquí las nueve Casas Grandes de los Nihaib. Pero primero diremos la sucesión de los reyes. De un solo tronco se originaron estos nombres cuando comenzó a brillar el sol, al principio de la luz.

Balam Acab, primer abuelo y padre.

Qoacul y *Qoacutec,* la segunda generación.

Cochahuh y *Cotzibahá,* la tercera generación.

Beleheb Queh, la cuarta generación.

Cotuhá, la quinta generación de reyes.

Batzá, que fue la sexta generación.

Iztayul, la séptima generación de reyes.

Cotuhá, el octavo orden del reino.

Beleheb Queh, el noveno orden.

Quemá, así llamado, de la décima generación.

Ahau Cotuhá, la undécima generación.

Don Cristóbal, así llamado, que reinó en el tiempo de los castellanos.

Don Pedro de Robles, el actual Ahau Galel.

Estos son, pues, todos los reyes que descendieron del primer Ahau Galel. Ahora nombraremos a los señores de cada una de las Casas Grandes.

Ahau Galel, el primer señor de los de Nihaib, jefe de una Casa Grande.

Ahau Ahtzic Vinac, primero de una Casa Grande.

Ahau Galel Camhá, una Casa Grande.

Nimá Camhá, jefe de una Casa Grande.

Uchuch Camhá, una Casa Grande.

Nim Chocoh Nihaib, una Casa Grande.

Ahau Avilix, una Casa Grande.

Yacolatam, jefe de una Casa Grande.

Nimá Lolmet Yeoltux, una Casa Grande.

Estas son, por lo tanto, las Casas Grandes de los Nihaib; y aquí se dicen los nombres y títulos de las nueve familias de los Nihaib, así llamados. Numerosas fueron las familias de cada uno de los señores, cuyos nombres hemos consignado primero.

He aquí ahora la descendencia de los Ahau Quiché, siendo en el origen su abuelo y padre:

Mahucutah, el primer hombre.

Qoahau, nombre de la segunda generación de reyes.

Caglacán.

Cocozom.

Comahcun.

Vucub Ah.

Cocamel.

Coyabacoh.

Vinac Bam.

Tales fueron los reyes de los Ahau Quiché, y ése fue el orden de sus generaciones.

He aquí igualmente los nombres y títulos de los señores correspondientes a las Casas Grandes, de las cuales no había más que cuatro:

Ahtzic Vinac Ahau se llamaba el primer señor de una Casa Grande.

Lolmet Ahau, segundo señor jefe de una Casa Grande.

Nim Chocoh Ahau, tercer señor y jefe de una Casa Grande.

Hacavitz, el cuarto señor de una Casa Grande.

Cuatro eran, pues, las Casas Grandes de los Ahau Quiché.

Había tres *Nim Chocoh,* Grandes Elegidos, para los tres reinos, que eran como los padres llenos de autoridad para todos los señores del Quiché. Reuníanse los tres Chocoh para dar a conocer la palabra, las disposiciones de las madres, las disposiciones de los padres, y la condición de los tres elegidos era la más elevada. Eran el Nim Chocoh de los Cavec, el Nim Chocoh de los Nihaib, que era el segundo, y el Nim Chocoh Ahau de los Ahau Quiché, que era el tercer Nim Chocoh, o sea, los tres Chocoh, que representaban cada uno a su pueblo.

Y ésta fue la existencia de los quichés, lo que queda dicho, porque ya no puede verse el libro que tenían antiguamente los reyes, puesto que ha desaparecido[126].

Así, pues, todo se acabó para los del Quiché, que hoy se llama Santa Cruz.

Notas

1. Aunque el texto limita el contenido del *Popol Vuh* al área quiché –«lugar de bosques», la región de los Altos de Guatemala en las proximidades del lago Atitlán, una zona de montañas, arboledas y volcanes–, es decir, a una parte del territorio llamado en náhuatl por los mexicanos que acompañaban a los españoles de Alvarado *Quauhtemallan* –«país de madera abundante», de donde surge el nombre moderno de Guatemala–, lo cierto es que la arqueología demuestra que los mitos aquí narrados eran compartidos por una gran cantidad de poblaciones mayas, extendidas desde las estribaciones de la sierra de Chiapas hasta el extremo septentrional de la península de Yucatán. Algo semejante se puede afirmar de la cronología: hechos y personajes del *Popol Vuh* se descubren en la iconografía maya desde siglos antes de la era cristiana hasta los tiempos modernos. Por todo ello, seguramente se podría concluir que el relato constituye una parte sustancial del núcleo de las creencias religiosas de la que conocemos como civilización maya prehispánica (la descripción de esta cultura en Rivera, 1985; Sharer, 1998; Grube, 2001; sobre la religión maya véanse Rivera, 1986 y 2006, y Baudez, 2002). Además, debido al hecho de que muchas escenas pintadas en la cerámica pueden

pertenecer al mito, por los personajes o por determinados símbolos, aunque no sea posible relacionarlas directamente con él, cabe suponer que el *Popol Vuh,* tal y como lo transcribió fray Francisco Ximénez en los albores del siglo XVIII, es solamente un fragmento de un extenso ciclo que incluiría más episodios, y con muchos más detalles, sobre el origen del sol y de la luna, la aparición del maíz, los seres de las creaciones precedentes, la vida después de la muerte y las características del reino subterráneo llamado Xibalbá. Por eso no es inexacto calificarlo como la Biblia de los mayas.

2. Ixpiyacoc e Ixmucané son nombres que pueden interpretarse como «el viejo» y «la vieja», denotando su remota ubicación en la estratigrafía del panteón maya-quiché. Aunque la traducción es difícil, el prefijo femenino y diminutivo *ix* da un carácter particular a esta pareja suprema. El valor religioso de Ixpiyacoc es equivalente al del dios N del período Clásico de las Tierras Bajas, al igual que Ixmucané sería la versión montañesa de la diosa clásica Ix Chel en su aspecto anciano y telúrico. Por su parte, el valor semántico de tales divinidades es enorme, y, junto al Corazón del Cielo, son protagonistas principalísimos del mito central del *Popol Vuh.* Ancianos como el tiempo y sus cargas, hechiceros porque poseen el conocimiento de las relaciones, las esencias y las causas. Protectores porque están en el misterio del orden del universo, lo personalizan y lo desentrañan, acercándolo a los hombres. Para algunos autores son equivalentes a los nahuas Cipactonal y Oxomoco, lo que parece parcialmente adecuado si tenemos en cuenta el carácter astrológico de estos últimos personajes. La astrología y la necromancia eran las dos prácticas fundamentales de los sabios mayas antiguos, y la ideología que se desprende de ellas teñía la cultura hasta constituir el vector clave de su orientación básica. Además, insistiremos más adelante en que Ixmucané es una Diosa Madre de los mayas, con las mismas funciones de Ix Chel, diosa de la tierra, de la luna, del agua, del tejido y de la procreación.

3. He aquí una hermosa descripción de las cualidades y acciones del dios o de los dioses creadores de los mayas. Da la vida a todo lo creado, el aliento vital y la conciencia a los seres humanos, la fertilidad y la felicidad, es el epítome de

la sabiduría y el bien, expresa lo más elevado del sistema de creencias indígena y las prioridades que encierra, aunque, tal vez, esa definición no está exenta de una leve influencia cristiana. Más adelante el texto quiché profundiza en la naturaleza de esa potencia creadora. Sin embargo, como sucede en otros sistemas religiosos, estos demiurgos del orígen apenas recibían culto, sus representaciones son escasas en muchas ciudades clásicas y las referencias jeroglíficas están por detrás en número de las dedicadas, por ejemplo, al dios solar o al dios del maíz.

4. De esta manera tan bella describe el *Popol Vuh* el caos que reinaba antes de la creación. Aunque se afirma que no había nada dotado de existencia, lo que el texto retrata no es la nada sino el caos, es decir, la indeterminación, la confusión, la ausencia de signos y elementos diferenciadores. Es un estado carente de toda organización, y de función y finalidad, que debe ser recompuesto por un superior principio ordenador. Sólo existían el cielo y el mar, pero lo que verdaderamente define el caos en el *Popol Vuh* son cuatro rasgos que el texto subraya especialmente: la inmovilidad, el silencio, la dispersión y la oscuridad. Por tanto, lo que caracterizaba a la creación en el pensamiento maya era precisamente el movimiento, el ruido, la agrupación y la luz.

   El cielo y el mar son excelentes ejemplos de esa indeterminación. Nada distingue un trozo de cielo de otro trozo de cielo, y tampoco es posible distinguir unas gotas de agua de otras gotas de agua. El cielo y el mar están unidos, confundidos, y no se perciben sus límites. Cuando llegue la creación se manifestará la faz de la tierra, y a continuación aparecerán las montañas, las cuevas, los hombres, los animales, los bosques, las barrancas y los restantes elementos que para los quichés constituían sus principales caracteres. Por supuesto, los creadores descansan en ese desolador paisaje imprimiendo con su sola potencialidad un punto de ruido y de luz, como lejanos murmullos, como reflejos en un espejo tenebroso.

5. El creador, el formador, Tepeu y Gucumatz, los progenitores, son un único poder. Se trata de una figura geminada, y muchas otras irán apareciendo a lo largo del relato. Gucumatz es el nombre quiché del Kukulcán yucateco, quien en

la mitología mexicana se llamaba Quetzalcóatl, un personaje misterioso, de complicado simbolismo en sus numerosas manifestaciones y avatares. Es la serpiente con plumas, la confluencia del cielo y de la tierra, la unión de los contrarios –condición de la potencia creadora–, y en el caso quiché el icono se expresa mediante la culebra de agua, lo que es bastante congruente con la idea de que la tierra surge del océano primordial (hay que subrayar que el territorio maya está casi totalmente rodeado por el agua del mar, y que en gran parte de la península de Yucatán se percibe con facilidad la capa freática subterránea en cavernas y cenotes o pozos naturales).

Sobre una lámina de agua flota la tierra como si fuera un cocodrilo o una tortuga, y ese estrato acuático es el que deben atravesar los difuntos para llegar al país inferior que los mayas del altiplano denominaban Xibalbá. El número cuatro resulta, pues, altamente significativo, porque cuatro son las divisiones horizontales del mundo, y cuatro son sus franjas verticales: el cielo, la superficie de la tierra, la capa acuática y el inframundo o Xibalbá. No obstante, se consideran solamente en la mitología tres estratos verticales: cielo, superficie de la tierra e inframundo.

6. Huracán es una palabra maya-quiché que significa «una pierna»; designa al gran poder creador llamado también el Corazón del Cielo, que, según se desprende de sus tres apelativos: Caculhá Huracán, Chipi Caculhá y Raxá Caculhá (rayo de una pierna, rayo pequeño y rayo súbito o brillante), radica en el núcleo de la tormenta tropical. Rayo, relámpago o trueno son tres términos intercambiables en este contexto, y se refieren a un solo fenómeno. Ese formidable ímpetu, la inmensa energía que se manifiesta y que se percibe en la tormenta, fueron para los mayas el paradigma de la fuerza creadora del dios o los dioses innominados y originarios, si es que el texto no está mencionando en realidad a la fuerza misma, personificada pero igualmente abstracta. Los posteriores dioses del panteón maya son, ellos mismos, un producto de la creación decretada por ese poder magnífico y genérico, sin rostro ni forma, denominado Huracán y Gucumatz, y necesitan ante todo del hombre que los invoque y venere para obtener su naturaleza y personalidad. Pero

el Huracán quiché no es un concepto muy alejado del que define al dios Kauil (dios GII de la Tríada de Palenque) del período Clásico de las tierras bajas del área maya; los reyes sostienen, en las esculturas de las ciudades prehispánicas, la efigie del dios Kauil o Kawiil –que sólo tiene una pierna, pues la otra es una serpiente– para indicar que poseen el mismo poder creador, transformador y destructor, del espíritu de las tormentas que se expresa en el rayo (fuego), en el relámpago (luz) y en el trueno (sonido), los atributos, precisamente, de la creación. Kauil, por otra parte, es una faceta esencial del conocido e importantísimo dios de la lluvia y las tempestades, y seguramente de la guerra, llamado Chak o Chaak (véanse Rivera, 2006; García Barrios, 2008). En el resto de Mesoamérica el principal dios de una pierna es Tezcatlipoca, una de cuyas extremidades es un espejo, lo que conduce a la asociación entre serpiente y espejo, o entre rayo y espejo (Kauil lleva un espejo en la frente), confluencias bastante fértiles en el marco de la simbología prehispánica.

7. Los mayas, igual que los restantes pueblos mesoamericanos, creían que el mundo había sido creado y destruido en diferentes y sucesivas ocasiones. Se trata de una teoría de la evolución en la cual los mitos narran el progresivo perfeccionamiento de los seres y las cosas creados, según una secuencia que persigue un objetivo final adecuado al modelo que existe en la mente de los demiurgos, que no puede realizarse de una sola vez sino que se desenvuelve en un largo proceso que avanza por el procedimiento de ensayo y error (véase Graulich, 1987). La evolución es la forma que adopta la creación en muchos mitos cosmogónicos, no hay oposición entre evolucionismo y creacionismo si se admiten los plazos y las condiciones que los poderes creadores establecen o imponen.

En el *Popol Vuh* se relatan cuatro intentos creadores hasta llegar a la humanidad de los propios mayas. El proyecto de Huracán y Gucumatz es conseguir unos seres que los invoquen y los adoren, es decir, que diciendo los nombres de los dioses con rasgos y cualidades les den una definitiva existencia más allá de la fuerza o energía implícitas en la situación de latencia primordial del estado de caos. Ese motivo impele al Corazón del Cielo y al Corazón de la Tierra a ir probando con distintas clases de seres. Tal interdependencia entre los dioses, que dan vida y alimentos a los seres creados, y los hombres, que con el culto y la adoración otorgan a su vez la existencia a los dioses, es el tema central de la religión maya y justifica muchos de los ritos y prácticas sangrientos tan característicos de este sistema de creencias. Se puede sugerir que el número de creaciones remite a las partes del mundo, cuatro, y que el proyecto de los dioses es desarrollar paralelamente una verdadera humanidad y un universo en cuatro etapas o partes; como los mayas consideraban también una quinta dirección, la central, es posible que con esa quinta creación, que seguiría al fin del mundo actual en el año 2012 de la cronología cristiana, se dé remate a la magna empresa. En todo caso, hay que admitir que el modelo maya implica que los mundos sucesivos están contenidos unos dentro de otros, como si fueran las populares muñecas rusas, y que el largo procedimiento tiene que ver con transformación antes que con destrucción y creación; como hemos dicho, es una evolución en la que no desaparecen del todo las formas y elementos anteriores. Cambia la humanidad antes que el paisaje que la contiene, pues ése es el objetivo declarado: los seres humanos. No obstante, para cada humanidad nueva es preciso un cosmos renovado, con otro cielo, otra tierra, otro sol y otro tiempo. Como los dioses van a adquirir verdadera existencia cuando sean nombrados e invocados por los hombres, puede discutirse si el ser percibido es anterior al ser que percibe; no hay dioses sin conciencia humana de esos dioses, pero tampoco hay conciencia humana sin dioses. Los dioses sin la conciencia tienen una suerte de materialidad –o espiritualidad– muda, o informe, pero tienen en definitiva esa materialidad, mientras que la conciencia sin los dioses es un lugar vacío, una nada.

Como en otras muchas cosmogonías, la eclosión repentina de la tierra firme del océano primordial dará lugar a la veneración por las montañas y a su reproducción artificial con forma de pirámides. Los montes son objeto de culto todavía hoy en los altos de Guatemala y rara es la cumbre que no alberga altares, adoratorios o construcciones diversas, a veces muy primitivas, que son testimonio de esa sacralidad y de los ritos que ahí se realizan.

8. Cada uno de los intentos de las potencias creadoras para lograr un mundo humano que reconozca a los dioses está coronado por un amanecer, lo que quiere decir que, inexorablemente, no puede existir el «hombre» creado, de la clase que sea, sin que brille un sol en el cielo. En la última parte del documento se describe la angustia de los primeros hombres mayas cuando esperan que amanezca. El *Popol Vuh,* como ahora lo conocemos, no incluye los nombres y características de los soles de los mundos anteriores a aquel en el que vivieron los quichés, con la excepción del penúltimo, Vucub Caquix, pues su propósito central es narrar precisamente la aparición del sol Hunahpú y el consiguiente acceso a la existencia de la humanidad.

   La creación de los soles acarrea, con su movimiento posterior, la aparición del tiempo. Como el sol, por su itinerario aparente, funda el espacio, la estrecha relación de ambos conceptos en el pensamiento maya es la clave de su cosmovisión. Sin embargo, se da una interesante paradoja: puesto que los mayas, habitantes del trópico, sabían que el tiempo todo lo deteriora y destruye, investigaron la posibilidad de abolirlo. Persiguieron el concepto de infinito (eternidad) a través de cálculos aritméticos cada vez mayores, porque eran conscientes de que la eternidad es la ausencia de tiempo.

9. La segunda creación es la de los hombres de barro. Algunos indígenas actuales piensan que las figurillas de terracota que aparecen en las ruinas de las ciudades antiguas son las imágenes de aquellos hombres del origen de los tiempos. La facilidad de modelar tan plástico material es seguramente lo que mueve a los demiurgos a utilizarlo, porque ese modelado se refiere a la apariencia física y a la dotación psíquica de los seres humanos. Aunque esta circunstancia se ajusta perfectamente a los deseos de Huracán y Gucumatz de lograr invocadores y adoradores, gentes con palabra y corazón, no era el barro lo que debía entrar en la composición de la carne y de los huesos de los mayas, sino una materia mucho más importante y vital, el maíz. El hombre será equiparado a un tallo de maíz, su carne y su sangre serán el alimento de los dioses.

10. Los creadores reconocen de nuevo su impotencia: ¿Cómo haremos?, dicen. Y entonces proponen una consulta a los adivinos Ixpiyacoc e Ixmucané. Es decir, recurren a los que saben descifrar, porque elaboran y forman el centro de ese impalpable tejido que es el destino que impregna y fluye en la sucesión de todo acontecer, la voluntad misteriosa que regula de una manera ineluctable los hechos. Ya dijimos antes que se trata, a nuestro entender, de una sola divinidad, fundamental y oscura, que se expresa, como es habitual en muchas teologías, en la forma geminada. El texto es una prueba concluyente de la importancia que los mayas concedían a las técnicas de adivinación; una vez que aceptaron que existían otras dimensiones no perceptibles, otras facetas de la realidad, indagaron en los modos de comunicación e incluso de interactuar con tales estados.

11. El texto relaciona la solución del problema que tienen los creadores con que Ixpiyacoc e Ixmucané den a conocer su naturaleza, es decir, que manifiesten lo que el destino determina en este caso. Sigue una retahíla con apelativos y atributos de los abuelos que permite delimitar mejor el ámbito en el que concebían los mayas las cualidades y las cargas del destino: escultor, tallador, alfarero, el artesano que da forma, que modela, que crea imágenes y el poder de esas imágenes. Es decir, se establece un parangón entre el demiurgo y el artista, y ello indica el papel y la responsabilidad de estos últimos en la civilización prehispánica. Ixpiyacoc e Ixmucané son los abuelos del sol y del alba, epítetos que subrayan la conexión del destino y el tiempo. Adivinos, agoreros, organizadores, providencia o fatalidad, ocasión y decurso, tales son los conceptos entrelazados que definen la función y la semiología de esta fuerza-divinidad primordial.

12. Las suertes se echaban, y todavía se echan, con granos amarillos de maíz y rojos de *tzité (Erythrina corallodendron)*. El color rojo indica la vida y el color amarillo indica la muerte. A continuación el texto recoge la fórmula verbal que acompaña al acto de tirar las semillas. Uno de los árboles de la página 33c del *Códice de Dresde* puede ser un árbol tzité y, a este respecto, vale la pena señalar la relación entre estos árboles y el dios Chaak, o sea, la que existe entre la adivinación y la lluvia.

13. La tercera creación es la de los hombres de madera. En un medio de bosque tropical la madera ocupa un lugar importante en la construcción de viviendas y la elaboración de multitud de objetos. Después de los animales irracionales y el barro es lógico recurrir a este utilísimo material. Los adivinos, ante la consulta de los poderes creadores y después de echar las suertes, se limitan a dictaminar que «hablarán sobre la faz de la tierra», lo que supone un progreso respecto a la fallida humanidad anterior, aunque no garantiza los fines deseados. Como se verá en seguida, los hombres de palo no tienen entendimiento y caminan sin rumbo, no tienen sangre, por todo lo cual no pueden alimentar ni adorar a sus formadores. Sin embargo, hay otra implicación que conviene destacar: en la religión tradicional, las figuras de madera de los rituales mayas no adquieren su verdadera significación hasta que son objeto de prácticas y conjuros adecuados; se puede pensar que esos muñecos que son los hombres de la tercera creación solamente llegarán a serlo del todo después de ser sometidos a semejantes manipulaciones, lo cual, a juzgar por el desastroso desenlace de este episodio, no sucede. ¿Quién tiene entonces la culpa de los sucesivos fracasos?

14. Se ha especulado con la idea de que la tradición del diluvio sea el recuerdo del crecimiento del nivel de los mares durante el deshielo que tuvo lugar hace unos 9.000 años, coincidiendo con el final de la última glaciación. En el caso quiché se dice que fue una resina (?) abundante, una lluvia negra, por lo que puede entenderse como referido a la ceniza y otros materiales procedentes de una erupción volcánica. En el altiplano de Guatemala son numerosos los volcanes, y su intermitente actividad ha aterrorizado a los pobladores a lo largo de los siglos. Obsérvese que ésta es la única creación, de las cuatro que se reseñan en el mito cosmogónico, cuyo final es narrado con todo detalle; el redactor profundiza en las circunstancias que rodean el castigo porque aquí se trata de la primera verdadera humanidad, cuyo único defecto era la impiedad; el texto pretende ser ejemplar y transmitir las consecuencias de un comportamiento, de una existencia, al margen de la religión.

15. Hay una diferencia entre las maderas que entran en la composición del hombre y la mujer: para los varones parece que

287

se utiliza el *tzité,* y para la mujer, un género de junco llamado vulgarmente *cibaque.* Obviamente, tal distinción obedece a la condición desigual de estos seres, anatómica y cultural. Posiblemente haya que entender que el hombre es el que da la vida, y el determinante de la naturaleza del futuro ser viviente y social, y que la mujer es ante todo un recipiente que contiene esa vida hasta su completa formación.

Los cuatro animales que se mencionan como ejecutores de la destrucción de los hombres de madera pertenecen al reino de lo fabuloso, un pájaro que saca los ojos, un murciélago asesino y dos clases de feroces jaguares. Son todos animales infernales, seres de las tinieblas y de la noche. Especialmente importante es el murciélago Camazotz, protagonista de uno de los episodios cruciales del *Popol Vuh.* La crueldad del castigo divino se corresponde con la magnitud del pecado de aquellos hombres insensibles e impíos.

16. La clave de este interesante fragmento se encuentra, a nuestro modo de ver, en la frase «ahora que habéis dejado de ser hombres probaréis nuestras fuerzas». El relato quiere dejar claro el orden jerárquico de la creación y la dependencia de unos seres respecto a otros, un principio repetido en diferentes partes del *Popol Vuh.* Los animales y los objetos domésticos sufren la pena de su irracionalidad, condenados a servir a los hombres, pero cuando éstos pierden su condición de tales se igualan a sus sirvientes y pueden ser el blanco de su venganza. La inversión es general: cuando el hombre deja de ser hombre, perros, molinos, platos, ollas, casas, árboles y cavernas dejan paralelamente de ser lo que eran. El retrato es el típico del caos, o sea, desorden y confusión, la violencia causada por la incertidumbre y la inseguridad.

Los términos onomatopéyicos *holí, holí, huquí, huquí,* reproducen el sonido de la fricción en el metate o molino de piedra. En el hogar maya suele haber tres piedras que sostienen el comal, bandeja de cerámica donde se hacen las tortillas de maíz.

17. Es decir, que pierden su identidad, su personalidad, su individualidad. El rostro es aquí la expresión formal y única de la naturaleza humana de cada quien, de su alma o espíritu particular. Con la destrucción o la deformación de la cara se busca la pérdida o el cambio de la identidad, lo que deja

abierto el camino a la extravagancia, el desorden, el dispa-
rate, la confusión en suma, aunque también al engaño
y al prodigio, según se comprueba en la tercera parte del
Popol Vuh.

18. Como señala Recinos (1964: 168, nota 17), también los
mexicanos *Anales de Cuauhtitlan* afirman que en la cuarta
edad de la tierra «se ahogaron muchas personas y arrojaron
a los montes a otras y se convirtieron en monos». Todavía
hay muchos indígenas que piensan que los monos de las
junglas guatemaltecas (*k'oy* es el mono araña del género
Ateles, «sin dedo pulgar») son los descendientes de aquella
humanidad de madera castigada por los dioses creadores
(véase Rivera, 1982: 213-214 y nota 10). En la cultura maya
clásica los monos ocupaban un papel simbólico preponde-
rante, los dioses de la escritura y las artes tenían cabeza de
mono; los simios fueron elegidos como patronos, metáforas
y modelos, de las actividades que simulaban la realidad, que
creaban la ilusión de la realidad, como la escritura, la pintura, la escultura e incluso la música. No cabe duda de que
las cualidades imitadoras, con gestos y actitudes que a veces
parecen casi humanas, de los monos les hacían acreedores
a esta función singular. Veremos más adelante que el *Popol
Vuh* vuelve a mencionar a los monos de la tercera creación
como los hermanastros de los héroes que desencadenan la
cuarta. Y esto es así porque esos seres tan peculiares no son,
en la mentalidad maya, animales ni hombres, están en la
frontera entre ambos.

19. Vucub Caquix es un nombre maya quiché que significa
Siete Guacamaya. Hace mención de un ave que tenía especial valor simbólico para los mayas. En efecto, los colores
brillantes del plumaje del *Ara macao,* sobre todo el rojo, le
hicieron candidato muy tempranamente a ser un emblema
solar. En el norte de Yucatán, en Izamal, existía un famoso
santuario dedicado a K'inich K'ak Moo, la Guacamaya de
Fuego del Rostro del Sol, quizás otro nombre del dios solar
K'inich Ahau, o incluso del gran Itzamná, y en esa pirámide
la divinidad descendía del cielo durante ciertas ceremonias
(Tozzer, 1941: 144, nota 689). La guacamaya simbolizaba
el sol en el amanecer, y por tanto era signo de vida y renacimiento. Algunos reyes mayas llevaron en sus nombres o

apelativos el *moo* o *mo'* de la guacamaya, como el misterioso fundador de la dinastía de Copán, K'inich Yax K'uk Mo', cuya tumba y templo conmemorativo se hallaron hace años dentro del basamento piramidal de la estructura 10L-16, en esa ciudad prehispánica situada hoy en Honduras, y que tal vez fue un teotihuacano o tuvo una sustancial relación con esa cultura del altiplano mexicano.

El quiché Vucub Caquix es muy probablemente el sol del tiempo de los hombres de madera, al que los gemelos divinos Hunahpú e Ixbalanqué deben eliminar para poder reinar ellos en el firmamento y en el cosmos todo. Nosotros creemos que, una vez muerto, Vucub Caquix pasó al inframundo o Xibalbá, junto a los soles acabados de las eras precedentes. Esos muertos ilustres, como muertos que eran al fin y al cabo, debían residir en el país subterráneo, aunque su condición no podía ser la misma que la del último sol de la noche, o luna, que no es otra cosa que el desdoblamiento del sol del día Hunahpú, papel que le corresponde a Ixbalanqué (véase Rivera, Asensio y Martín, 2004). Ésta es una cuestión todavía pendiente, pues, de la misma manera que el *Popol Vuh* elude mencionar a los soles de las dos primeras creaciones, tampoco habla explícitamente de la luna compañera de Vucub Caquix, pues Chimalmat parece ser ante todo una diosa de la tierra. No obstante, nos inclinamos a considerar a Chimalmat el equivalente de Ixbalanqué para la tercera creación. En algunos contextos iconográficos es posible suponer que Vucub Caquix guarda estrecha relación con la manifestación ornitológica del dios celestial Itzamná, el llamado Gran Pájaro Principal, que es representado, como Siete Guacamaya, en lo alto de árboles de la vida y ejes del mundo.

20. En el mito cosmogónico de los mayas quichés, como en muchos otros de cualquier lugar, hay un tratamiento del tiempo que no es el habitual. El relato es aparentemente circular, pues los gemelos divinos todavía no han nacido y ya se van a enfrentar a Vucub Caquix y a sus hijos. A Hunahpú, que es el sol de la cuarta creación, la de los hombres verdaderos, le corresponde destruir al sol de la creación anterior, que es Vucub Caquix, incluso antes de que la secuencia de hechos que conducirá a su nacimiento ocupe

un lugar en la memoria colectiva. Realmente, esta gran lucha cosmológica se dirime en un tiempo transicional, vacío, pues el tiempo de los hombres de madera ha concluido, y el de los mayas y de todos los hombres sólo existirá cuando el propio sol Hunahpú empiece a caminar por el firmamento dando origen a los días y a los años. Es una circunstancia que permite que pasado, presente y futuro se confundan y entremezclen.

21. La cerbatana es un elemento de gran importancia en la caracterización de los gemelos divinos Hunahpú e Ixbalanqué. De hecho, algunos autores traducen Hunahpú como Uno Cerbatanero, o bien Uno Cazador. Como el nombre clásico de este personaje, descifrado en las inscripciones jeroglíficas, era Hun Ahau, es decir, Uno Señor o Gran Señor, nos inclinamos por leer el nombre quiché con el mismo significado. No obstante, la cerbatana convierte a Hunahpú en cazador, cazador de pájaros principalmente. A través de los códices mayas y mexicanos sabemos que algunos astros «cazaban» lanzando sus poderosos dardos sobre las vidas de los humanos, sobre todo Venus, cuyos rayos en el avatar de lucero del alba eran tenidos por sumamente peligrosos y dañinos. El sol Hunahpú irradia luz y calor, y con esos rayos, con su cerbatana, combate las tinieblas y la muerte, lo mismo que lo hace con el desorden y la incongruencia que representa Vucub Caquix. Las aves simbolizan el ámbito celestial, lo que recuerda permanentemente que los muchachos cazadores están vinculados a ese espacio cósmico.

22. Zipacná es una palabra de ascendencia mexicana, del náhuatl *cipactli,* cocodrilo. Muchos pueblos mesoamericanos representaban a la tierra por medio de este reptil, de dorso rugoso y que flota en el agua. Los mayas lo hacían, y también utilizaban a la tortuga. Rasgos aislados del cocodrilo se encuentran en los semblantes de dioses y otras figuras sagradas o mitológicas. Además, es un nombre calendárico, equivalente al día quiché Imox. Cabracán es un término quiché que se puede traducir por Gigante de la Tierra, aunque otros investigadores prefieren simplemente Terremoto, e incluso Dos Piernas. Chimalmat proviene del náhuatl *chimalli,* que es escudo, lo que daría seguramente Portadora del Escudo. Aquí se aprecia muy bien la influencia de las

culturas nahuas del período Postclásico sobre los mayas de
Guatemala y Chiapas.

23. El nance es una planta arbustiva con un fruto pequeño y
sabroso. Normalmente amarillo y del tamaño de una cere-
za aproximadamente, se conoce en botánica como *Byrsonima crassifolia* o *Byrsonima bucidaefolia*. En maya yucateco
se dice *sakpah,* o *xakpah,* o *chi',* aunque muchos indígenas
lo llaman sencillamente nance agrio. En quiché se dice *ta-
pal.* Parece sorprendente que el redactor del *Popol Vuh,* siguiendo, naturalmente, la tradición oral o escrita, esco-
giera tan modesta planta para representar el árbol de
la vida, el árbol del centro del mundo, el *axis mundi,* que
es el único lugar en el que puede ser derrotado y muerto
Vucub Caquix. Tal hecho sugiere que el nance fuera utilizado en rituales o prácticas de trascendental significación.
No conocemos ningún análisis del fruto en esa dirección,
ni tampoco otras referencias literarias, ni alguna mención
epigráfica. Sin embargo, son ya varios los recipientes de cerámica descubiertos del período Clásico en los que se pintó
con exquisito detalle la escena del lanzamiento de los bodo-
ques contra el gran pajarraco Vucub Caquix encaramado
a lo alto del árbol. Los hermanos gemelos aparecen juntos
o por separado en el momento de sostener levantadas las
cerbatanas que apuntan al pájaro. No cabe ninguna duda,
por tanto, de que el episodio marca un hito en el relato mitológico, y que de la caza y posterior destrucción del sol
de la tercera creación dependían el éxito del proyecto del
Corazón del Cielo y la existencia consecuente de los seres
humanos. Por otra parte, algunos indicios iconográficos
apuntan a que este acontecimiento se produjo cuando el
sol se encontraba en la constelación del escorpión, según
los propios esquemas astrológicos mayas, expresados, por
ejemplo, en el *Códice de París;* recalcando las connotaciones
astronómicas de estos sucesos se ha dicho, además, que la
familia de Vucub Caquix está relacionada con las estrellas
de la Osa Menor (Tedlock, 1985: 330). Algún autor (Falla,
1983) ha sugerido que la caída del árbol es equivalente a la
caída del trono, un destronamiento que supone la victoria
de la humildad y la sabiduría, representadas por las cerbatanas y el arte de curar, frente a la riqueza y la soberbia, re-

presentadas por las joyas y la ostentación. Hay, además, un paralelismo estructural entre la familia de Vucub Caquix y la de Hun Hunahpú; en ambos casos existen dos hijos, pero los de la guacamaya simbolizan las fuerzas naturales, y los de Hun Hunahpú los logros culturales.

24. Hunahpú pierde un brazo y Vucub Caquix la mandíbula. Es evidente que en este primer encuentro los dos antagonistas sufren el deterioro de aquello que constituye su atributo singular: el pajarraco ya no podrá articular sus vehementes discursos autoglorificadores y el cazador se verá en dificultades para levantar y sostener la cerbatana. Tras la comprobación de que no es mediante la violencia como podrán acabar con su enemigo, los muchachos van a recurrir a otras artes, más eficaces y que serán las utilizadas posteriormente. No obstante, el brazo de Hunahpú debe ser restituido a su lugar para que el héroe recupere la actividad y la personalidad.

25. Aunque aquí se denomina a los viejos Gran Pecarí Blanco y Gran Tapir Blanco (traductores como Allen J. Christenson escriben pizote o coatí en lugar de tapir, pero el coatí tiene tal vez menos connotaciones simbólicas), se trata de nuevo de Ixpiyacoc e Ixmucané, a quienes recurren los gemelos de igual manera que lo hicieron en su momento los Creadores y Formadores. Estos apelativos pueden referirse a las cualidades telúricas de los adivinos del tiempo y del destino, ya que ambos animales gustan de ambientes húmedos y hozan moviendo y levantando la tierra, dejando constancia de que es en el inframundo donde se encuentra el conocimiento. También el coatí levanta la tierra con sus fuertes uñas. Precisamente en el Otro Mundo, en Xibalbá, encontrarán los gemelos su destino final. La cadena de relaciones se inicia con el tzité que manejan los abuelos, madera de la que se hacen los hombres de la tercera creación, cuyo aniquilamiento los convierte en los antepasados que habitan en el país subterráneo.

26. Desde los prolegómenos de la gran aventura de los gemelos divinos en Xibalbá se pone de manifiesto uno de sus principales poderes, la capacidad transformista. Pueden ser niños o jóvenes o ancianos, aparecer como mendigos harapientos o aguerridos jugadores de pelota. El engaño, la astucia,

la sabiduría y la magia serán las armas con las que afrontarán su trascendental peripecia biográfica.

Las riquezas de Vucub Caquix, las joyas en las que se asienta su poder, son sus dientes y sus ojos. Sin ellas muere de inmediato. La palabra y la visión son los sentidos que hacen la grandeza de los señores; el emperador azteca se llamaba *tlatoani,* el que habla, y en muchas monarquías antiguas la palabra del gobernante era la ley. El simbolismo de los ojos es tan rico que no podemos detenernos a discutirlo aquí: basta con señalar que se asocia con la luz, y que el sol se concibe en muchas culturas como un potente ojo. Sustituidos sus dientes y reventados sus ojos, Vucub Caquix deja de ser el sol y deja libre el camino hacia el siguiente mundo.

27. Los cuatrocientos muchachos son las innumerables estrellas del firmamento. En toda Mesoamérica, y en otras áreas, el número cuatrocientos indica gran cantidad, muchedumbre, infinidad. Estos *omuch qaholab* equivalen a los *centzon huitznahua* de la mitología náhuatl.

28. La casa de las estrellas es el propio cielo nocturno, y la viga maestra, o el pilar principal, es el *axis mundi.* Zipacná, el cocodrilo que estaba bañándose en el río, es un personaje ctónico, y su dominio es el interior de la tierra. Cuando los muchachos instalan el eje cósmico que une el cielo y la tierra, reproducen o establecen la unión, y la pugna simultánea, entre estos dos ámbitos opuestos.

29. Las Pléyades eran unas estrellas muy importantes en la mitología y el ritual mesoamericanos. Estaban vinculadas con la finalización del período calendárico de 52 años en el México central. Este fragmento subraya el sentido astronómico de gran parte del texto, lo que parece lógico cuando se describe el gran drama cósmico de la pugna entre las dos grandes esferas de la realidad, la superior y la inferior, el cielo y la tierra. Las hormigas son, entre otros insectos, aliadas y asistentes esporádicas de uno u otro de los protagonistas de la acción; su condición es de animales telúricos, ya que habitan en el interior de la tierra, y ahí serán requeridas por los gemelos divinos más adelante, como lo son por Zipacná en el fondo del agujero.

30. *Ec* o «pie de gallo» es, según Recinos, una bromeliácea de hojas grandes y brillantes que crece sobre los árboles. Pa-

rece que la usaban los indígenas como adorno en sus fiestas y celebraciones. *Pahac* son otras hojas más pequeñas. La mención aquí de estas plantas se relaciona con el agua, con los ambientes acuáticos en los que se mueve y caza Zipacná. El cerro Meaván se encuentra en las proximidades del río Chixoy, una corriente de agua que se dirige hacia las tierras bajas del norte para formar, con el Pasión y el Lacantún, el gran Usumacinta. Cuando el *Popol Vuh* narra descensos a hondos barrancos, suele tomar como modelos los caminos que bajaban desde las montañas hasta las tierras llanas del actual departamento de El Petén, por donde transitaban las caravanas de mercaderes y los ejércitos invasores, de modo que el cerro Meaván está cerca del río Chixoy, que desciende a su vez al país cálido de los bosques peteneros.

31. El tizate es una suerte de tierra blanca (*tizatl* en náhuatl, de donde procede la palabra española tiza). Pero además de esa arcilla terrosa, el tizate es un arbusto cuyas hojas cocidas son un remedio en la medicina tradicional, lo que debe tenerse en cuenta a tenor de los efectos que ese pájaro embadurnado produce en Cabracán. Tanto Zipacná como Cabracán perecen por su glotonería. Algo parecido le había sucedido a su padre Vucub Caquix, cuya destrucción comenzó al ir a comer sus nances. La relación que establece el texto entre alimentos y soberbia, y entre deseo de comer y aniquilación, sugiere un cierto propósito de ejemplaridad, pues la dieta maya era fundamentalmente vegetariana y había períodos ocasionales de escasez. Por lo demás, el ayuno era procedimiento frecuente en las celebraciones, los ritos iniciáticos, los pasos para obtener estados alterados de conciencia o la preparación para la comunicación con el más allá. Las dos fuerzas telúricas, sin embargo, caen en el engaño de los gemelos con un diferente matiz simbólico; Zipacná es destruido por tratar de alcanzar un cangrejo, animal acuático que pertenece, por tanto, al inframundo; Cabracán encuentra su fin por ingerir un pájaro que, como casi todas las aves, pertenece al ámbito celestial (véase Tarn y Prechtel, 1983: 165). Esto indica seguramente que el cosmos todo participa, y se ve afectado, en la renovación que supone el paso desde la familia de Vucub Caquix a los nuevos seres astrales que definirán la cuarta creación.

32. Vuelve a aparecer el nombre Hunahpú, ahora a continuación de los numerales uno y siete *(hun* y *vucub)*. Esta nueva pareja, de varones aparentemente, remite a días de calendario quiché. En la Mesoamérica antigua no era raro que los recién nacidos fueran llamados con el nombre del día del calendario de 260 días (el *tzolkín* de las tierras bajas, el *cholkih* quiché y el *tonalpohualli* mexicano). Este calendario, que se componía combinando trece numerales con veinte nombres de días, tuvo y todavía tiene una enorme influencia en la vida de las comunidades indígenas; es la llave de muchos pronósticos, augurios, adivinaciones, profecías, y ordena también los ritos más importantes. No obstante, los nombres del padre y el tío de los gemelos divinos no obedecen exclusivamente a casualidades calendáricas, sino que, como sucede con otras parejas del *Popol Vuh,* reflejan una oposición entre categorías o niveles de la realidad cósmica: el uno tiene que ver con el sol y el siete con el inframundo, aunque en las parejas también significan la unidad y la totalidad del universo, o la individualidad del personaje y su simultánea universalidad. Ixbaquiyalo, seguramente *Ixbatziyalo,* es uno de los personajes menos importantes; su nombre quizás signifique «paridora (o amamantadora) de monos» en clara referencia a sus hijos, puesto que, como se verá a continuación, Hun Batz y Hun Chouén son simios. Por supuesto, Vucub Hunahpú no necesita pareja femenina, ya que no es otra cosa que el reverso necesario de Hun Hunahpú; puede sugerirse una perfecta simetría entre estas dos figuras y Hunahpú e Ixbalanqué.

33. Hun Batz y Hun Chouén son los dioses-mono de la mitología maya. Sus nombres hacen referencia a esa condición simiesca y a su principal significación: son los patronos de las artes, de la escritura y de la música. Como ya dijimos en una nota anterior, la humanidad de madera fue destruida por un diluvio pero no por completo, y algunos hombres sobrevivieron convertidos en monos. La elección de los monos como dioses y patronos de la cara ilusoria de la realidad se debe a su propia naturaleza, pues son imitadores y tienen una apariencia que recuerda la de los verdaderos hombres. Aquí los dos hermanos llevan el prefijo numeral Hun, lo que parece lógico siendo su padre Hun Hunahpú, y por-

que no tienen ninguna conexión directa con el inframundo. Tales vínculos solares inciden en la idea de que, en el caso maya, muy probablemente, Hun Hunahpú es una especie de sol preliminar y fallido, aunque para la mayoría de los autores se trate del dios del maíz, papeles ambos que no son incompatibles, como tampoco lo es el de Venus que se le atribuye igualmente.

34. El juego de dados o suertes, y el ejercicio de la pelota, definen seguramente a los varones de una familia dedicados a la adivinación y la comunicación con el Otro Mundo. Artistas y jugadores de pelota, por tanto, tienen en común el anhelo de asir, o reproducir, las manifestaciones de la esfera trascendente. El espacio físico del Juego de Pelota es un portal que permite la comunicación entre los pisos cosmológicos, un centro, un lugar de ruptura de la realidad habitual en la superficie de la tierra. La pelota, que representa a los grandes astros del firmamento que tienen ciclos de aparición y desaparición, se mueve entre el cielo y el inframundo, impulsada por dos equipos de jugadores que adoptan los papeles de las fuerzas sobrenaturales correspondientes a ambas dimensiones cósmicas. El juego de la pelota va a ser el *leit motiv* del relato mitológico, y marcará el ritmo y el progreso de los acontecimientos. Del movimiento de los astros depende la efectividad de la creación, que exista el tiempo, por ende la vida y la historia, y también que los segmentos temporales posean una carga (*kuch* en yucateco) que determina la propia realidad y el fluctuante destino.

35. El juego de pelota *siempre* se encuentra en el camino de Xibalbá. Allí, en el reino de la penumbra, en el país subterráneo donde residen los muertos, gobiernan como señores principales Hun Camé y Vucub Camé, dos personajes muy reveladores porque sus nombres se traducen como Uno Muerte y Siete Muerte. En el contexto de Xibalbá esas figuras sólo representan parcialmente la realidad semántica del lugar, son el equivalente de Mictlantecuhtli en México pero quizá con funciones más restringidas, puesto que se limitan a expresar el fin ineludible de todo ser viviente. El mito central del *Popol Vuh* relata la victoria de los dioses Hunahpú e Ixbalanqué sobre la muerte, y transmite la esperanza que, por extensión, los hombres pueden albergar al respecto. Xi-

balbá, no obstante, es algo más, es la plasmación física del concepto de Otro Mundo, un paisaje y una topografía que muestran la otra cara de la realidad habitual sobre la superficie de la tierra, o sea, el lugar de la inversión, a la manera del país que visita la heroína de Lewis Carroll, y también el ámbito donde está el poder máximo, la suprema sabiduría, ya que en él moran los antepasados y en él se dirime el conflicto entre la vida y la muerte; es el espacio que genera la vida, paradójicamente, pues allí se depositan los huesos de los hombres como se depositan en el suelo las semillas de maíz, y del interior de la tierra surgirán la planta rejuvenecida y el hombre regenerado; Xibalbá es, finalmente, el emplazamiento en que se hallan las fuentes de la legitimidad de los reyes y señores de las ciudades-Estado mayas, porque esa legitimidad proviene de los ancestros divinizados. En Xibalbá hay muchos dioses de forma permanente, los dioses muertos, por ejemplo, como Vucub Caquix, y también muchos otros dioses que están ahí de manera esporádica; los astros que se ocultan periódicamente, sobre todo el sol, y los que se mueven por el *axis mundi* pasan temporadas en Xibalbá; el carácter sagrado del lugar es mucho más evidente incluso que el que rodea al cielo. Porque los dioses mayas no son ni buenos ni malos, son neutros o ambivalentes. Y no hay más daño o maldad en Xibalbá que los que se corresponden con la penumbra –porque el sol que transita por el inframundo es un sol agonizante, obviamente–, la inversión y la muerte. Sus poderosos habitantes son enemigos de los hombres en tanto en cuanto a los que pisan la superficie de la tierra les resultan inaceptables la enfermedad, la vejez, el dolor y el óbito final, como tampoco pueden soportar un orden frecuentemente contradictorio con el que ellos han creado en sus sociedades. Xibalbá es el infierno maya, pero no es un infierno de penas y castigos, porque allí solamente se castiga a quien no supera las pruebas en la iniciación hacia la nueva vida, sino más bien un estado de paz tal vez transitorio, de quietud, de ausencia de emociones y por tanto de angustia, un lugar de tinieblas y de sueños. Curiosamente, insistimos, uno de los rasgos fundamentales para definir Xibalbá es el de la luz; en la ciudad y en el cielo es de día o es de noche, pero en el bosque, como en el inframundo, hay una luz que no es propiamente ni la del día ni la de la noche, aunque se aproxime a esta última cuando hay luna llena. Esto se debe a que el sol únicamente muerto, en apariencia al menos, puede penetrar en Xibalbá, y de un sol moribundo se desprende una luz igualmente mortecina. Es una luz que se puede encontrar también frecuentemente en los sueños.

Algunos cronistas de la época colonial escriben que Xibalbá o Xibalbay significaba el demonio, o los difuntos y visiones que se les aparecían a los indios. En el diccionario Cordemex se lee *xibil* como temblar de miedo o espantarse, y *xibalbail* es cosa infernal, y *xibalbaye'n,* algo diabólico (Barrera Vásquez, 1980: 941). En maya-quiché *xibalba* y *xibalbai* son palabras traducidas por fray Francisco Ximénez (1985: 615) como infierno, lo mismo que *xibal,* mientras que *xib* es miedo y espanto. Realmente, se trata de un complejo semántico en el que se menciona el lugar subterráneo donde habitan los difuntos y algunos enemigos de los hombres vivos, y el terror y las visiones que inspira. Xibalbá es el producto de las creencias y los ritos de un pueblo agrícola, y por lo tanto hay en esa creación la idea de la muerte como un tránsito y un renacer, lo que implica una escatología y hasta una soteriología.

36. Esta relación de los señores de Xibalbá no es otra cosa que un breve inventario de las principales enfermedades mortales a las que tenían que hacer frente los quichés, o mejor, de los síntomas que presentaban. El inframundo es el lugar de la muerte, y es lógico que sus gobernantes sean especialistas en esa materia; hay que ser prudente, sin embargo, con los juicios de valor al respecto, porque en sí esos personajes no son buenos ni malos, sólo cumplen con el papel que les ha asignado el sagrado concierto del universo. Los nombres son descriptivos: por ejemplo, Ahalganá quiere decir el que produce la ictericia, Cuchumaquic es el que agolpa la sangre, Chamiaholom es el de la vara de cráneos, Ahalmez significa el de las inmundicias, Ahaltocob es el que causa la miseria, Xic es un ave de rapiña. En las cerámicas pintadas del período Clásico algunos individuos de esta clase tienen un aspecto terrible y siniestro, porque Xibalbá es, sin duda, para los seres vivos que piensan en él, el país de los horro-

res. Pero no es un lugar de castigo, a la manera del infierno cristiano, sino sencillamente la morada de los muertos y el origen de algunas fuerzas que favorecen o extienden la muerte. Paralelamente, a tenor de lo que se representa en esas cerámicas, no cabe duda de que en el inframundo se encuentran esporádica o permanentemente la mayoría de los dioses mayas; luego es sobre todo el Otro Mundo, la dimensión sagrada que acoge todo lo que está fuera de la profana realidad ordinaria de los hombres.

Por otro lado, la amplia demonología maya puede ser interpretada en términos adaptativos, es decir, en relación con las grandes dificultades que el medio tropical supone para la supervivencia. Desde luego, en un nivel de abstracción superior, Xibalbá es la antítesis de lo que el sol del día representa, y por ello sus habitantes son «adversarios» de las fuerzas creadoras y mantenedoras de la vida.

37. El juego de pelota era un ejercicio violento. La bola maciza de caucho, del tamaño de un moderno balón de fútbol, rebotaba con fuerza en los muros laterales que delimitaban el patio o cancha y podía causar heridas a los jugadores. Aunque no se podía golpear con las manos ni con los pies, sino únicamente con los antebrazos, las caderas o las nalgas, la velocidad que alcanzaba era suficiente como para suponer un peligro. Además, en ocasiones, era necesario tirarse al suelo o apoyar la rodilla para recoger un lanzamiento. Por eso los jugadores llevaban protectores corporales, en el pecho, en las manos y en las rodillas. Llevaban igualmente signos del equipo al que pertenecían, y todo ello formaba el atuendo general de todos los practicadores de este rito deportivo. En relieves como los del Juego de Pelota de Chichén Itzá, o los de algunos altares o marcadores, y en pinturas murales, pero sobre todo en la cerámica con escenas clásicas, hay representaciones de los jugadores, de los encuentros y del terreno de juego. El deseo de los señores de Xibalbá de apoderarse de los instrumentos y ornamentos de Hun Hunahpú y su hermano permite suponer que tales objetos constituían un trofeo para los ganadores.

38. Los mensajeros del país subterráneo son búhos, porque el búho *(tucur),* el tecolote mexicano, es un animal de la noche. Tienen la dignidad de Ahpop Achih, es decir, señores

principales consejeros de guerra. *Ahpop* es el término general para los gobernantes mayas, equivalente al *Ahau* de las tierras bajas, y significa «el de la estera», ya que ahí tomaban asiento en los momentos decisivos; por eso la estera o petate de fibras entrelazadas es el símbolo del poder, y aparece en numerosos relieves y pinturas de reyes clásicos como parte de su atavío. Los nombres de los mensajeros son muy interesantes: el primero, Chabi Tucur, significa flecha; Huracán Tucur ha sido traducido como búho de una sola pierna *(r'akan)* pero también como búho maestro gigante (Raynaud, 1975: 174-175); Caquix Tucur es el búho-guacamaya, es decir, rojo de fuego solar, mientras que Holom Tucur es el búho-cabeza o búho-calavera (Christenson, 2012: 167); entre los cuatro reúnen las virtudes de los grandes heraldos: rapidez, porte extraordinario, vitalidad y empleo esclarecido de los sentidos y la inteligencia. En muchas situaciones son los lugartenientes y asesores de los señores de Xibalbá, también psicopompos, pero universalmente considerados nefastos o anunciadores de muerte («cuando canta el búho, muere el indio», dicen hoy los quichés).

39. El lugar Nim Xob Carchah puede traducirse como Gran Juego *(nim* es grande y *carchah* hace referencia al patio donde se juega), y sería quizás alusión a un paraje todavía llamado así en la Verapaz guatemalteca, región limítrofe con las tierras bajas, por ende con el «inframundo». No obstante, *xob* también puede indicar en la frase miedo o espanto, lo que parece muy apropiado para un juego de pelota que da acceso al inframundo. Allí es, naturalmente, donde tienen que ir a buscar a los hermanos los mensajeros de Xibalbá.

40. *Ziván* es barranco o cueva. Los nombres de estos accidentes geográficos advierten de que son estrechos o angostos. Para ir a Xibalbá, lógicamente, hay que bajar, por desfiladeros, grutas o barrancos, por los que corren ríos. Los tres ríos siguientes y los cuatro caminos tienen un fuerte valor simbólico. Los jícaros espinosos, la sangre y el agua aluden a la fertilidad de la tierra; pronto la cabeza de Hun Hunahpú será como una jícara, pero capaz de engendrar un hijo; la sangre es el gran fluido vital, la ofrenda suprema a los dioses para la renovación del cosmos; el agua es literalmente la vida. El número tres también es significativo, porque tres

son las dimensiones cósmicas: el cielo, la superficie de la tierra y el inframundo. La encrucijada de los cuatro caminos de colores hace referencia al centro del universo, definido mediante los cuatro rumbos, por donde se puede producir la comunicación entre esos pisos del cosmos; el camino negro lleva a poniente hasta el infierno, el camino amarillo va al sur, el blanco al norte y el rojo es el del amanecer en el este; desde luego, para ir a Xibalbá es preciso, como hace el sol en el ocaso, dirigirse hacia el oeste. Los hermanos fueron vencidos no porque tomaran el camino del oeste y del país de los muertos, sino porque así rezaba su destino inexorable, pues eran los padres de los monos, de los hombres de la tercera creación pertenecientes a un tiempo ya acabado. En cuanto a los colores, es difícil explicar la elección que hicieron los mayas: el negro para el oeste porque allí se produce la noche, y el rojo para el este porque allí renace cada amanecer la vida, que es del color de la sangre, pero el blanco del norte y el amarillo del sur son más complicados, se supone que el sur es un rumbo relacionado con la muerte, y el amarillo es el aspecto que adquiere la tez de los cadáveres. El blanco, que debe ser su opuesto, tendría que ver con los vivos, como la leche materna que alimenta a los hijos (discusiones sobre la cuestión de los colores, por ejemplo, en las obras de Michel Pastoureau; en su libro de 2017, página 241, se sugiere la idea de que el color es una envoltura, algo material como una película).

En el *Popol Vuh* los dos pares de gemelos están inmersos en la aventura desde su nacimiento y parten hacia Xibalbá como una continuación del sentido de destino que esa aventura tiene; Xibalbá, entonces, representa, como diría Erich Auerbach, una reducción de lo geográfico a lo ético (véase Cirlot, 2005: 39-42): no solamente hay que enfrentarse al riesgo imprevisto sino que debe hacerse de manera correcta, tomando las decisiones adecuadas, las que contribuyen a la realización de la buena obra que es el designio del Corazón del Cielo. Los errores involuntarios de Hun Hunahpú y su hermano equivalen a desobedecer a los poderes creadores.

Otro punto de vista es el que asimila Xibalbá a la negra noche, la oscuridad o las tinieblas. La definición del infierno –término derivado del latín *infernus,* de *inferi:* lugares inferiores, situados debajo– en términos luminosos habría convencido seguramente a los mayas antiguos; ya hemos afirmado en otras ocasiones que la civilización maya, y muy especialmente el arte en el que se expresa, serían incomprensibles sin tener en cuenta la naturaleza y las variaciones de la luz en la selva tropical.

Algunos autores escriben los nombres así: Hun Hun Ahpú o Jun Jun Ajpú, y Vucub Hun Ahpú o Vucub Jun Ajpú. Debemos indicar que preferimos mantener el uso de la h tradicional, que, desde luego, debe pronunciarse como una j suave castellana. Así ocurre en toda la versión del texto quiché que el lector tiene ahora en sus manos. Lo que resulta hasta cierto punto irrelevante es unir o separar los diferentes morfemas que constituyen los apelativos de los protagonistas de esta historia; en otros lugares hemos empleado también la forma Hun Hun Ahpú, sobre todo para subrayar el parentesco con Hun Ahpú (el Hun Ahau del período Clásico), el hijo divino que logrará la derrota de la muerte, aunque, para mayor sencillez, predominarán aquí las formas aglutinadas, como Hunahpú o Ixbalanqué.

41. Los bancos que se les ofrecen a los viajeros son sin duda los tronos de los señores de Xibalbá. La frase «nuestro banco» debe leerse como el asiento de su dignidad y el símbolo de su función. Sentarse en él sin derecho es atribuirse el poder sobre el mundo o una de sus facetas, lo que constituye un crimen de lesa divinidad (Chevalier y Gheerbrant, 1986: 1029). La piedra ardiente recuerda las utilizadas en los baños de vapor, una forma de purificación; los tronos suelen estar relacionados con el agua antes que con el fuego. Quemarse las posaderas es el lógico resultado de sentarse en un lugar prohibido, inhabilita esa parte del cuerpo. Las risas de los señores de Xibalbá tienen el efecto de descomponer la situación, de provocar la ruptura, de privar al acontecimiento de verosimilitud o realidad, con lo cual Hun Hunahpú y su hermano se ven empujados a un espacio liminal en el que no es posible lograr la eficacia de sus acciones (véase Rivera, 2014).

42. La Casa Oscura es la primera prueba del rito iniciático al que son sometidos los hermanos. Un lugar de tinieblas es seguramente la mejor metáfora de Xibalbá, reino por el

cual el sol pasa siempre moribundo después de su recorrido diurno. El ocote es una madera de pino que usan como luminaria y combustible las gentes del altiplano, pero aquí tal «pino» hace referencia al *chay,* que indica igualmente el pedernal y el nombre de la obsidiana, esa especie de vidrio volcánico tan apreciado en la Mesoamérica precolombina. La obsidiana, que suele ser gris o negra, y translúcida, simbolizaba precisamente el Otro Mundo, y por eso se hacían espejos de obsidiana con los que entrar en comunicación con Xibalbá (Rivera, 2004). El pedernal es una piedra de fuego, lo que parece lógico en esta prueba en la cual lo que se les pide a los hermanos es que mantengan el fuego vivo sin que se consuman los recipientes. Los mayas fumaban cigarros como un medio de alcanzar el trance, o cualquier estado de alteración de la conciencia, en los rituales y las fiestas. Incluso hay dioses y otros personajes, muy especialmente el dios del inframundo (dios L) del período Clásico de las tierras bajas de Guatemala y Chiapas, que aparecen en las obras de arte fumando cigarros, por ejemplo en los relieves de Palenque y en muchas cerámicas pintadas. El tabaco se relaciona también con la fuerza y la clarividencia; esos objetos en manos de los neófitos les ponen en condiciones de ejercer un óptimo discernimiento, y si se consumen pierden, obviamente, tal capacidad. De ahí que la muerte que éste, y muchos otros ritos iniciáticos presuponen, se convierta en irreversible de no superarse las pruebas y no alcanzarse el renacimiento final.

43. Volverán a aparecer más adelante estas «casas» cuando bajen al infierno los gemelos divinos Hunahpú e Ixbalanqué. No hay que tomar al pie de la letra la palabra casa, pues indica únicamente el espacio donde ocurre la prueba, incluso la prueba misma, aunque algunos autores piensan que puede referirse a edificios antiguos situados en el Petén de Guatemala, a los que se llegaba descendiendo desde los altos, por las Verapaces o los Cuchumatanes. Indudablemente, el propio Xibalbá pudo ser asimilado en la mente de los quichés a las cálidas tierras bajas tropicales, donde el clima y la peligrosa naturaleza imponían verdaderas pruebas a los viajeros y mercaderes (véase Rivera, 1988). Todas esas casas, por otra parte, simbolizan o constituyen atributos de

Xibalbá: la oscuridad se debe a que el sol transcurre agonizante por el país de los muertos, el frío deja claro que el sol apenas calienta, el fuego violento y destructor es el que sale de las profundidades por los volcanes de las tierras altas, las navajas o cuchillas simbolizan el fuerte viento de los huracanes tropicales, los jaguares, que suelen cazar merodeando al ponerse el sol, son símbolos de la noche, y los murciélagos, en fin, habitan las cuevas, que son los caminos de entrada al inframundo.

44. *Pucbal Chah* es un término que se ha traducido de distintas maneras. Raynaud y Tedlock dicen que es el Juego de Pelota de los Sacrificios, Ximénez afirma que era el vertedero donde arrojaban la ceniza, Brasseur de Bourbourg lo traduce como el Cenicero, Edmonson dice que se trata del «polvoriento juego de pelota», Christenson escribe «Cancha de Pelota Aplastadora», y otros autores afirman que es el lugar donde parten el pino, probablemente por la palabra *chah,* que también significa la ceniza, e incluso el ídolo, según el famoso *Tesoro de las tres lenguas* del fraile español descubridor del *Popol Vuh. Puz* o *puç* es la palabra para sacrificar, aunque mediante el procedimiento de extraer el corazón, lo que no suele suceder cuando se trata del juego de pelota, rito que terminaba a veces con sacrificios por decapitación, como se ve en los relieves de las banquetas del edificio correspondiente de Chichén Itzá. Si se aceptara que es un cenicero debería colegirse que los hermanos habían sido quemados, como lo serán después sus descendientes, lo que introduce el tema recurrente en el *Popol Vuh* de la continuidad de las situaciones y los personajes, muchos de los cuales se reducen seguramente a un solo personaje: Ixmucané-Ixbaquiyalo-Ixquic, Vucub Caquix-Hun Camé, Ixpiyacoc-Hun Hunahpú-Hunahpú, etcétera. Cambian los nombres en virtud de la acción y la secuencia, y sobre todo por el diverso tipo mitológico de las escenas, pero las estructuras se reiteran. Victoria Cirlot (2005: 60) sugiere que toda comprensión simbólica de la realidad debe fundamentarse en las correspondencias que la unifican.

Otra interpretación vería en el cenicero una referencia a la milpa, fertilizada por las cenizas de la quema de árboles y arbustos, con lo cual se relacionaría al sacrificado con la semilla que fecunda la tierra. La palabra *hom* significa en quiché lo mismo lugar de entierro que patio donde se juega, lo que amplía más la cadena de relaciones.

Resulta extraño que no se haya identificado en la cerámica polícroma clásica ninguna escena de esta parte del mito, siendo así que hay numerosos vasos en los que se ve a Hunahpú e Ixbalanqué. A nuestro modo de ver la muerte de Hun Hunahpú y su posterior relación con Ixquic constituyen fragmentos nucleares del relato, y sus implicaciones cosmológicas son innegables. Por ello sospechamos que en el periodo Clásico hubo alguna variante que se reprodujo en la cerámica pintada y que nosotros no hemos podido hacer coincidir con la literalidad del texto quiché.

45. Jícaro, güira o guacal es una planta arbórea *(Crescentia cujete)* de corteza oscura, que produce un fruto redondo del que se hacen vasijas. A veces se le llama árbol de las calabazas. Se trata aquí del Árbol de la Vida, pues la sangre de Hun Hunahpú le hace fructificar y, recíprocamente, una vez allí colgada su cabeza va a tener la capacidad de dejar preñada a Ixquic. El árbol, obviamente, es también un símbolo de la descendencia, del parentesco, de modo que a través de él quedan vinculados el padre y el hijo. Además, si este jícaro estaba situado en el lugar del Juego de Pelota, vendría al caso recordar que la pelota se fabricaba con la savia de otro árbol; hule o caucho, sangre y semen, comparten la raíz *k'ik,* que es el término que lucen los nombres de Cuchumaquic y de Ixquic. El árbol está en el centro del camino porque él mismo constituye la vía de comunicación entre el mundo de arriba y el de abajo. Uno de los árboles representados en las pinturas murales preclásicas de la ciudad de San Bartolo es el citado árbol de las calabazas, el mismo que se reconoce en la estela 2 de Izapa, sitio de Chiapas, y en varias cerámicas clásicas. Probablemente esas escenas arqueológicas de diferentes regiones del área maya estén relacionadas con el episodio mítico narrado en el *Popol Vuh.* Es significativa la importancia que tienen los árboles, sobre todo los que se ubican en los cuatro rumbos del universo, y en el mismo centro, en la cosmología y en la mitología toda de los antiguos mayas, según muestran también las primeras páginas del *Chilam Balam de Chumayel* (Rivera, 2017).

En una vasija del Museo Arqueológico de Guatemala, encontrada en el grupo Mundo Perdido de la ciudad de Tikal, y clasificada por el fotógrafo Justin Kerr con la sigla K2695, que ha sido denominada a veces *Salomé,* se ve a una mujer noble con una cabeza cortada en la mano, aunque también puede tratarse de una máscara que ofrece al personaje principal de la escena (véase Houston, Stuart y Taube, 2006: 272-273). La mujer de alto rango que fue enterrada en una cripta circular en el lado norte de la Acrópolis de Copán estaba acompañada de las cabezas de tres hombres. Este último personaje contaba en su ajuar funerario con mercurio y cuarzo, lo que sugiere que se trataba de una especialista religiosa, experta en adivinación, una chamán, probablemente, lo que no es raro dado que muchas mujeres indígenas americanas tienen esa ocupación y ese poder hasta el día de hoy. El modelo maya debió de ser Ixmucané, o quizás la abuela del enano de Uxmal, si tomamos en consideración una célebre leyenda yucateca. Pero es en el *Popol Vuh,* con Ixquic y Hun Hunahpú, donde encontramos la asociación evidente entre cabeza cortada y mujer-diosa de la tierra; ¿será esa cabeza la mazorca de maíz arrancada de la planta y lista para dar la vida, cuyos granos se entierran también en la parcela de cultivo para que produzcan nuevos retoños? Esta posibilidad ratifica la identificación de Hun Hunahpú como dios del maíz.

46. Éste es un episodio crucial en el desarrollo del relato. Es el momento en que se unen el cielo y la tierra, lo que está arriba y lo que está abajo, que se junta lo que debe estar separado, y tal unión de los contrarios es la condición necesaria de la creación, como ya sabemos por los primeros capítulos del mito. De nuevo se repite un tema. Ixquic, cuyo nombre significa Señora Sangre, es un ser del inframundo, y sus hijos serán igualmente telúricos por haber nacido de ella. Hijos de la muerte, porque la muerte es siempre la antesala del renacimiento, de modo que la primera prueba de que Hunahpú e Ixbalanqué están llamados a vencer al reino inferior es el hecho mismo de su nacimiento. Por supuesto, el chisguete de saliva es exactamente lo mismo que el semen, lo mismo que el agua de lluvia que fecunda la tierra. Ixquic lo recibe en la mano, porque la mano es un órgano sanador, dador de

vida, artífice de milagros y portentos; con la mano Ixquic se apodera de la semilla que procede del Árbol de la Vida, es decir, de la vida misma. Las calaveras nos recuerdan que los hijos proceden de los antepasados, de los muertos. Y, finalmente, como suele suceder en las tradiciones del Viejo y del Nuevo Mundo, el procedimiento elegido para el nacimiento de este héroe es inhabitual y prodigioso. Los señores del inframundo actúan como mediadores para conseguir la unión de los contrarios, Hun Hunahpú e Ixquic. Ellos ponen la cabeza en el árbol, lo que produce el florecimiento de la planta y la curiosidad de la doncella. Ellos son capaces de transformar la dualidad en unidad, de inducir el *mysterium coniunctionis* del que la unión sexual es sólo metáfora, como señala Cirlot (2005: 127).

47. Ese árbol es al que los europeos llamaban sangre de dragón (*Croton sanguifluus*), cuya savia tiene el color y la densidad de la sangre. El *itz* es la sangre vegetal; en el *Ritual de los Bacabes* (Arzápalo, 1987: 287), un texto maya de encantamientos y curaciones, aparece la sangre humana sustituida por sustancias vegetales como el achiote (*Bixa orellana*). De nuevo un árbol entra en escena, como el nance de Vucub Caquix o el jícaro de Hun Hunahpú, y siempre es una representación de la vida y del centro del mundo, del *axis mundi*. Ixquic, con su preciosa carga en el vientre, es ya un ser de arriba tanto como lo es de abajo, es la luna como es la tierra, un perfecto intermediario entre los dos ámbitos cosmológicos, y de ahí su extraordinario valor simbólico. Por eso también existen numerosas representaciones de Ixchel, que es la versión yucateca de Ixquic, y una diosa lunar de mucha importancia durante el período Clásico, abrazada o en íntima comunicación con seres del inframundo, sobre todo el viejo dios N, por ejemplo, entre las figurillas de Jaina y en las cerámicas pintadas con escenas del ciclo del dragón y la doncella.

48. El primer gesto de Ixquic para reclamar su legitimidad es demostrar su poder fecundador. Solamente quien, recurriendo a la magia, puede recoger una gran cosecha de un campo yermo acredita su condición de diosa de la tierra. Si puede hacer que la tierra germine, puede hacer igualmente que nazcan de sus entrañas el sol y la luna. Ixquic llama al

guardián de las milpas y a las fuerzas de la fertilidad (Ixtoc es la de la lluvia, Ixcanil es la del maíz maduro, Ixcacauh es la del cacao), y la referencia a Hun Batz y Hun Chouén permite vincular a la recién llegada con sus hijastros y, prácticamente, suplantar a Ixbaquiyalo. Conviene recordar que la palabra *quic,* que es el nombre de Ixquic, significa sangre, pero también savia, progenie, linaje, vida, y la pelota para el juego, y la goma elástica con la que se hacen esas pelotas. Todo ello convierte a este personaje en una figura central del mito, intermediaria entre los mundos, dadora de vida, madre de los astros principales, diosa telúrica y protectora de la familia.

La pareja Hunahpú-Ixbalanqué es un caso más en la religiosidad mesoamericana de dimorfismo. Dos gemelos, uno parece masculino y el otro lleva en el nombre el prefijo *ix,* que suele indicar lo femenino. Ese nombre *ix-balam-qué* significa jaguar-venado, es decir, dos de los símbolos solares principales: el sol de la noche (jaguar) y el sol del día (venado). Ello sugiere la síntesis de sol y luna que luego el texto definirá al final, como conclusión de sus aventuras en Xibalbá. Ciertamente, como han sugerido algunos traductores, ixbalanqué puede ser sólo un apelativo de Hunahpú, y tratarse así de un único personaje al que casi siempre se designa con dos nombres. Cuando el episodio en que se halla el héroe requiere su desdoblamiento, según los dos avatares que le caracterizan, entonces entra en juego la pareja de gemelos, con papeles que pueden ser diferentes, aunque siempre interdependientes y complementarios. En definitiva, es el sol y nada más que el sol. Incluso se puede señalar el parecido del nombre Hunahpú con el del supuesto dios yucateco Hunab Ku, del que siempre se dice que es el testimonio de la tendencia al monoteísmo en la religión maya, pues Hunab Ku significa «dios uno» o «dios único». Es posible que Hunab Ku fuera la consecuencia tardía de ese Hunahpú, «señor único», que tanta importancia tuvo desde el Preclásico.

También hay que advertir que el prefijo *ix* es en quiché igualmente un diminutivo que indica lo menor, pequeño o secundario, valor que puede aplicarse perfectamente al cometido del hermano en el mito. Por otro lado, hay que tener siempre presente la faceta de dios agrario que se descubre en Hunahpú, lo mismo que en su padre Hun Hunahpú. El sol y la tierra son los dadores de la vida a la naturaleza, al bosque tropical, y a las milpas en las que se recoge el maíz. Tanto Hun Hunahpú como Hunahpú padecen pasión y muerte, y ambos resucitan, y ése es tal vez el rasgo más característico de los dioses de la vegetación y de los cultivos.

49. Hun Batz y Hun Chouén, que son supervivientes del mundo destruido por el diluvio, y congéneres de los hombres de madera de Xibalbá, saben muy bien que la llegada de Hunahpú e Ixbalanqué anuncia a la humanidad de maíz que poblará y dominará la tierra. Como se verá en seguida, las hormigas son buenas amigas de los gemelos divinos, y los espinos ya fueron evitados felizmente en el camino al inframundo. No obstante, el relato deja muy claro que entre los hombres-mono y los hombres verdaderos existe una proximidad indudable, y que esa relativa fraternidad los hace mutuamente dependientes. Unos hermanos peleados pero que reivindican a Ixmucané como su gran ancestro. Los seres humanos de la cuarta creación no podrán prescindir de las artes, de la realidad ilusoria de la música, la escritura, la pintura o la escultura.

50. De nuevo aparece aquí el árbol cósmico, ahora bajo la forma del *canté,* palo amarillo, *Gliricidia sepium,* una planta de cuyas raíces, según afirma Recinos (1964: 171 y nota 21), obtenían los mayas una sustancia colorante amarilla. En otros textos botánicos el palo amarillo es la papaverácea *Bocconia frutescens,* o también el *Conocarpus erecta.* Queda confirmado que los episodios cruciales, cuando hay una confrontación entre los personajes de las distintas esferas de la realidad que conduce a un avance definitivo en el proceso creativo, se escenifican en árboles de la vida o en patios del juego de pelota, es decir, en aquellos espacios donde puede establecerse el tránsito de una a otra de esas dimensiones cósmicas. Los hermanastros de los gemelos divinos son reducidos finalmente a su auténtica naturaleza de monos, de hombres de la tercera creación. Es importante que el autor mencione explícitamente a la magia como el poder que poseen los héroes.

Este *canté* es, lógicamente, el mismo *caan che* yucateco, que aparece posiblemente en las páginas 50a y 63b del *Có-*

dice de Madrid abrigando a varias divinidades, entre las cuales están el hechicero dios del cielo Itzamná y el dios de la muerte, o sea, los representantes de las dos grandes esferas del cosmos sobrehumano.

Los poderes mágicos de Hunahpú e Ixbalanqué provienen de su madre Ixquic, y también de su abuela Ixmucané, o sea, de Xibalbá, del inframundo. Ixquic demuestra esos poderes antes de subir a la superficie de la tierra, cuando convierte en corazón sangrante la savia del árbol que sus verdugos entregan a los señores. Pero, además, Ixmucané reconoce en ella tal «sabiduría» y afirma que sus hijos serán también grandes sabios. De hecho, como no podía ser de otra manera, los gemelos son gente de Xibalbá, y no sólo por su madre, que es una intermediaria a la manera de las reinas madres de los estados mayas con sus hijos los auténticos gobernantes, sino porque la sabiduría sólo se encuentra en Xibalbá, donde se origina el renacer, la renovación de la vida en el universo, donde la muerte se convierte en nueva fuerza vital, donde está el gran misterio y se guardan los principales secretos, como afirma taxativamente un mito moderno recogido en la localidad yucateca de Maxcanú (Rivera, 2006: 89-96).

51. Este episodio es una reiteración del que ocurrió en Xibalbá con Hun Hunahpú y Vucub Hunahpú. En la superficie de la tierra los Ahpú derrotan finalmente a los hombres-mono por medio de la risa de la abuela Ixmucané, en el inframundo son los Ahpú los derrotados por medio de la risa de los señores de los hombres de madera. Obviamente, Ixmucané hace arriba el mismo papel que hacía abajo Hun Camé, luego un personaje debe tener el significado inverso del otro, y si Hun Camé representa la muerte (eso es lo que significa, literalmente, su nombre), Ixmucané debe representar la vida. No obstante, Ixmucané es una Gran Madre, relacionada con la tierra como Ixquic, pero la tierra es el origen de la vida al igual que el lugar de la muerte. En todo caso, el recurso a la risa es de nuevo el procedimiento del *Popol Vuh* para deshacer la estructura lógica de relaciones: los que parecen hombres vivos en Xibalbá son realmente hombres muertos, y los que eran hombres en la superficie de la tierra son realmente monos; la risa impide a los hermanos Ahpú,

que ya están muertos desde el momento en que penetran en Xibalbá, comunicarse con los de su misma condición, los muñecos de palo, y la risa impide a Ixmucané reconocer a sus nietos como tales. Los hermanastros de los héroes Hunahpú e Ixbalanqué, incapaces de soportar el escarnio, se hunden en el bosque para siempre, es decir, mueren, desaparecen en el inframundo (véase Rivera, 2014).

El número cuatro tiene importantes connotaciones simbólicas. La más significativa es la que representa al mundo con esa cifra, puesto que el mundo es cuadrangular y se divide horizontalmente en cuatro partes. Las cuatro ocasiones de comunicación con Hun Batz y Hun Chouén que el mito muestra seguramente que estos personajes se encuentran en un plano cosmológico. La música, por su lado, es el lenguaje habitual en los ritos para crear la atmósfera propicia a la relación con el más allá. Los mayas fueron grandes músicos, y conocemos varias escenas en el arte clásico con orquestas o tocadores de instrumentos, la más famosa de las cuales está en las pinturas murales de Bonampak. Se puede afirmar que no había ceremonia importante que no contara con música y danza. Sin embargo, y a pesar de vivir en el bosque, donde lianas y fibras vegetales diversas resonaban a veces mecidas por la brisa, los mayas no tuvieron aparentemente instrumentos de cuerda, sino de viento, de percusión, y otros frotados o agitados con semillas y colgantes (véase Martínez Miura, 2004). Es interesante el hecho de la disposición repetida de las orquestas que se conocen, primero los que agitan las grandes y adornadas maracas, luego los flautistas, después los que golpean con las manos tambores verticales, a continuación los que frotan los resonadores de caparazón de tortuga con astas de ciervo y finalmente las trompetas de distintos tipos; además, parece ser que los músicos siempre van de tres en tres según sus instrumentos (Miller, 1988, citada en Houston, Stuart y Taube, 2006: 258).

52. Los dioses-mono fueron los patronos de los artistas en la civilización maya. Se han descubierto algunas vasijas pintadas clásicas en las que aparecen, solos o en pareja, estos seres antropomorfos con cabeza simiesca (para una comparación útil con las culturas del Viejo Mundo, véase, por

ejemplo, Isabel Izquierdo y Hélène Le Meaux, 2003). Por lo general son representados como escribas, en el momento de llevar el pincel a un grueso libro (véase Coe, 1977). Es interesante que el jeroglífico para sagrado o divino se forme con una cabeza de mono, como se aprecia en los códices o en numerosos vasos, por ejemplo, en el magnífico vaso de los Siete Dioses cuya acción transcurre en el primer día de la creación, en 4 Ahau 8 Kumkú. Tal vez indique el hecho de que lo divino trasciende la humanidad, lo mismo que los monos, humanos que no son humanos.

53. Es de mucho interés la afirmación que hacen los señores de Xibalbá respecto a su disgusto por las perturbaciones causadas por los jugadores de pelota. En este caso, como en el anterior en que fueron llamados Hun Hunahpú y Vucub Hunahpú, es el ruido el que desencadena la acción central del mito, es decir, el descenso de los héroes al reino de los muertos. Las fuerzas del inframundo no soportan el ruido sobre sus cabezas. Obviamente, el ruido exagerado equivale al desorden, a la falta de mesura y proporción, lo que debe ser resuelto en un mito cosmogónico como el *Popol Vuh,* imponiéndose la armonía y el concierto; ocurre igual con otros planteamientos axiomáticos: la unión de lo que debe estar desunido, la confrontación y el equilibrio entre la risa y la música, o entre la risa y la palabra, y el lugar y la condición de los animales, bien diferenciados de los seres humanos.

Los mayas tenían varios números sagrados. El simbolismo de la mayoría estaba relacionado con las características del universo. El número dos era el de la dualidad, y paralelamente el de la unidad representada por la fusión de los elementos de aquella en algo y lo contrario; el número tres podía hacer alusión a las esferas del cosmos: cielo, superficie de la tierra (o mundo medio) e inframundo; el cuatro era una clara referencia a la división cuatripartita del mundo horizontal, delineada por el movimiento aparente del sol cada día y a lo largo del año, y una mención de la humanidad, pues cuatro serán los primeros hombres creados, así es el número de la plenitud y la realización; el cinco es el mundo con sus cuatro rumbos y el centro; el siete, finalmente, es la suma del tres y del cuatro, y sugiere muy bien el cosmos en su totalidad. Por otro lado, el nueve representa en ocasiones al inframundo, y el trece, a los cielos. Y ni que decir tiene que el veinte es un número clave en el sistema aritmético vigesimal maya. Veinte son los días del mes y el tiempo de la creación según el *Chilam Balam de Chumayel.*

Las casas de tormento de Xibalbá, que son la descripción de las características del infierno de los mayas quichés, son seis (oscuridad, frío, fuego, viento, jaguares, murciélagos), que, junto con el juego de pelota, que es otra prueba recurrente en el viaje iniciático de los gemelos, hacen siete, otro número simbólico de esa dimensión cósmica. Además, el segundo «muerto» más importante del relato, Vucub Caquix –el primero es, sin ninguna duda, como ya se verá, Hunahpú–, es muy posible que pasara a gobernar Xibalbá como el sol terminado de la tercera creación. Entre los mayas, por último, que buscaban y creían en la armonía cósmica, los números y la aritmética fueron considerados auténticas plantillas universales de la creación.

54. *Lotzquic* significa sangrar o punzarse para sacar sangre. De nuevo la sangre en relación con la pelota del juego, pelota que es un símbolo astral que va y viene entre las esferas del universo con el impulso de los jugadores, dioses o reyes divinos. La importancia de la sangre, esencial sustancia de la vida, para los mayas es evidente. Y también es obvia la conexión con el inframundo, de donde proceden Cuchumaquic e Ixquic.

El delicioso cuento de los mensajeros encierra una enseñanza moral y tiene un valor simbólico. El sapo no se apresuró a cumplir la orden de los dioses y padece por ello, su anatomía es imperfecta y no tiene designada una comida que lo alimente. Pero piojo, sapo y culebra están relacionados, por sus hábitos y moradas, con el mundo subterráneo. El gavilán debe estarlo con el mundo celeste superior. La rapidez con que los gemelos divinos echan mano a las cerbatanas cuando aparece el animal recuerda su afición anterior; verdaderamente, son cazadores de pájaros, es decir, abaten lo que vuela, lo que puebla la región superior del cosmos, son parte de la pugna entre el arriba y el abajo, y manifiestan en su naturaleza el origen infernal de su madre. El sol hiere con sus rayos a las criaturas: ésta es una creencia muy extendida en Mesoamérica; el sol es cazador, igual que Venus, el heraldo del sol, que también porta dardos y propulsor.

Hay también en este episodio una curiosa coincidencia fonético-numérica. *Uc* es piojo, y *uuc* es siete o séptimo; *uac* es el gavilán que come culebras, y *uacac* es seis o sexto; *zaquicaz* es la víbora blanca, palabra que incluye el prefijo *zaq,* blanco, y el sonido *ca,* que es el número dos. Probablemente es una mera casualidad, pero a los mayas les gustaba jugar con las palabras homófonas, y a veces esas concomitancias tienen sentido. Por otro lado, Christenson (2012: 224) prefiere halcón a gavilán, y traduce *uac* o *wak* por «halcón reídor».

55. La vinculación de las cañas, que es como se denomina a los tallos o troncos de la planta del maíz, con la vida de los gemelos es una explícita referencia a su papel como fuentes de la fertilidad. En ellos convergen, según lo dicho, las cualidades del astro rey con las de la madre tierra. Los mayas son sobre todo un pueblo agrícola, y su relación con la tierra fue, y sigue siendo, de carácter religioso. Las cañas o mazorcas de Hunahpú e Ixbalanqué son referencias a las milpas, convierten la casa en un campo de cultivo, en una representación claramente cósmica. Desde luego, esas cañas son también ejes del universo que, en el centro de la casa, permiten la conexión con el reino al que los muchachos van a descender. Además, existe una obvia relación de Ixmucané con el agua, las diosas de la tierra lo son también de las lagunas y los lagos, son diosas fecundas, y en el interior de la tierra hay una capa de agua que constituye la frontera con el inframundo; en el *Códice de Dresde* una de estas diosas mayas vierte el contenido de su vasija, un recipiente muy parecido al que Ixmucané llevaba hasta la fuente y que fue perforado por el mosquito. Hunahpú e Ixbalanqué no sólo piden agua a su abuela porque estén sedientos, o para entretener a la vieja, sino a causa de los vínculos acuáticos que establecen su verdadera personalidad.

Por otro lado, volvemos a encontrar en el texto un árbol cósmico. Aunque la planta de maíz *(Zea mays)* no pueda considerarse un árbol, lo era para los mayas antiguos. En el tablero de piedra del santuario del Templo de la Cruz Foliada de Palenque se ha representado una planta de maíz con la forma de uno de tales árboles de la vida, ejes del universo (Martín Díaz, 2004: 46). Así es, lógicamente, puesto que, insistimos, las raíces de las cañas penetran en el inframundo, y la parte superior roza el cielo, de modo que este *axis mundi* es el camino simbólico del viaje de los gemelos, y una especie de línea de comunicación entre los pisos del cosmos por la que pueden llegar las noticias de Xibalbá a Ixmucané.

56. En este párrafo se dice explícitamente que Xibalbá es un lugar que está abajo, hay que bajar para llegar a él, entre barrancos. Recinos traduce *chua cumuc* por escalones, lectura que sigue también Christenson, pero posiblemente sería mejor entender fuertes pendientes, aunque tal vez los escalones recuerden el descenso desde los santuarios en las pirámides, en un acto que podía desembocar igualmente en el Xibalbá, ya que las pirámides eran representaciones del cosmos, como se aprecia muy bien en el Templo de las Inscripciones de Palenque, donde la cripta funeraria del rey Hanab Pacal se encuentra por debajo del nivel del suelo. La pirámide es el templo-montaña de los mayas, la montaña del origen, la que surge del océano primordial cuando el Corazón del Cielo dispone la creación del mundo.

La palabra quiché *molay* significa agrupado o amontonado, algo que está junto o forma un grupo, de manera que es posible que tales pájaros no sean los pijijes *(Totanus flavipes)* sino sencillamente una bandada de especie indeterminada, si bien, por tratarse del camino a Xibalbá, deben ser aves nocturnas o relacionadas con el inframundo. Los pijijes viven en lugares pantanosos y cantan sobre todo de noche, lo que les hace, desde luego, buenos candidatos.

En cuanto a los ríos vale la pena sugerir que constituyen algo así como las venas del ser vivo que es la tierra. Por eso hay ríos de sangre y ríos de pus, porque por esos cauces corre la vida y la muerte, la salud y la enfermedad, como en los organismos animales. La tierra considerada un organismo viviente presupone su capacidad de dar y reproducir otros elementos biológicos, del tipo del maíz o de los mismos hombres. A su interior viajan los gemelos, al interior de la Gran Madre.

57. Esta prueba relaciona la identidad con el nombre, la identidad que también se expresa con el rostro. Es un atributo

imperecedero, que sobrevive a los individuos, y de ahí que con frecuencia se hayan borrado los nombres o los rostros de las estatuas de aquellos predecesores considerados enemigos peligrosos y cuya memoria debe desaparecer. Descubierta la identidad de los señores de Xibalbá, su poder mengua y crece proporcionalmente el de los gemelos. El conocimiento del nombre da prerrogativas sobre las personas. Nombrar una cosa o un ser equivale a ganar poder sobre él. La transformación de un pelo de la pierna en mosquito eleva al insecto a la categoría de excrecencia divina, tal vez por su relación con la sangre. Insistimos nuevamente en la importancia de los animales en el mito, no sólo porque a veces encarnan las fuerzas que crean y sustentan la vida, sino debido a que se tienen por una fuente de sabiduría al estar iniciados en los secretos supremos de la naturaleza. Los héroes utilizan los servicios de los animales y al mismo tiempo les otorgan su condición definitiva, principalmente al proporcionarles el alimento que ha de sostenerlos. De este modo actúan como ordenadores del mundo, como demiurgos.

58. Esta oscura conversación ha producido algún debate entre los estudiosos. La pugna por emplear una u otra pelota es prueba de sus distintas cualidades; como la bola de hule del juego representa a los astros, y su movimiento a los períodos que aquéllos pasan en el cielo o en el inframundo (visibles o invisibles para el ojo humano), es posible que se trate de una disputa entre la luz y las tinieblas, el día y la noche, o sencillamente entre las cargas –malignas o beneficiosas– de diferentes segmentos temporales. Aunque los señores de Xibalbá deseaban los instrumentos de juego de los gemelos, a la hora del enfrentamiento prefieren su propia pelota. Más difícil aún es conjeturar lo que el redactor quiso decir con las alusiones al gusano que abrasa *(hu chil)* y a la cabeza de puma *(holom coh);* Dennis Tedlock (1985: 138) traduce estas frases como: «después de todo, sólo está decorada», dijeron los de Xibalbá, «no es así, es solamente una calavera, ya hemos dicho bastante», replican los muchachos. El término «calavera» es el que emplea igualmente Christenson. Parece algo más lógico que recurrir al gusano y al león –que es como los indígenas llaman al puma, lo mismo que llaman

tigre al jaguar– para identificar las respectivas pelotas, aunque la enorme distancia entre ambos animales puede servir como motivo de burla o desdén entre los jugadores. Si se habla de fuerza y poder parece mejor la referencia zoológica, pero si se pretende vincular la pelota a la cabeza de Hun Hunahpú, como lo será más tarde a la cabeza del propio Hunahpú, entonces el párrafo adquiere verdadero sentido, a la vez que identifica al padre sacrificado en Pucbal Chah con un astro del firmamento, seguramente con Venus, el heraldo del sol, el pequeño sol, o el falso sol. El padre como heraldo y anunciador del hijo. Por otro lado, cabe pensar también en emblemas animales utilizados por los equipos enfrentados en el juego.

59. El yugo de los jugadores de pelota es un protector hecho de cuero y algodón que evita los golpes en el pecho, que podrían causar graves heridas. Sirve igualmente como una suerte de deflector para desviar esa pelota en la dirección elegida. Recinos dice que es un anillo, lo cual parece dudoso, ya que los anillos forman parte de la estructura arquitectónica y no del equipo que portan los atletas; la palabra quiché *bate* significa «argolla para la garganta y un instrumento para el juego de pelota», según Ximénez (1985: 93). Así lo entiende también Tedlock, y así lo hemos traducido nosotros, aunque la argolla para la garganta sea la primera acepción y el equivalente exacto del término castellano «yugo», mientras que *bate* se refiere seguramente a un instrumento del atavío del jugador que tiene que ser sin duda el citado protector. Existen numerosas representaciones mayas y mexicanas de los jugadores como para estar bien seguros de cuáles eran los mencionados instrumentos; los artistas de Veracruz los imitaron en piedra a finales del período Clásico, con fines rituales, y de ahí también el nombre común de yugo para esas piezas, por el parecido de los trabajos veracruzanos, sobre todo de El Tajín, con ese objeto que ciñe el cuello de los bueyes y otros animales de transporte.

Como todavía no sabemos con exactitud las reglas del juego de pelota en el área maya, es difícil afirmar cuál fue la jugada que permitió la rápida victoria de los gemelos en este partido. El anillo no era un rasgo generalizado sino más bien raro en los campos que se han investigado con técnicas arqueológicas. Destacan los de ciudades como Oxkintok, Uxmal, Chichén Itzá o Edzná. Cuando existía, empotrado en los muros a una cierta altura, era el objetivo de los lanzadores de la pelota; al entrar la bola por ese disco de piedra agujereado en el centro, el encuentro estaba decidido, según parece.

El cuchillo de pedernal que sale de la misma pelota de Xibalbá es la herramienta del sacrificio. Se conocen relieves y pinturas donde se ven pelotas de juego con cuchillos; también hay calaveras en el arte mexicano que llevan un cuchillo de pedernal en la boca; todo ello nos informa de la constante asociación entre el rito del juego de pelota y el sacrificio humano, que viene a ser un sacrificio divino, pues los jugadores a menudo personifican a los máximos poderes de las capas del cosmos. La asimilación de la pelota con la cabeza, o la calavera, subraya la identificación de la bola con los astros individualizados y personalizados, como sucede en Pucbal Chah con Hun Hunahpú y ocurrirá más tarde con Hunahpú.

60. Esas flores siguen el patrón de los colores cosmológicos. Son crotalarias, según Villacorta, y Raynaud y sus traductores, plantas de especies que se utilizan para confeccionar vestidos; el chipile o chipilín es la *Crotalaria maypurensis,* de hojas comestibles. Christenson prefiere interpretar *much'ij* como pétalos, argumentando que en el altiplano se ofrendan con frecuencia pétalos en las ceremonias. *Carinimac,* que puede traducirse como «peces grandes», hace mención sin duda a otras plantas de color negro. Sea como fuere, son plantas de Xibalbá, lo que nos acerca al aspecto que los mayas pensaban que tenía el infierno. En el mito se describen ríos, caminos, árboles y otras plantas, y animales propios de esa dimensión cósmica.

61. Se trata de los búhos característicos de Centroamérica. Los nombres que reciben popularmente provienen del sonido de sus gritos. Mochuelos, lechuzas y búhos son animales de Xibalbá, animales de la noche, guardianes y mensajeros de los señores del inframundo.

62. El simbolismo de las flores tiene que ver principalmente con la vida, y con el carácter fugaz de todas las manifestaciones vitales. En el *Popol Vuh,* siguiendo el contexto mexi-

cano, pueden indicar lo precioso y noble, aunque los mayas de las tierras bajas veían en ciertas flores el signo de la fornicación, o mejor, de la sexualidad y de la fertilidad femenina. No es fácil entender por qué los señores de Xibalbá ponen esta prueba a los gemelos, aunque la relación de las flores, y del glifo cuatrilobulado, que imita los pétalos, y que es, dicho sea de paso, signo también de las cuevas y del inframundo, con el sol puede estar entre las causas probables. No obstante, las flores comparten con los cigarros y el ocote la inmediata consunción, son perecederas, se marchitan prontamente una vez cortadas, lo que subraya esa fugacidad en la que insisten los poderes infernales, cuyo fin, tal vez, es poner de manifiesto el carácter precario y transitorio de los gemelos. El robo de las flores de los jardines de Xibalbá es equivalente a la apropiación de las cualidades solares que se hallan en el mundo subterráneo desde la muerte de Vucub Caquix.

63. La Casa del Frío es un elemento típico de Xibalbá, que es el país de los muertos, con un sol apagado y ausencia de calor. Por otro lado, los quichés del altiplano de Guatemala, que relacionaban en su imaginación las tierras bajas tropicales al este y el norte de su país con el mítico Xibalbá, sabían que descendiendo encontrarían un calor intenso. Algunas traducciones del *Popol Vuh* dicen que los gemelos acaban con el frío únicamente recurriendo a su experiencia (¿mágica?), mientras que otras hacen aparecer troncos de madera para encender un fuego. Lógicamente, ésta es una prueba muy adecuada para quien va a convertirse en el sol, esperanza de calor y de vida.

64. Los mayas tuvieron una relación ideológica muy intensa con los jaguares –a los que los textos en castellano suelen denominar tigres– a lo largo de toda su historia prehispánica. El felino, rey de la selva centroamericana, tiene costumbres nocturnas, caza en la oscuridad y posee una piel manchada que parece el cielo de la noche tachonado de estrellas. Es una fiera poderosa, con la fuerza que pretendían para sí los reyes mayas, y por ello su piel formó parte de los atuendos reales, especialmente en las batallas, como las pintadas en los murales de la ciudad de Bonampak, y también de los atavíos de los sacerdotes que escrutaban el firmamento y leían

el destino en las estrellas. Igualmente, se disponían como ofrenda en las tumbas las garras y otras partes de los animales. *Balam,* el término para jaguar, es una palabra frecuente en los nombres y apelativos de los personajes más importantes, como el rey Chan Balam (K'inich Kan B'alam II), hijo del célebre Kinich Hanab Pacal (K'inich Janaab' Pakal I) de Palenque. Algunos dioses visten igualmente las pieles de los jaguares, o llevan orejas de jaguar, o garras, o belfos, o cejas, o colas. Se distingue sobre todos el dios patrono del número siete, que es seguramente una versión del llamado Jaguar de la Noche, o Sol Jaguar de la Noche, pues el sol nocturno, que es el sol cuando está en el inframundo después del ocaso, se representaba con un jaguar. Dioses jaguares eran patronos de algunas ciudades, y uno de los mitos clásicos más importantes, pintado en numerosas cerámicas, y que se remonta a los olmecas, tiene como protagonista a un niño-jaguar.

La Casa de los Jaguares es una imagen del mismo inframundo. Los huesos que les arrojan los gemelos no solamente indican la cualidad carnívora y depredadora de las bestias, sino su vinculación parental con ellos: Ixbalanqué (Ix Balam Ceh) es un jaguar-venado, y se transformará en el sol de la noche, o sea, la luna.

65. El fuego es el destino de los gemelos, pero todavía no es el momento. Aquí el básico elemento se presenta como exclusivamente destructor, y deberá ser, además, en el futuro, purificador y transformador. Queda claro a estas alturas que los héroes divinos no pueden ser aniquilados excepto si su voluntad así lo decide. En alguna traducción se dice que al fuego se le dieron brasas y leña, siguiendo la pauta de asignar a los ocupantes de cada casa de Xibalbá una función en el mundo nuevo que se empieza a entrever.

66. Camazotz es un personaje importante en la mitología maya, presente en las escenas de la cerámica pintada (por ejemplo, Coe, 1982: 53), sobre todo, curiosamente, en la cerámica de Chamá, que es un sitio ubicado en la Alta Verapaz, casi en la frontera de los altos de Guatemala con las selvas peteneras. Su nombre significa literalmente el murciélago de la muerte, y es tal vez el mejor emblema de Xibalbá. Desde luego, el símbolo es perfecto por diversas razones: el murciélago

vive en lo profundo de las cavernas, sale por las noches, y era para los mayas mitad ave mitad mamífero, es decir, híbrido, ambiguo, equívoco, desordenado, como debía ser el misterioso reino subterráneo. No está nada claro, por el contrario, quién o qué es *chaquitzam,* una punta seca, una punta victoriosa, o un pico, o si se trata de alguien concreto en los relatos tradicionales. Nuestra traducción incide en el hecho de que es en la boca donde se encuentra el peligro de Camazotz, como si fuera un vampiro, y en el supuesto de que pudiera existir otro animal volador tan agresivo y letal. Por otra parte, en ciertos lugares del área maya, sobre todo en Honduras, donde está la ciudad de Copán, cuyo glifo-emblema era un murciélago, hay quirópteros chupadores de sangre que pudieron ser igualmente una referencia en la definición quiché del asesino Camazotz, el enemigo de la luz.

67. La decapitación de Hunahpú es un episodio crucial en el mito. De hecho, muchas de las representaciones de Hunahpú en el arte del período Clásico presentan al héroe como muerto, con manchas de putrefacción sobre su cuerpo: es el muerto por antonomasia de la mitología maya. La cabeza se coloca en el juego de pelota porque la pelota y la cabeza son equivalentes; es posible que este fragmento del relato haya inspirado la práctica del sacrificio por decapitación al término de algunos encuentros del juego ritual, probablemente el del capitán del equipo perdedor, aunque tal cosa no está muy clara todavía. También puede ser que, al revés, el sacrificio ejecutado desde tiempos preclásicos determinara finalmente la forma del mito. La decapitación de Hunahpú por Camazotz le priva del ejercicio de los sentidos y, por tanto, de la capacidad mágica, pero no de otras, como se verá en seguida. Para muchas culturas la cabeza es un trofeo principal en sus guerras y enfrentamientos; los mayas obtenían de los enemigos capturados los corazones o las cabezas, lugares de la vida y de la inteligencia, que eran ofrecidos a los dioses o conservadas respectivamente como testimonio de la victoria. La forma esférica de la cabeza la hace asimilable a alguno de los cuerpos celestes, y en el *Popol Vuh* es indudable que la cabeza de Hunahpú representa el sol; su vinculación al juego de pelota es otro factor que apoya la tesis de que en

los partidos se reproducía el movimiento del astro rey entre el cielo y el inframundo.

68. El coatí es un mamífero arborícola y seminocturno, y el pecarí frecuenta los lúgares húmedos y escarba la tierra: ambos son apropiados para el inframundo, y de hecho aparecen en muchas cerámicas pintadas en contextos típicos del ámbito subterráneo. La tortuga es un animal que simbolizaba para los mayas la tierra misma. El término quiché es *coc,* que se acompaña de *tiz* haciendo referencia a su dureza; el diccionario de Ximénez traduce *cok'* como la tortuga, de modo que nosotros admitimos esta acepción, que, por otra parte, es la que incluyen en sus versiones el propio Ximénez, Villacorta, Brasseur, Recinos y otras autoridades. Christenson, sin embargo, traduce pizote, o coatí de nariz blanca *(Nasua narica),* y dice que la cabeza postiza era un chilacayote que traía, o sea una calabaza, haciéndola rodar con el hocico (2012: 256).

69. El tlacuache mexicano o tacuatzin, cuyo nombre quiché es *vuch,* es la zarigüeya u oposum (género *Didelphys).* Es un marsupial arborícola y de costumbres nocturnas. López Austin (1990) ha dedicado un amplio estudio a los numerosos cuentos y mitos mesoamericanos dedicados a este animal, del que se conocen numerosas representaciones arqueológicas tanto en América del Norte como en las regiones andinas. La mención del *Popol Vuh* parece indicar que el *vuch* lleva en su bolsa el sol, y que cuando abre las piernas puede el astro salir libre por el horizonte.

70. El conejo es para los mayas el animal simbólico de la luna. Con frecuencia aparece junto a la figura femenina del satélite de la tierra en las pinturas de la cerámica o las figuritas de arcilla como las de la necrópolis de la isla de Jaina. La diosa lunar maya es una bella joven cuyo nombre en la época posclásica era Ixchel. Algunos mitos prehispánicos debieron de narrar las relaciones de esa muchacha con los viejos dioses del inframundo, especialmente el dios N, y también con mucha probabilidad el dios L, y la manera en que el venado del sol se la llevaba sobre su lomo volando hasta el cielo (véase Robicsek y Hales, 1981: 17-20). La hermosa doncella protagoniza también el mito del dragón y la muchacha, igualmente frecuente en las vasijas clásicas, donde

aparece el viejo en actitud lasciva hacia ella. Probablemente esos mitos hacen referencia a los períodos en que la luna está ausente del firmamento, retenida para los indígenas en el interior de la tierra. En una cerámica clásica el conejo tiene en su poder las ropas y atributos del dios L, que recurre compungido al dios solar para tratar de recuperarlos. A veces el conejo, en la corte del señor de las tinieblas, está escribiendo un libro, como sucede en el famoso Vaso Princeton. Estos vínculos son generales en toda Mesoamérica, con las variantes pertinentes; en el mito de la creación del sol en Teotihuacán, el falso sol Tecuciztécatl tenía tanto brillo que ponía en peligro el papel del sol verdadero Nanahuatzin, y entonces los dioses le lanzaron un conejo que pasaba por allí, consiguiendo de este modo apagar su luz pero dejando para siempre la silueta del animal impresa en el disco celeste, destinado desde entonces a iluminar débilmente las noches.

71. *Xulú* significa tonto, y demonio que se aparece por los caminos, según el diccionario de Ximénez; otros diccionarios y autores lo traducen como adivino, incluso como espíritu protector en las orillas de los ríos; y *Pacam* se puede traducir por descubridor. Aunque tal vez se trate de un único término, *Xlupacam,* que es lo que el fraile dominico prefiere en su versión del *Popol Vuh.* Entonces sería un apelativo genérico para una clase de sabios videntes. Por supuesto, esta pareja es simétrica a Ixpiyacoc e Ixmucané, quienes actuaban en un papel semejante en el mundo de arriba, adivinando con el *tzité* o engañando a Vucub Caquix. De nuevo son fieles aliados de Hunahpú e Ixbalanqué, y su misión es confundir a los gobernantes del inframundo. Todo ello demuestra que los gemelos son verdaderamente los señores de la hechicería y la adivinación, los dominadores de los poderes mágicos, y los jefes de todos aquellos que practican esas artes. Dicho de otra manera, muy probablemente, en la sociedad maya, los que se dedicaban a la adivinación y a la magia, sacerdotes, escribas o el mismo rey, se colocaban bajo la influencia y el patrocinio de los gemelos divinos, del dios solar y lunar.

72. La manera en que los señores de Xibalbá intentan burlarse de los gemelos es objeto de discrepancia entre los traductores del *Popol Vuh.* Raynaud y Villacorta escriben que la

orden de los señores es «extended los brazos hacia nosotros cuatro veces», pero Ximénez y Recinos insisten en que se trata de «volar por encima de la hoguera». Tedlock dice que les proponen el juego de saltar por encima de la bebida que están consumiendo, y lo mismo traduce Christenson. En nuestra opinión tiene más sentido la opción segunda porque los señores están tentando así los poderes mágicos de los gemelos, mientras que la acción de extender los brazos –a no ser que se entienda como un eufemismo para volar– resulta bastante irrelevante. Ciertamente, los etólogos y otros especialistas valoran los movimientos de los brazos como mensajes para las distintas ocasiones, y cuando se extienden pueden querer expresar bienvenida o sentimientos de paz y acogida, pero no creemos que ésa fuera la intención de los príncipes de Xibalbá. En cuanto a la ingestión de bebida fermentada, con la cual daban comienzo muchas ceremonias mayas, puede tratarse de pulque, que es lo que significa el término *quii* empleado en el texto, aunque igualmente significa dulce, aludiendo entonces a la cualidad de la bebida y no a una en particular. En las tierras bajas no se consumía por lo general el pulque, producto del maguey, sino el balché, que se hace con miel y corteza de un árbol. Por supuesto, los mayas, lo mismo que otras culturas mesoamericanas, procuraron obtener bebidas embriagantes de distintas plantas, pero, en lo que respecta al ritual, algunas acabaron imponiéndose.

73. En los mitos mesoamericanos de creación más importantes los dioses se sacrifican en la hoguera para conseguir la transformación y dar comienzo al universo. Sin embargo, no hay muchos datos que muestren la predilección por esta forma de sacrificio en las pautas rituales habituales. Dennis Tedlock (1985: 149) no cree que fuera una hoguera la mencionada en el *Popol Vuh,* sino un horno de piedra en el que se meten voluntariamente los gemelos. El fuego debe entenderse aquí, por lo tanto, de todas maneras, como condición del renacimiento a la nueva naturaleza o al nuevo estado, un elemento destructor y también purificador, cuya ambivalencia tiene mucho que ver en Centroamérica con la importancia simbólica y práctica del hogar doméstico y con las terribles catástrofes causadas por los volcanes y los

rayos de las tormentas. Desde luego, la muerte por el fuego de Hunahpú e Ixbalanqué está relacionada con el hecho de que van a convertirse en el sol, que es fuego a su vez, y lo mismo puede decirse del Nanahuatzin mexicano. En el caso maya la vinculación inmediata, en la secuencia narrativa, del fuego y del agua es especialmente significativa, no sólo porque se refuerzan los valores simbólicos mutuos, sino debido a que el fuego es considerado masculino y el agua es considerada femenina, y la unión de estos contrarios es requisito para la creación de los astros, o la impulsa y favorece categóricamente (véase Cazenave, 1996: 254-256). En Mesoamérica prehispánica el fuego aparece en muchos ritos y ceremonias como el elemento esencial, por ejemplo, en la fiesta azteca del fuego nuevo que se llevaba a cabo al finalizar la *era* de 52 años. Entre los mayas debía ser igualmente importante, puesto que hay numerosas representaciones de antorchas y fuegos, incluso cigarros encendidos, en las cerámicas policromadas y en los libros de corteza que llamamos códices; además, uno de los dioses principales, Kauil, lleva como atributo la antorcha humeante clavada en su frente, y lo mismo sucede en ocasiones con el dios de la lluvia Chak, que aparece blandiendo amenazadoramente las antorchas de la sequía en los códices postclásicos, por ejemplo, en las páginas 3 a 6 del *Códice de Madrid*.

La hoguera, además, expresa el exceso de calor, que es en la mayoría de las religiones mesoamericanas una condición de las transformaciones físicas y ontológicas. La oposición calor-frío es otra manera de establecer la estructura de relaciones duales.

74. El baile está presente en muchos actos de creación. Porque es ordenamiento rítmico, la danza de los dioses y de los héroes míticos contribuye a la organización y a la reabsorción cíclica del mundo, y es un medio de establecer relaciones entre la tierra y el cielo. Ritmo, melodía y palabra sintetizan en el cuerpo humano el espacio y el tiempo, y de ahí que sean imprescindibles en los ritos fundacionales. Por supuesto, antes que ser movimiento son signo, un complicado lenguaje que reproduce, representa, impulsa, contribuye, impetra y desata energías y transformaciones (Chevalier y Gheerbrant, 1986: 396-398; Rivera, 1995: 42-45). Desde otro

punto de vista, la danza es también el lenguaje propio de la ofrenda: Hunahpú e Ixbalanqué bailan porque van a sacrificarse, van a ser sacrificados, porque son la ofrenda que hará posible el comienzo del mundo nuevo. Danzan para salir de un orden y entrar en otro, para morir y resucitar, pues la danza es la ruptura y, a la vez, la apertura, el paso del umbral. Los nombres de las danzas que ejecutan los gemelos divinos al salir del río son apropiados al ámbito subterráneo en que tiene lugar el acontecimiento, pues esos animales son de costumbres nocturnas o habitan en hoyos bajo tierra o llevan duras corazas que simbolizan la corteza terrestre. Los zancos se relacionan con las aves de largas patas, como el flamenco y la garza, y simbolizan el cielo y la inmortalidad, o sea, el destino final de Hunahpú e Ixbalanqué. Durante el período Clásico muchos reyes mayas fueron representados en actitud de danzar, una responsabilidad ritual que recaía sobre sus hombros dadas las significaciones cosmológicas (véase el interesante estudio de Matthew G. Looper, 2009). Los escritores coloniales describieron el gusto de los mayas por los bailes (*okot* en yucateco) y las diferentes clases de danzas que estaban todavía vigentes en la península de Yucatán (véase Houston, Stuart y Taube, 2006: 254-256).

75. Éstas son unas frases oscuras. Rebajar la condición de la sangre de los de Xibalbá equivale a privarles de su poder, de su rango en el orden del universo y de su señorío. Desposeerles del juego de pelota solamente implica la transferencia de esa vía de comunicación entre los mundos a otros seres subterráneos que se correspondan con la nueva creación. O bien la hacen extensiva a quienes, en el reino superior, sobre la superficie de la tierra, acrediten poseer la suficiente sacralidad. Es decir, que los gemelos divinos, ellos mismos señores del inframundo, nietos de Cuchumaquic e hijos de Ixquic, cancelan el Xibalbá de la edad de los hombres de madera y lo sustituyen por el de la edad de los hombres de maíz. Respecto a los malvados y pervertidos que ahora encontrarán su lugar en Xibalbá, la sentencia recuerda en exceso las predicaciones de los misioneros cristianos. Lo que pertenece indudablemente a la mentalidad maya es la frase en la que se da por terminado el procedimiento de apoderarse súbitamente de los hombres, aunque lo que sigue, «como

lo hacíais cuando os manchaba la sangre de las calaveras» (¿o cabezas, por la dudosa palabra *holomax?*), parece una referencia a la muerte de Hun Hunahpú, que entonces marcaría la frontera entre un tiempo y otro. Incluso se podría decir que lo que hacen Hunahpú e Ixbalanqué es advertir a los de Xibalbá que «pagarán por la sangre de la cabeza» de su padre. Villacorta traduce *holomax* como «horcajaduras», y Raynaud como «Drago», términos ambos totalmente incomprensibles para nosotros. La traducción de Recinos de «tened presente la humildad de vuestra sangre» me parece un aserto redundante e innecesario.

76. Parece bastante claro que el redactor del *Popol Vuh* se refiere aquí a las potencias del inframundo en la era previa a la de los mayas. No cabe ninguna duda de que en el tiempo maya, después del día inicial 4 Ahau 8 Cumkú (es decir, en el lapso que cubre los 13 baktunes que van desde el 3114 a. C. hasta el 2012 d. C.), los señores del inframundo eran tenidos por dioses muy poderosos, a los que se rendía culto en muchas ciudades y templos. Sus efigies aparecen en multitud de obras de arte clásicas y postclásicas, por ejemplo, en la escultura de Palenque y Copán, en la pintura mural de San Bartolo o de Tulum y sobre todo en las escenas de las cerámicas policromadas. Incluso parece que había ciudades como Toniná dedicadas a ellos. Además, otros dioses que no residían permanentemente en Xibalbá o cuya naturaleza no se correspondía con esa dimensión cósmica visitaban periódica o esporádicamente tal ámbito, y eran especialmente reverenciados y representados y tenidos en consideración cuando se encontraban allí. Eso sucedía con el dios del sol, con la diosa de la luna, con el dios de Venus, con los dioses de la tormenta, de la lluvia y el rayo, y hasta con el mismísimo dios del cielo Itzamná. Los gemelos destruyen el inframundo de la tercera creación, el infierno de los hombres de madera, para dejar paso al nuevo, el de los hombres de maíz de la cuarta creación. Es un inframundo que será definido finalmente, en buena medida, por el mismo sol Hunahpú de ese tiempo renovado. Xibalbá es antes un nombre genérico para el inframundo de las distintas eras, que es siempre, por otra parte, el originario, transformado una y otra vez, como lo son el cielo y la superficie

de la tierra, por las cualidades de sus habitantes y no por sus hipotéticamente cambiantes rasgos físicos o simbólicos.

77. De nuevo se afirma que estas cañas son el *axis mundi,* el centro del universo, el Árbol de la Vida. Su presencia en la «tierra llana», en el ámbito de los seres de arriba, representa la certeza del renacimiento, de la regeneración, la esperanza frente a la muerte. Los gemelos mueren y resucitan como lo hace el maíz, que es la materia de que están hechos los hombres. Por el eje del mundo se baja a Xibalbá y también se asciende desde allí a la tierra y al cielo. Ixmucané designa a las cañas con el nombre por excelencia: las cañas de la vida, porque de eso se trata, de la perpetuación de la vida, del triunfo de la vida. Quemar copal ante las cañas equivale a adoración y ofrenda, también a comunicación con el cielo; en la iconografía maya hay escenas de incensarios delante de árboles sagrados, incluso en las estelas de Izapa, una remota ciudad preclásica situada en la costa pacífica de Chiapas; es lógico que el humo del copal, que debe subir a las alturas celestiales como homenaje y testimonio de veneración, siga el eje formado por el árbol del centro del mundo.

78. Como ya hemos mencionado antes, el papel cosmológico de Hun Hunahpú y Vucub Hunahpú es objeto de debate. Actualmente, y gracias a los desciframientos de los epigrafistas y las interpretaciones de los iconólogos, parece que se les identifica con el dios del maíz, que surge renacido del interior de la tierra, pero el texto del *Popol Vuh,* sobre todo en la versión de Recinos, pero igualmente en otras versiones como la de Christenson, parece apuntar a la idea de que son los heraldos del sol, los primeros que se levantan en el horizonte cada amanecer, es decir, la estrella de la mañana, Venus. Por otra parte, Recinos y diversos autores hacen una lectura de las frases correspondientes que puede parecer abusiva; en realidad, de un modo literal, no se podría ir más allá de que los padres sacrificados irán los primeros *(nabe chel ive),* aunque no se sabe muy bien si será en la memoria, en la glorificación o en la resurrección y manifestación. La cuestión del dios del maíz queda pendiente de una documentación más explícita; desde luego, las escenas de los vasos, que presentan a los gemelos flanqueando a su supuesto padre que surge de la tierra con los atributos del

dios del maíz, son un contundente argumento, pero el *Popol Vuh* afirma tajantemente que los progenitores se quedan en Xibalbá y no deja espacio para interpretar ese final como una muerte temporal abocada a una resurrección periódica

79. Aquí se inicia la parte propiamente histórica del *Popol Vuh*, aunque en la cultura maya, como en otras muchas arqueológicas o etnológicas, historia y mito caminan indisolublemente unidos. Naturalmente, la historia de los quichés comienza con la creación de los primeros hombres, y la cuestión esencial, luego de tantos ensayos fallidos, es de qué clase de materia debería estar hecha su carne. Esta vez las potencias creadoras y formadoras, es decir, los ya conocidos Alom, Qaholom, Tzacol y Bitol, cuyo nombre es Tepeu y Gucumatz, también llamados el Corazón del Cielo, el Corazón de la Tierra, deciden sabiamente hacer a los hombres de maíz, pues la planta de maíz constituye el sustento que les dará la vida. Pero, como en otros muchos mitos sobre el origen de las cosas fundamentales de la existencia, no son esas energías cósmicas las que encuentran y traen la indispensable sustancia, sino cuatro animales. El número simbólico cuatro vuelve a aparecer, y también los animales con connotaciones nocturnas: el gato de monte es un cazador de la noche, el coyote aúlla a la luna, el cuervo es el ave negra, y el perico *quel,* del que Recinos afirma que es una cotorra vulgarmente llamada chocoyo, tiene un andar vacilante como se camina en la oscuridad. Aunque lo más significativo es que son dos animales de la tierra y dos animales del cielo, uniendo los dos ámbitos en la trascendental empresa. Los colores de las mazorcas, blanco y amarillo, son colores opuestos en el esquema cosmológico maya: el primero simboliza el norte y el segundo simboliza el sur, el blanco la vida y el amarillo la muerte. Como en todos los actos de creación se da la *coincidentia oppositorum.*

80. El pataxte, o pataste, es una especie de cacao de sabor amargo *(Theobroma bicolor).* Hay unas 65 especies de anonas, pero en Europa la más conocida probablemente es la chirimoya. Todas estas frutas tropicales, junto con la miel, integran el Edén quiché, un lugar de abundantes alimentos de todas clases, sobre todo repleto de maizales. Ese paraíso se llama Paxil y Cayalá. Raynaud cree que Paxil es «lugar

de edificios piramidales», y Cayalá, «mansión (o agua) de los peces», lo que sugiere un centro arqueológico a orillas de un río o una laguna. Por supuesto, hay muchos de tales lugares en las montañas y los valles donde se escribió el *Popol Vuh,* aunque tal vez se trata de un lugar imaginario. De nuevo se ponen en evidencia las ideas contradictorias de los quichés sobre las tierras bajas de Chiapas y Guatemala, de donde sin duda procedían; por un lado, allí se situaba Xibalbá, en el país selvático cálido y húmedo, pero también el lugar del origen, idealizado en los mitos, donde había exquisita comida tropical.

81. Ixmucané, la diosa madre, hace nueve bebidas de maíz. El nueve es otro de los números significativos de los mayas, y para algunos autores es el número de capas o pisos que tiene el inframundo. Nueve eran los dioses de la noche que se turnaban en un ciclo importante del calendario, y Bolontikú, mencionado en el *Chilam Balam de Chumayel,* parece ser la expresión sagrada y personalizada del mundo inferior. Hay nueve figuras en las paredes de la cripta donde fue depositado en un sarcófago de piedra el rey de Palenque Hanab Pacal, imágenes similares a las de la ciudad de Comalcalco. En el *Popol Vuh* es, seguramente, una referencia a la tierra nutricia, de cuyo interior surgen las plantas que alimentan y dan la vida.

82. El cuatro de nuevo, el número cósmico por excelencia. Cuatro son los primeros hombres creados, no hay mujeres, que, no obstante, aparecerán en seguida. Los nombres son de gran importancia: tres de ellos se llaman *jaguar,* Balam Quitzé es el «jaguar del envoltorio», lo que seguramente hace referencia a una función vital de algunos sacerdotes nobles, el cuidado y la protección de un bulto en el que se guardaban objetos muy sagrados. Balam Acab es el «jaguar de la noche o de la tierra». Iquí Balam es el «jaguar de la luna». Y Mahucutah, el término más complicado, podría ser algo así como el «capitán de guerra que conquista los muros». En todo caso, parece que son hombres de religión y de guerra. Los grandes sacerdotes y los jefes guerreros mayas se ataviaban con pieles de jaguar, el animal más poderoso y fiero de América Central, lo que puede suponer que se unen en estos primeros seres humanos las dos funciones

básicas de la organización social quiché, la militar y la religiosa. En todo caso, las asociaciones con la noche y la luna, y el mismo valor simbólico del jaguar, conducen otra vez al inframundo, lo que no es raro, pues la mayor parte de los mitos de origen mesoamericano afirman que la humanidad surgió del interior de la tierra por las bocas de las cuevas o por profundos pasadizos. Es decir, no hay solución de continuidad entre unas y otras humanidades correspondientes a los sucesivos mundos creados; en México el dios Quetzalcóatl hace a los primeros hombres con los huesos molidos de los viejos seres residentes en el país de los muertos (véanse Miller y Taube, 1993: 68-71; Rivera, 2006: 89-96). Como estos primeros hombres quichés fueron los antepasados de los personajes históricos, de los reyes posteriores, su recuerdo perduró y se les rindió un cierto culto; por eso, también, se les llama madres y padres.

83. Cahá Paluná –o Zaká Paluná siguiendo al *Título de Totonicapán,* como indica Raynaud– quiere decir probablemente La de la Blanca Casa del Mar; Chomihá, La de la Casa de Camarones; Tzununihá, La de la Casa de los Colibríes, y Caquixhá, La de la Casa de las Guacamayas. Es decir, dos mujeres llevan menciones al ámbito marino y otras dos al ámbito celeste; el mar y el cielo son, por otra parte, los componentes del caos originario, que los hombres creados van a convertir por su acción en un universo ordenado. La mujer es así, en general, clasificada como la parte negativa de la dualidad creadora, equivalente al agua, a la noche, a la luna, a la muerte, mientras que el hombre es la positiva, y activa, como el día, el sol y la vida. El término quiché *ha* puede significar igualmente casa y agua.

84. La estrella de la mañana, Venus, era uno de los principales objetivos de los astrónomos y sacerdotes mayas, y mesoamericanos en general. El texto quiché la llama *iqoquih,* que equivale a decir luna-sol, porque su momento no era propiamente ni la noche ni el día. Esta parte del *Popol Vuh* refleja muy bien, precisamente, el sentido del tiempo para los mayas, puesto que las tribus organizadas esperan con impaciencia la salida del sol, es decir, el comienzo del mundo y del tiempo, para iniciar su camino, su historia. La relativa duración de los segmentos temporales, y la trascendencia

de sus cargas, son dos de los rasgos más significativos, pero también cabe señalar que puede haber vida y existencia sin tiempo; los hombres creados son sólo hasta ahora seres potenciales, pero se reproducen y viven en comunidad. No es, pues, un tiempo lineal y acumulativo, en el que se desplieguen las secuencias de los acontecimientos, sino, como ya vimos al hablar de la primera aparición de los gemelos divinos antes de su nacimiento mismo, un tiempo elástico que discurre en espiral.

85. Ésta es una frase que merece cierta atención, porque puede entenderse de dos maneras diferentes, y de ahí las distintas traducciones existentes. Tal como nosotros la traducimos, significa que los mayas quichés, antes de la migración, no tenían figuras labradas en madera o piedra, «ídolos» diría un español de la colonia, a los que custodiar o mantener. Pero también es perfectamente aceptable la traducción que dice que no tenían maderas ni piedras que les protegieran, o donde guarecerse, como asegura Villacorta, por ejemplo, bien porque el texto se refiera a las imágenes mencionadas o porque aluda a los edificios de las ciudades y los poblados, lo que daría a entender que se hallaban en un etapa anterior a la civilización. Nuestra preferencia en este caso está basada en el contexto evidentemente religioso en el que transcurren los párrafos anteriores, en la mención previa a los ídolos de palo y piedra, y en la creencia maya de que rendir culto a un dios es equivalente a sostenerlo y cuidarlo. El manuscrito deja perfectamente claro que los pueblos quichés no tuvieron dioses hasta que se los dieron en Tulán.

86. Un signo o señal, dice el texto, lo que no aclara cuál debería ser la naturaleza del descubrimiento. A continuación menciona algo que debe ser quemado. Poniendo todo ello en relación con la búsqueda de «quien vele por nosotros», podríamos sugerir que, en el estado precivilizado en que se encontraban los primeros hombres, era necesario un signo sobrenatural que les orientara en su migración y les diera cohesión social, es decir, una divinidad, un culto, y por tanto la segunda parte de la frase debe referirse a la conveniente ofrenda una vez recibida la revelación, ofrenda que, con toda seguridad, consistía en quemar la resina llamada copal (*pom* en maya) en los altares o delante de edificios y

esculturas. También se puede traducir, como hace Georges Raynaud, «vamos a buscar donde guardar nuestros signos», dando entonces por sentado que ya poseían esos elementos religiosos, pilares de la identidad grupal, y que lo que necesitaban eran lugares sagrados donde erigir los templos y donde encender (fuego) ante ellos. Antonio Villacorta prefiere traducir: «nosotros veremos dónde están guardados nuestros signos», y en lugar de quemar algo dice que «si los encontramos predicaremos ante ellos». Christenson, finalmente, escribe «vamos a buscar quien nos proteja, será posible encontrar a alguno ante el cual podamos hablar».

87. Debemos insistir en que la redacción del *Popol Vuh* se produce en un ambiente cultural mestizo, en las tierras montañosas de una Guatemala muy influenciada, cuando no claramente colonizada, por la tradición náhuatl del altiplano central mexicano. Esa circunstancia es especialmente visible en el lenguaje, como lo es también en la arquitectura o la organización social. Tulán (o bien Tollan, como se encuentra en las fuentes del México central, «lugar de juncos o de cañas») es uno de los varios lugares míticos fundamentales en los sistemas ideológicos mesoamericanos. Vucub Pec significa siete cuevas, y Vucub Ziván significa siete barrancos, lo que relaciona Tulán con el inframundo, donde se origina la humanidad en numerosos mitos de las tierras altas y las tierras bajas (véase, por ejemplo, Rivera, 2006: 89-96). Suyva o Suywa, o incluso Suyuá, puede hacer referencia al lugar citado en el *Chilam Balam de Chumayel* (véase Rivera, 2017), y la traducción oscila entre «agua sangrienta» y, en yucateco, «agua revuelta». El problema que plantea el nombre Tulán no es en realidad de carácter religioso sino de tipo arqueológico, porque así se llamaba la capital de un pueblo histórico bien conocido, los toltecas, invasores del norte de la península de Yucatán en el siglo X pero localizados sobre todo en Chichén Itzá. La identificación de la Tulán mitológica con la Tula histórica situada en el estado mexicano de Hidalgo puede tener que ver con la poderosa influencia cultural tolteca, que cambió la orientación básica de los mayas herederos de la tradición clásica. No sólo es un lugar de procedencia de las primeras tribus, y por ende de la mayoría de los pueblos postclásicos, sino la sede de un poder legi-

timador que obliga a todos los señores a recurrir a él para poder justificar y ejercer el suyo propio (véase Graulich, 1988). La narración quiché trata de los hombres creados, pero también de cómo los quichés fueron a Tulán para recibir las instituciones, las enseñas, los dioses, es decir, para convertirse en un poder autónomo legítimo. Como sugieren Miller y Taube (1993: 170), es muy posible que Tollan fuera un término genérico para algunas ciudades mesoamericanas en las que residía un poder especialmente prestigioso, como Teotihuacán o Chichén Itzá, incluso Tenochtitlán. No obstante, entre los mayas de la selva tropical, o tal vez en la Huasteca, situaron otro de estos lugares míticos, el llamado Tamoanchán, los pueblos nahuas del altiplano; la palabra es maya y significa «lugar del cielo brumoso». Mientras que Tollan hace referencia a una realidad cultural y política mitificada, Tamoanchán pertenece de lleno al ámbito de lo religioso.

88. Que los quichés recibieran sus dioses *(cabauil)* en Tulán, en la forma de imágenes o ídolos que pudieran ser cuidados y transportados, significa sobre todo su dependencia ideológica de los toltecas. Parece claro que estos pueblos autores del *Popol Vuh* fueron aculturados cuando se produjo la expansión tolteca por la costa del golfo de México, entre los siglos X y XI, justo antes de iniciar su migración hacia las tierras altas de la actual Guatemala. Sin embargo, los dioses mencionados son los que pertenecen a la gran tradición mesoamericana, y no figura entre ellos Quetzalcóatl, que aparecerá en el *Popol Vuh* solamente como el creador Gucumatz, aunque se sabe que una de las manifestaciones de Tohil era precisamente el tolteca Quetzalcóatl (Serpiente Emplumada). Tohil es seguramente el dios de la lluvia y las tormentas, equivalente del Tláloc teotihuacano y el Chaak maya yucateco; su nombre se ha traducido como «pluvioso» o «trueno». Avilix significa «sembrador» o «cultivador», aunque también «vigilante o guardián», y esos primeros significados podrían relacionarle con el dios del maíz clásico, uno de cuyos nombres sería seguramente Hun Nal, pero también con la tierra misma. Hacavitz parece ser «monte rojo» o «monte de fuego», haciendo alusión sin duda a los volcanes, es decir, un dios del fuego telúrico o

sencillamente del interior de la tierra. Finalmente, Raynaud traduce Nicah Tagah como «centro de la llanura». A pesar de estas atribuciones, algunos autores, basándose en el *Título de Totonicapán*, y en Bartolomé de las Casas, y en las interpretaciones arqueológicas de los edificios de Gumarcaaj, la capital prehispánica quiché, creen que Tohil y Avilix son la versión quiché del sol y la luna (Carmack, 1981: 201), lo que podría apoyarse en el hecho de que el jaguar es el *nahual* o *alter ego* principal del dios Tohil y del linaje asociado, el de Cavek; jaguares decoraban el templo de Tohil en Utatlán (Gumarcaaj) y, en casi toda Mesoamérica, el jaguar es el icono del sol de la noche. Como Venus, eterno acompañante del sol –de ahí el aspecto de Quetzalcóatl, pues la estrella de la mañana es una advocación náhuatl, Tlahuizcalpantecuhtli, de la Serpiente Emplumada–, Tohil regía la lluvia y las tormentas. Finalmente, Hunahpú fue otra de las manifestaciones de Tohil, como señor de la guerra y de los sacrificios. Avilix, el dios-diosa patrona de los Nihaib, por su parte, era una divinidad de la noche, asimilada a Ixbalanqué, la parte femenina de Tohil. Además, siguiendo con la cadena de correspondencias, Tohil y Avilix serían el dios del cielo y la diosa de la tierra. Hacavitz y Nicah Tagah, dioses patronos de los Ahau Quichés y de los Saquic, eran dioses ctónicos, el primero de carácter fálico y representante de la parte superior de la tierra, y el segundo representante del aspecto femenino de la tierra, de su parte inferior.

89. En ocasiones se ha visto la confusión de las lenguas del *Popol Vuh* como una influencia cristiana, la Babel bíblica. Pero el texto maya no pretende explicar la variedad lingüística de la Mesoamérica precolombina. La dispersión de las tribus al salir de Tulán, la confusión de la lenguas, las disensiones entre los que habían sido iguales en el origen expresan las razones últimas de la institucionalización de la guerra, arte en el que destacaron siempre los quichés. El rechazo de los primeros hombres creados, los grandes patriarcas, a compartir su fuego, es decir, su dios y su destino, con otras gentes indica que se llevan hasta los primeros tiempos míticos las situaciones conflictivas características de la Guatemala del siglo XVI que encontraron los españoles. Obviamente, el largo episodio de la pérdida y la recuperación del fuego

solamente justifica los derechos que asistían a los quichés, pues es a ellos, y nada más que a ellos, a los que escucha el poderoso dios.

90. Tohil exige víctimas para los sacrificios humanos. En toda Mesoamérica la técnica principal consistía en extender a la víctima de espaldas sobre una piedra de mediano tamaño fija en el suelo, sujetarla por las extremidades procurando que el cuerpo arqueado quedara bien tenso y a continuación abrirle el pecho con un fuerte golpe de cuchillo de pedernal, en el lado izquierdo, entre las costillas, introducir la mano para arrancar el corazón y mostrarlo en alto cuando todavía palpitaba. Luego se depositaba en una especie de bandeja de piedra para, por lo general, quemarlo. En todo caso, había más prácticas sacrificiales: la decapitación, el flechamiento, el destripamiento, el desollamiento y otras.

91. No estamos seguros del momento histórico en que se inició la práctica ritual de los sacrificios humanos en Mesoamérica, pero fue muy probablemente en el período Preclásico cuando se generalizaron, simultáneamente a la diversificación social, la especialización económica o la arquitectura monumental. El *Popol Vuh* afirma categóricamente que el rito de los sacrificios humanos procedía de Tulán. Es una exageración, pues siempre hubo esta clase de prácticas entre los mayas, aunque su frecuencia se incrementó exponencialmente con la invasión tolteca y la influencia de las culturas militaristas del centro de México a lo largo del Postclásico. Lo mismo se puede decir de la ingestión de drogas y otras costumbres que favorecían la alteración de la conciencia y que preparaban para las acciones bélicas. Icoquih es el nombre de Venus, literalmente luna-sol en quiché, una luminaria sideral que está asociada con la guerra y sus rituales; el lucero de la mañana es, igualmente, como ya hemos dicho, una manifestación de Quetzalcóatl, a la que se rendía un importantísimo culto en Tula, la antigua capital de los toltecas en el moderno estado mexicano de Hidalgo, en el que es probablemente el principal de los edificios de la ciudad, y que fue continuado en Chichén Itzá.

92. La *pax teotihuacana* supuso al menos cuatro siglos de relativa estabilidad. Mesoamérica atravesó un período muy convulso cuando se hundió el imperio teotihuacano, a par-

tir del siglo VII de nuestra era, declive acompañado por la irrupción de tribus seminómadas desde el norte. Aceptando que todo ello supuso una fuerte presión sobre las sociedades asentadas en el centro y el este del área cultural, lo que dio lugar al movimiento de grupos humanos e incluso de etnias completas, podemos plantear varias preguntas: ¿Qué esperaban realmente las tribus quichés cuando abandonaron su hogar originario en el Oriente? ¿El mundo nuevo que se les había prometido en Tulán, con un nuevo sol y un nuevo poder sobre la tierra? Evidentemente, ese amanecer tan esperado es el anuncio de una etapa decisiva en su destino. La aurora es vista aquí como el momento de lanzarse sobre las tierras de los altos para conquistarlas. Aunque no está explícito en el texto, hay sin duda una tierra prometida a la manera de la que Huitzilopochtli ofreció a los mexicas. Pero el problema arqueológico principal es por qué salieron de la costa del Golfo, ellos y los cakchiqueles y los tzutuhiles, y los itzaes, y los nonoalca, y los olmeca xicalanca, y los chontales putún, y tantos otros conglomerados étnicos que cambiaron aparentemente de lugar de residencia entre el momento de la decadencia de Teotihuacán, la caída definitiva de la gran metrópoli, a mediados del siglo VIII, y los primeros siglos del segundo milenio.

93. Un fragmento que forzosamente nos recuerda el paso del mar Rojo por los hebreos. Pero en este caso no hay que pensar, creemos nosotros, en influencias bíblicas de ninguna clase llegadas al *Popol Vuh* desde la predicación de los frailes cristianos, sino en la referencia clarísima a su lugar de procedencia, a la orilla del mar (*palo* en quiché), tal vez incluso a una parte de alguna isla cercana a la costa, no muy lejos de la laguna de Términos. Las dificultades para cruzar esa región de Campeche y Tabasco, también el sur de Veracruz, en temporada de lluvias son enormes, pues la llanura se inunda y parece un inmenso mar (*palouah*). Por otra parte, no debe olvidarse el mito de Quetzalcóatl, tan vivo entre los pueblos de cultura náhuatl o influenciados por ellos, que vaticina el regreso por el mar del dios. Una de las advocaciones más populares de Quetzalcóatl, como se dijo antes, es la Estrella de la Mañana, a la que esperaban tan atentamente los quichés en su migración.

94. La palabra quiché que estamos traduciendo como dioses es *cabauil*. Algunos autores prefieren traducir este término como ídolos. Realmente, el texto se refiere a las figuras de las divinidades, a las imágenes entregadas a los quichés en Tulán, pero no hay tanta distancia semántica entre una acepción y otra, porque el dios, lo que el dios significa y representa, está en su figura labrada, y tales «ídolos» poseen una fuerza y poder que equivalen a los de sus inspiradores. Tal vez por eso no se han encontrado muchos ídolos prehispánicos en la tierra maya, porque los indígenas, ante la avalancha española, o en las muchas crisis anteriores, optaban seguramente, si no podían trasladar con toda seguridad la figura, por esconderla o destruirla. Todavía hoy los talladores de imágenes y máscaras se someten a variadas prescripciones antes y en el momento en que están haciendo esos sagrados objetos.

95. Este episodio de la ocultación de los ídolos hace referencia a una práctica mesoamericana según la cual los pueblos se declaraban derrotados cuando reconocían la captura de las imágenes de sus dioses. El jeroglífico azteca para la victoria militar era un templo en llamas, lo que equivale a que la casa del dios de sus adversarios había sido conquistada o destruida, y con ella la ciudad entera. Las tribus quichés van a enfrentarse a las gentes asentadas en los territorios que han decidido ocupar, y la primera cautela que adoptan es impedir que sus dioses puedan caer en manos enemigas. De nuevo se nos antoja lógico que se hayan encontrado tan pocos ídolos mayas clásicos: en situación de guerra intermitente los dioses debían permanecer ocultos, a buen recaudo, camuflados. Los autores que, como Claude Baudez, han negado el politeísmo clásico aduciendo la escasez de efigies divinas deben tener en cuenta este factor.

96. El *pom* es la resina del árbol *Bursera*. El nombre común en México es copal, del náhuatl *copalli;* su uso estaba muy generalizado en la Mesoamérica prehispánica, y todavía se quema ante los templos y las imágenes, cristianos e indígenas, en lugares como Chichicastenango. Según Villacorta, el que lleva Balam Quitzé se denomina incienso de la expiación *(mixtan pom),* el que lleva Balam Acab es el del sortilegio *(cauiztan pom)* y el que lleva Mahucutah es el de

la idolatría (*cabauil pom*). Hay que destacar aquí la importancia de la danza en la realización del ritual cosmogónico; son muchas las representaciones en el arte maya clásico de gobernantes danzando (véase Looper, 2009), lo cual hace evidente la importancia del baile en las grandes ceremonias, muy especialmente en las que actualizaban los primeros actos de los dioses creadores. Como nos enseñan también otras tradiciones religiosas, dioses y reyes divinos bailan para establecer o restablecer el orden cósmico, y el primer amanecer equivale en el *Popol Vuh* a la plasmación definitiva del plan de la creación una vez los hombres han pisado la superficie de la tierra.

97. El *queletzú* es, naturalmente, el quetzal, un pájaro de gran importancia simbólica para las culturas mesoamericanas. Con sus plumas caudales se confeccionan los penachos que distinguen a los reyes. Es un ave que no puede vivir en cautividad, un verdadero emblema de la libertad y, para los mayas, de la belleza. Forma parte en la actualidad del escudo de la república de Guatemala y como tal aparece en su bandera. Los animales mencionados aquí son los que representan el inframundo y el cielo, la noche y el día, todos ellos expectantes ante la llegada del alba. El universo entero espera la salida del sol porque el sol en movimiento, el amanecer, es la línea divisoria entre el orden y el caos. Éste es el signo de la creación del mundo, del inicio del tiempo de los humanos.

98. Los traductores del *Popol Vuh* no se ponen de acuerdo respecto a los términos *ahquixb* y *ahcahb,* que, efectivamente, tienen un significado relacionado con el sacrificio, pero que también, y por ello mismo, pueden entenderse como alusivos a la función sacerdotal. Christenson, por ejemplo, traduce *Aj k'ixb'* como «el de las espinas», y *Aj k'ajb'* como «sacrificadores», teniendo en cuenta que *k'ajb'* es específicamente el sacrificio de sangre. Nuestra decisión, por tanto, es ecléctica, aunque no parezca razonable asignar tan tempranamente un cuerpo sacerdotal, más allá de los primeros practicadores religiosos, a los quichés recién salidos de Tulán. Algún autor ha preferido interpretar esas palabras como «los nobles» y «los del cielo». En todo caso, hay que recordar que los procedimientos habituales para la efusión

de sangre en los rituales mayas eran los cortes o perforaciones en piernas, brazos, orejas, lengua y genitales, y que se hacían con espinas de mantarraya o maguey, y con lancetas de pedernal u obsidiana. Por lo general, la sangre se recogía en recipientes que contenían trozos de corteza de árbol, la cual, bien empapada y seca, se quemaba finalmente para que el humo resultante llevara la ofrenda a las divinidades.

99. El término *yaqui* era utilizado para designar a los individuos de origen mexicano, no maya. Es difícil determinar si ya había mexicanos, es decir, nahuas o gentes de habla náhuatl, entre los grupos quichés cuando se inició la migración, aunque tal posibilidad es muy plausible dado el emplazamiento de esos pueblos en la proximidad de la frontera occidental del área maya, zonas sometidas desde muy antiguo a la influencia de las culturas de las tierras altas del México central, teotihuacanos, toltecas y aztecas. Para muchos autores, fueron estos yaquis los que introdujeron en el área maya la costumbre de los sacrificios masivos.

100. En los mitos cosmogónicos mesoamericanos (véase Rivera, 1982b) suele haber dos etapas claramente diferenciadas en relación con el nacimiento del sol. En la primera el astro surge debido a un acto sacrificial, como la muerte de los gemelos divinos en el *Popol Vuh,* o la inmolación de Nanahuatzin y Tecuzictécatl en la historia mexicana de la creación del sol en Teotihuacán. Pero la segunda etapa, que es ineludible, resulta ser la más importante, porque es el momento en que el sol comienza a andar en su periplo eterno a través de los mundos. Para lograr eso, el movimiento del sol y la inauguración del tiempo, en el mito mexicano deben sacrificarse todos los dioses, pero el *Popol Vuh* no da indicaciones precisas al respecto (véase Graulich, 1988). Son importantes las afirmaciones de que el sol era semejante a un hombre, lo que ratifica la antropomorfización maya de las fuerzas del cosmos, y que la superficie de la tierra estaba empapada y fangosa, una referencia indudable a la meteorología del bosque tropical. El redactor del texto quiché hace a renglón seguido una misteriosa afirmación relativa a la pérdida de fuerza del sol y compara su figura en el firmamento con la imagen reflejada en un espejo. Nosotros lo interpretamos como una clara diferenciación entre el origi-

nario mundo de los dioses y los primeros hombres heróicos frente a la decadente realidad de los indígenas en el siglo XVI. Sólo en aquellos tiempos legendarios el sol puede tener su verdadera naturaleza y desplegar la inmensa energía de la que los demiurgos le han dotado.

Los hombres creados esperan con ansiedad la salida del sol porque sin él no pueden existir verdaderamente. El mundo del no-sol era para los mayas antiguos el de la muerte y los muertos. La vida auténtica comienza con la aparición del sol en el horizonte, de igual modo que los seres humanos que duermen por la noche despiertan a la vida cuando amanece. El sueño, que equivale a la muerte, fue el modelo probable para la etapa prehistórica de la humanidad, una etapa en la que el estado de los seres ya creados, como el de los durmientes, es de una lánguida expectación, y los cuerpos, aletargados pero con materialidad y aliento, aguardan el sol de la mañana para reanimarse y volver a la actividad ordenada.

101. La conversión de la madera, lo perecedero, en piedra se corresponde con el cierre de una etapa y la inauguración de otra. La petrificación de los dioses y los animales al aparecer el sol otorga una categoría ancestral y sagrada a estos seres. Se inicia ahora en el *Popol Vuh* un tiempo litúrgico lleno de sentido, en el que suceden acontecimientos prodigiosos destinados a nutrir la memoria colectiva de los quichés con el fondo inefable o fabuloso de la historia mítica. Por ende, tales hechos proveen la estructura y el calendario de los rituales, y hasta el orden urbanístico de las ciudades que se van a conquistar o fundar. Los dioses pasan a ser pertenecientes al *illo tempore* anterior a la historia, el tiempo de Tulán, y lo mismo ocurre con ciertos animales que van a ser la imagen y el símbolo de las dimensiones cósmicas y de las potencias que las habitan.

102. Aquí parece que se ofrece una pista decisiva para la comprensión del dios Tohil, pues se dice que es el mismo Yolcuat Quitzalcuat de los yaquis, es decir, Yolcóatl Quetzalcóatl, la serpiente con plumas, o el pájaro-serpiente, la divinidad náhuatl, o «mexicana», de finales del período Clásico y de todo el período Postclásico, que, bajo tal denominación, representa la creación de la vida y el renacimiento

de los seres vivos, poderes relacionados precisamente con el sol, al mismo tiempo que la unión de los contrarios y el indisoluble nexo entre el cielo y la tierra. Por supuesto, es muy probable que la idea de la serpiente emplumada naciera en Teotihuacán en los primeros siglos de la era cristiana, incluso hay algún atisbo iconográfico entre los olmecas, pero es mucho más tarde cuando puede conocerse ampliamente la significación del complejo conceptual vinculado al nombre. Quetzalcóatl es el regente del primer cuarto del calendario *tonalpohualli*, que está adjudicado al Oriente, y también gobierna la segunda edad cósmica prehistórica. Los centros donde era venerado especialmente eran Cholula y Tula, y, en el área maya, Chichén Itzá. Esta información del *Popol Vuh* ratifica la profunda influencia tolteca sobre los quichés.

103. A lo largo del relato ocurre repetidamente que los dioses hablan. Entre los mayas, como en otros pueblos mesoamericanos, existía una tradición oracular que ha llegado casi hasta nuestros días, pues durante la Guerra de Castas que devastó Yucatán en el siglo XIX la pieza clave de la resistencia indígena eran las «cruces parlantes» de la capital indígena Chan Santa Cruz (actual emplazamiento de la ciudad llamada Felipe Carrillo Puerto). Los sacerdotes «traducían» e interpretaban la palabra divina, a la que se recurría en numerosas ocasiones por motivos políticos o estrictamente religiosos.

104. Aquí se instituye la ofrenda de sangre a los dioses. Una crónica maya de época colonial dice textualmente: «en aquel tiempo la gente alimentaba al demonio» (Recinos, 1957: 133). La sangre era el sustento básico de los dioses o de las fuerzas cósmicas. La trinidad quiché pide la sangre de los venados y los pájaros, y algunas ofrendas vegetales, pero también hace una alusión velada a los sacrificios humanos. El venado es un animal de gran importancia simbólica a lo largo de toda la historia maya; se han encontrado cerámicas pintadas con escenas en las cuales los venados protagonizan episodios de los mitos. En una de ellas la diosa de la luna cabalga un hermoso venado, supuestamente su hermano y esposo (véase Robicsek y Hales, 1981: 20). Se cree, por tanto, que el venado era una representación solar y que tenía que ver con la pareja de dioses gemelos del *Popol Vuh*,

Hunahpú e Ixbalanqué, identificados además en las astas iguales del animal. En otros pueblos indígenas americanos, como los hopi o los pawnee, el ciervo es también un símbolo del sol. Por su cornamenta que periódicamente se renueva, el ciervo ha sido considerado en muchas tradiciones religiosas emblema de fecundidad y de la renovación cíclica de la vida, y se ha vinculado con el Árbol de la Vida.

105. Estos párrafos son algo confusos. Los jefes de los principales grupos quichés han decretado los sacrificios de sangre, que se nutren de las víctimas capturadas en los caminos; parece una estrategia de terror destinada a imponer su dominio sobre el conjunto de las tribus, y a que esa fama les preceda en el rumbo que han tomado hacia su lugar de destino definitivo, en la región guatemalteca en la que todavía habitan hoy en día. Los aztecas de México hicieron algo parecido durante su larga peregrinación hasta asentarse finalmente en la ciudad de Tenochtitlán. Ahora parece que se identifica a esos jefes, entre ellos los cuatro patriarcas, con los términos «sacerdotes» y «sacrificadores», o que se hace referencia, en última instancia, a la totalidad de la nobleza quiché. El texto los llama en algún momento «brujos», aunque también podría entenderse «magos» o «hechiceros», incluso relacionarlos con el término antropológico «chamanes», en definitiva gente que puede transformarse y llevar a cabo prodigios. Queda claro, por otra parte, el relato de las privaciones y ayunos que tuvieron que pasar durante el periplo, y las frecuentes sangrías (véase Baudez, 2012) delante de los ídolos. Todo ello, al igual que las ofrendas a los antepasados, tiene dos únicos objetivos: la consolidación de la unidad de la nación quiché y la victoria frente a los enemigos, o sea, los restantes grupos. En el texto quiché no se puede discernir muy bien si las últimas palabras, que vienen a continuación, las pronuncian los dioses patronos o los mismos sacerdotes y sacrificadores. El término *pazilizib,* o bandas envolventes, piel o envoltorio, indica el famoso bulto, presente en muchas obras de arte mayas, en el que se conservaban, protegían y transportaban los símbolos, emblemas, amuletos o reliquias de la comunidad; la veneración a estos bultos era absoluta, representaban no solamente la identidad social del

grupo sino su tradición o historia, y los pilares espirituales que la sustentaban.

106. Los Cavec eran el grupo más fuerte y numeroso de los quichés. Su predominio en Gumarcaaj, la capital, fue constante a lo largo de toda la historia indígena independiente.

107. Ixtah puede traducirse por deseable, e Ixpuch por agradable. Las mozas van a donde está la fuente actual Chi Ratinibal Tohil para tender una trampa a los dioses quichés mediante sus encantos físicos. En esta ocasión, desde luego, tiene que ver con la capacidad fertilizadora del agua, con el ritual de regeneración que se llevaba a cabo en el río, las muchachas son como la tierra que se entrega a la lluvia y al sol para ser fecundada.

108. Resulta un poco extraño que las tribus quisieran que las muchachas fueran poseídas por los «naguales» de Tohil. En el texto quiché se utilizan las palabras *xe hox rumal qui naual tohil,* pero naual puede referirse al carácter de mago (o brujo: según el significado original de la palabra náhuatl *naualli*) que tiene el dios. En las religiones mesoamericanas los naguales son chamanes u otras personas que pueden transformarse en cualquier ser o fuerza de la naturaleza; también se suele emplear el término para designar a los espíritus compañeros de las personas, unas entidades que a veces se materializan, por lo general como animales del bosque o de la montaña, y que mantienen una relación de interdependencia con cada ser humano. El objetivo primero del nagualismo, como de la brujería toda, es el control social, pero también penetra en el terreno puramente ontológico tratando de dar explicación a las características de la personalidad, el humor o el destino, en fin, de cada quien. Es evidente que las tribus del *Popol Vuh* están muy preocupadas por la capacidad de los dioses (o de los sacerdotes personificadores de esos dioses) de los quichés para transformarse en jaguares o pumas, fieras que son las que creen que están matando a los hombres en los caminos.

109. Lamentablemente, sabemos muy poco del concepto del pudor que tenían los mayas antiguos. El texto menciona como algo excepcional que el jefe de las tribus se desnudó, «desnudó su parte secreta» *(ca zonon u cuxic),* a la vista de todos. No hubo en esta cultura, aparentemente en ninguna

de sus variedades, tanto en las tierras altas como en las selvas húmedas, un arte erótico semejante al que tuvieron los mochicas peruanos, por ejemplo, y en las escasas ocasiones en que se representan los genitales siempre es en contextos mitológicos o rituales. Por otra parte, especialmente en el Postclásico, hay algunas esculturas de falos, sobre todo en Chichén Itzá, aunque también en Loltún o en los alrededores de Oxkintok, pero tienen que ver asimismo con aspectos de la religión tardía de influencia foránea, tal vez de la Huasteca o de Veracruz. Las mujeres mayas modernas, al menos las yucatecas, son relativamente libres en el terreno sexual, pero ignoramos si lo fueron igualmente sus antecesoras. Mi impresión es que hubo una mayor rigidez en las costumbres cuando llegaron y se impusieron las pautas de las sociedades militaristas procedentes de los altiplanos mexicanos. El matiz de severa censura con que se utilizan aquí los términos «fornicar» y «fornicadoras» recuerda la doctrina de la propia Iglesia católica, pero es seguramente un tipo de comportamiento tolteca, aunque, de la misma manera que se han dado numerosos casos entre otras culturas más conservadoras, se trate de utilizar por el poder la atracción sexual con fines claramente políticos.

La magia de los vestidos es un rasgo que aparece en otros mitos de todo el mundo. Entre los mayas arqueológicos la ropa forma parte de la definición estricta de la personalidad social, y contribuye a fijar el rango y las capacidades de las personas. En este caso vuelven a ser los insectos los protagonistas: abejas o tábanos, avispas y hormigas, son frecuentes auxiliares de los héroes del *Popol Vuh*. No obstante, el simbolismo de estas capas mágicas radica en las imágenes, que son emblemas de los patriarcas, y por ende de sus respectivas parcialidades tribales.

110. Los mayas antiguos, muy especialmente durante el período Clásico (200-900 d. C.), conocieron pero no usaron los metales. Ya los cronistas como Diego de Landa advertían a los colonizadores de que la península de Yucatán era pobre en metales preciosos. Algunas escasas piezas de oro y cobre se han encontrado en las excavaciones, seguramente importadas de las regiones más al sur de América Central. Los adornos personales de mayor estima y prestigio eran de

Notas

jadeíta y de concha. También se hacían joyas de nefrita, obsidiana, pirita, hueso, madera, asta y otros materiales. Solamente en el Postclásico aparecen más objetos de plata y oro, que hoy conocemos procedentes sobre todo de las ofrendas recuperadas en los drenajes del cenote sagrado de Chichén Itzá. En otras regiones de Mesoamérica, no obstante, se utilizaron metales con fines militares desde el Clásico, y sobre todo flechas de cobre o de alguna aleación en el Posclásico, lo que favoreció el predominio de los pueblos nahuas del altiplano. Este fragmento del *Popol Vuh* es otro indicio que demuestra la fuerte influencia tolteca y mexica en la cultura quiché.

111. Insistiremos en uno de los rasgos característicos del mito cosmogónico, sorprendente en culturas guerreras como era la de los mayas, que dedicaron grandes esfuerzos a la actividad bélica. Todos los héroes del *Popol Vuh* son grandes magos. No existe aquí el aliento épico de las grandes leyendas mediterráneas, no encontramos ningún Aquiles ni Héctor, sino cierta astucia a la manera de Ulises pero con enormes dosis de poderes mágicos. Aunque, como sucede en la *Ilíada,* los dioses también toman partido en las guerras y apoyan a su hijos predilectos. De nuevo los insectos ayudan a los cuatro primeros hombres creados a salir del peligro en que se encontraban en Hacavitz; abejorros y avispas que salen furiosos de enormes calabazas colocadas en los cuatro extremos de la ciudad. No se puede evitar pensar en una analogía astronómica, ya que muchos pueblos mayas llamaban a Venus la estrella avispa, y el cuatro suele ser un referente cosmológico característico. Tal vez obtengamos en el futuro mayor información al respecto, cuando se vayan interpretando las escenas y textos de numerosos vasos pintados en los que aparecen estos insectos.

112. El *Pizom Cacal* o *Pizom Gagal* es el bulto sagrado, el envoltorio poderoso, uno de los mayores elementos de veneración y culto de los antiguos mayas. Es algo lejanamente equivalente al Arca de la Alianza de los hebreos, siendo Moisés el paralelo de Balam Quitzé. Los primeros padres de los quichés son los ancestros divinos, los fundadores, legisladores y guías en la migración. Su legado es sobre todo de índole moral y política, aunque se asiente en el culto de

Tohil. El bulto sagrado, envuelto sin costuras visibles, contiene objetos de poder, talismanes, reliquias, testimonios de Tulán y de los prodigios acaecidos en el periplo hasta Hacavitz, pruebas de los designios del dios y de sus promesas a los quichés, es un recipiente que rebosa significado y que compendia las señas de identidad de las tribus elegidas.

113. Los herederos de los primeros padres deben ir al Oriente a recibir la investidura como reyes de manos del señor Nacxit. Evidentemente, los quichés se sienten tributarios de los lejanos toltecas, seguramente de Chichén Itzá, quienes ostentan la única fuente de legitimidad para el ejercicio del poder. Por otra parte, la narración es quizá únicamente simbólica, no parece razonable que los jefes quichés emprendieran nunca realmente un viaje así, sino que realizaban ceremonias o retiros que eran equivalentes a la peregrinación. La constante referencia al mar que había que atravesar remite a la creencia de que el camino al inframundo pasaba por una gran extensión de agua; es decir, que ideológicamente Nacxit reside con probabilidad en Xibalbá, el lugar de los antepasados, donde se sitúa sin ninguna duda el auténtico poder. Nacxit es tal vez el Kukulcán tolteca, es decir, Quetzalcóatl, la Serpiente Emplumada, una divinidad que puede ser asimilada aquí al sol (véase Graulich, 1988). Las insignias que ese gran señor concede a los gobernantes de los quichés son los símbolos del poder para muchos pueblos mesoamericanos. Cabe suponer que desde la época preclásica, con el nacimiento de la civilización en el siglo V a. C., los reyes mayas buscaron la legitimidad para gobernar y los signos de su poder en el inframundo, lugar de la regeneración de la vida, y que llevaron a cabo un rito de entronización consistente en el descenso al Xibalbá. Por eso hay edificios laberínticos como el Satunsat de Oxkintok, y subterráneos como los de Palenque, aunque también pudieron utilizarse las cuevas, y por eso numerosos templos reproducen en sus fachadas los mascarones del monstruo de la tierra, indicando que el que atraviese sus puertas penetra en el Otro Mundo. Con posterioridad, la peripecia del señor Hunac Ceel en Chichén Itzá, haciéndose arrojar al pozo sagrado para ir a consultar a los dioses sobre su destino, y logrando finalmente ser nombrado legítimo gobernante de la ciudad, se-

gún cuenta el *Chilam Balam de Chumayel,* ilustra muy bien sobre esta creencia y esta práctica ancestrales.

Por supuesto, cabe la posibilidad de que Nacxit fuera un rey verdadero que, como los gobernantes de Chichén Itzá, utilizaba como título principal el teónimo Quetzalcóatl, lo que seguramente hicieron también los señores toltecas en otras partes de Mesoamérica. Podemos conjeturar, entonces, sobre el camino desde el altiplano de Guatemala hasta Yucatán, primero hasta la costa y después, por el borde del mar, hasta la calzada que llevaba a Chichén Itzá. No es raro que el texto indique lo dilatado de un viaje de tales características en los primeros siglos del segundo milenio, atravesando regiones selváticas infestadas de potenciales enemigos.

Es muy importante el dato de que los viajeros quichés trajeron del Oriente la escritura. No se han encontrado inscripciones en el Postclásico de los altos de Guatemala que permitan suponer que los quichés tenían una escritura jeroglífica semejante a la del Petén o Yucatán. Sin embargo, ya hemos indicado que hay testimonios de la existencia de libros prehispánicos en esas regiones, aunque pudieron ser trasladados desde el hogar originario y no confeccionados en el nuevo país de las montañas que las tribus conquistaron al comienzo del período Postclásico.

114. Ahpop significa literalmente «el de la estera», y hace referencia al símbolo del consejo de gobierno tribal, de modo que el *ahpop* es el cabeza del consejo. En las tierras bajas mayas la estera es el signo de la realeza, equivalente al trono en las culturas del Viejo Mundo. Ahpop Camhá es «el de la grada», una especie de asistente real, un cargo tanto político como militar y religioso. Son títulos del sistema político quiché, equivalentes al *ahau* de los mayas clásicos del bosque húmedo. La dignidad que confieren es sobre todo de nobleza, son señores por encima de las gentes del común, pertenecientes a los linajes más elevados, es decir, son cabezas o decanos de los correspondientes linajes (véase Carmack, 1981: 168-180).

115. El texto llama Casas Grandes *(nim ha)* a los linajes o parcialidades en que se dividía la sociedad quiché. A veces parecen más bien clanes, aunque los términos antropológicos se manejan con cierta laxitud en las traducciones más cono-

cidas del *Popol Vuh*. Eso pasa cuando se dice tribu *(amac)*, que puede ser igualmente un clan o una parcialidad de otro tipo. De hecho *amac* significa pueblo pequeño (frente a *ti-namit*, que es el grande, como señala Ximénez en su diccionario), palabra que tiene la raíz *am*, que es araña, porque el asentamiento disperso se extiende como las patas de la araña.

116. Las Casas Grandes son también edificios de la ciudad de Gumarcaaj que simbolizan las divisiones y la organización social de los quichés. Hay que concluir que los mayas antiguos trazaban sus ciudades en función de la representatividad de cada uno de los segmentos de la minoría gobernante. Palacios y templos, o complejos arquitectónicos, o grupos arqueológicos, estaban relacionados con esas parcialidades, eran sus símbolos en el espacio sagrado total que era la ciudad ceremonial, y los espacios donde se desarrollaban los ritos particulares; la información al respecto llega desde Oxkintok hasta la Tayasal del siglo XVII, y no hay razones para dudar de que lo mismo ocurrió en Tikal o Calakmul, en Palenque o Copán, y seguramente antes en El Mirador o Nakbé (véase Rivera, 2001).

117. Para una mayor información sobre la organización social de los quichés y la división en rangos y jerarquías se puede consultar la obra ya citada de Robert Carmack (1981). Un rasgo notable es el poder compartido entre el Ahpop y el Ahpop Camhá, algo que existía igualmente en otras culturas post-clásicas mesoamericanas como la azteca, donde el *tlatoani* gobernaba en compañía del *cihuacóatl*. No se ha verificado esta dualidad en la civilización maya clásica de las tierras bajas, y es posible que haya sido una práctica introducida por las poblaciones militaristas que se imponen en Meso-américa a partir del siglo X, en las cuales el poder político y administrativo era tan importante como el mando guerrero, y donde, dado el sistema asambleario que se adoptaba para llegar a muchas decisiones, era lógico evitar la concentración de poder en una sola persona.

Como se ve, cada una de las ramas quichés posee su propia nómina de títulos y cargos, a menudo equivalentes, que no sólo sirven para organizar la administración del Estado sino que cumplen una misión de identificación de las posiciones individuales dentro de cada linaje, o sea, que se trata de un sistema clasificatorio en la misma medida que funcionarial. La estructura política es piramidal y a la vez oligárquica.

118. Los reyes mayas de todos los tiempos tuvieron cualidades y capacidades propias de los chamanes y hechiceros. También eran asimilados a astros del firmamento, y sus hechos, a los itinerarios aparentes de esos cuerpos luminosos. Eran oficiantes en numerosas ceremonias religiosas y ejercían como nigromantes cuando se requería la adivinación en la tarea política o bélica. Lo que se revela en este párrafo del *Popol Vuh* tiene una triple importancia, porque no sólo se afirman esas habilidades reales sino que se precisan tiempos y transformaciones. El siete, ya lo sabemos, es tal vez el número sagrado por excelencia, y los siete días que se demoraba el viaje al cielo o al infierno son seguramente las etapas a través de los sucesivos estratos de que estaban compuestos tales ámbitos cosmológicos. El siete es, en sí, el número del universo, pues reúne las cuatro direcciones con los tres niveles; luego el rey Gucumatz se adueñaba así del mundo, se proclamaba su señor y el verdadero intermediario con las potencias que lo rigen. Los animales en que se convertía a voluntad simbolizan también el cosmos: el águila es el símbolo del cielo, la serpiente es el símbolo de la tierra y el jaguar es el símbolo del inframundo. El rey da un buen ejemplo del cosmoteísmo que tiñe el pensamiento religioso de los mayas, de la obsesión de este pueblo por desentrañar el misterio de la forma, la armonía, el movimiento y el destino del inmenso cosmos, del cosmos envolvente y poderoso, del cosmos del que formaban parte y al que se sometía la posibilidad de la vida y la existencia de los días y las noches.

119. La guerra de expansión de Quicab, necesaria para asegurar el tributo y la supremacía en una región muy poblada y con diferentes subetnias, muestra los rasgos característicos de las confrontaciones postclásicas en los altos de Chiapas y Guatemala. Contrariamente a lo acontecido por lo general en las tierras bajas antes del siglo X, ahora las ciudades sufrían saqueo y destrucción, eran quemadas o arrasadas, y sus poblaciones, diezmadas. A pesar del parentesco étnico entre quichés y cakchiqueles, por ejemplo, sus enfrentamientos

fueron feroces incluso en el momento de la conquista española. Lo mismo sucedía en el altiplano mexicano, donde gentes del mismo tronco cultural y lingüístico, como mexicas y tlaxcaltecas, mantenían guerras intermitentes y se declaraban enemigos irreconciliables. Como es sabido, los españoles aprovecharon frecuentemente tales rivalidades. En Guatemala, las ciudades se fortificaron convenientemente, y buscaron emplazamientos favorables para la defensa en lo alto de escarpadas colinas y montañas elevadas.

120. El narrador vuelve a insistir en la importancia del reparto de cargos, dignidades y funciones para la consolidación del Estado quiché. La organización administrativa, religiosa, política y militar corre paralela a las campañas bélicas y la ocupación del territorio. Los nombramientos aquí mencionados son aparentemente secundarios, como si fueran títulos otorgados a los personajes prominentes, con el fin indirecto de ganar las voluntades de los distintos clanes y evitar enfrentamientos internos. Los términos pueden traducirse, según Villacorta (1962: 351), por «eminente», «representante», «consejero» o sencillamente «deslumbrante».

121. No cabe la menor duda, ante la insistencia del redactor del texto, de que los reyes quichés eran considerados grandes magos. Es muy probable que tal consideración se extendiera a todos los gobernantes mayas de las tierras bajas desde el siglo V a. C. Más difícil es conjeturar con la idea de que hubieran sido los chamanes los que se convirtieran en jefes y reyes con la llegada de la civilización. Simplemente hay que señalar de nuevo que la magia tenía una enorme importancia en la cultura maya, que lo demuestra el propio ciclo mitológico que estamos analizando, y que es inconcebible un rey clásico o postclásico que no estuviera dotado de poderes extraordinarios, para hacer fértiles a las mujeres y a los campos, para hacer llover, para ganar las batallas y derrotar a los enemigos, para comunicarse con los antepasados, para ver lo invisible y predecir el futuro, para representar a los dioses con su misma categoría sagrada, para lograr la armonía del cosmos y la sucesión ordenada de las estaciones, incluso, tal vez, para rescatar al sol cuando se produjera un eclipse. La mención al carácter del *Popol Vuh* no está clara en el párrafo, parece que puede ser un libro del tiempo, lo

que es conforme con las tradiciones mayas, tan volcadas a los planteamientos cronológicos, pero también, solamente, una referencia a las pinturas del libro, al poder de los iconos allí contenidos. Lo sustancial es, no obstante, que se habla literalmente del *Popol Vuh* como una de las fuentes del conocimiento y el poder de los reyes.

122. Los números nueve y trece tienen importancia ritual. Según el libro de *Chilam Balam de Chumayel* nueve eran las capas del inframundo y trece las capas celestiales (Rivera ed., 1986: 94, y también Rivera, 2017). Por lo demás, los reyes y nobles mayas pasaban largo tiempo en aislamiento, ayuno y mortificaciones varias. Recluidos seguramente en los edificios anexos a los templos de los dioses de sus linajes, se sacaban sangre de distintas partes del cuerpo, ayunaban muchos días y se abstenían de cualquier relación sexual. Ésa era una responsabilidad de los señores, pues solamente la ofrenda de gentes de alta jerarquía podía llegar con presteza a los dioses y producir el deseado efecto de prolongación de la vida y regeneración de la naturaleza; la idea era siempre que el universo necesita de la fuerza de los seres humanos al igual que éstos necesitan de la luz y el calor del sol, o de la vida que desciende de las alturas con la lluvia y que surge de la tierra en el maíz. Un intercambio de energías aseguraba la marcha regular del cosmos, y esta reciprocidad, esta integración de los hombres en las cadenas de fenómenos cósmicos, favorecía la adaptación al medio selvático o serrano que permitió a la civilización maya perdurar a lo largo de dos milenios. Paralelamente, los señores oraban y hacían sacrificios para obtener de los dioses, sus iguales, sus antepasados, sus compañeros en la tarea de conservar el mundo, determinados favores, como reflejan las hermosas plegarias que han llegado hasta nosotros.

También cabe la posibilidad de que el fragmento se refiera a las gentes que están sometidas a iniciación. Los iniciandos, aquí como en otras partes del mundo, debían sufrir aislamiento y laceraciones. Si tal cosa se pudiera probar, los números nueve, trece y diecisiete (quizás trece más cuatro, el cielo y las direcciones) estarían relacionados con los misterios y los ritos iniciáticos, que adquirirían un importante matiz cosmológico.

123. La nación quiché como una gran familia. Los reyes eran los padres y madres de todos aquellos que estaban bajo su gobierno. Su plegaria insistía en que el pueblo era la totalidad de su parentela; las gentes, de hecho relacionadas entre sí por su pertenencia a las unidades de parentesco mayores o menores, esperaban de los reyes el alimento y la protección que un padre debe dar a sus hijos. Este sentimiento y esta doctrina son característicos de las sociedades que han evolucionado hacia formas políticas complejas pero que no se han desprendido de la solidaridad de la organización parental. Por supuesto, ese rasgo era muy positivo en situaciones de crisis, o cuando fue necesario adaptarse a un medio hostil como es la selva tropical lluviosa. La plegaria, por otra parte, presenta algunas circunstancias apropiadas a los pueblos guerreros mesoamericanos de las tierras altas, como la solicitud de buenos caminos o la ausencia de obstáculos y peligros. El dios, o los dioses, sintetizan toda la hechicería posible, son la fuente de la magia y de los poderes prodigiosos, que pueden utilizar tanto para beneficio de los hombres como para su desgracia. Las plegarias son, todavía hoy, para las poblaciones indígenas de Chiapas y de Guatemala, una parte sustancial de la religiosidad, y muchas de ellas unen a su gran interés antropológico una notable belleza poética.

124. Tenemos aquí un proceso de retroalimentación. Durante el período Clásico las guerras fueron muy frecuentes, pero sus motivos estaban por lo general en las intrigas dinásticas, la conquista territorial o el incremento del prestigio necesario en un gobernante de derecho divino. A lo largo del período Postclásico (900-1500 d. C.) se fue afianzando en toda Mesoamérica la práctica de imponer tributo a los pueblos vencidos en la guerra, y el corolario de una economía cada vez más dependiente de esos tributos. De ahí que el Postclásico sea un tiempo de orientación claramente militarista, porque, sin el predominio de los ejércitos, de los jefes guerreros y de la organización castrense, difícilmente se hubieran obtenido los resultados apetecidos. Todo ello redunda en una parafernalia política y religiosa teñida de conceptos, símbolos e iconos de carácter militar. El mejor ejemplo es el de los aztecas, de los que existe una ingente información, pero lo mismo sucedía en Guatemala o en la península de

Yucatán. El origen debe situarse muy probablemente en la expansión de los toltecas, a los que imitan los pueblos posteriores. Es una economía tributaria, poco productiva y sometida a los albures de los continuos enfrentamientos. De la necesidad de consolidar tal estructura económica nace el terrible incremento de los sacrificios humanos y de las feroces represalias a las ciudades díscolas.

125. Este Donadiú es realmente el llamado por los nahuas Tonatiuh, el español Pedro de Alvarado, conquistador de Guatemala. Se le llamaba así, con el nombre del dios del disco solar, por su cabello rojizo y por la fuerza y violencia que mostraba.

126. Villacorta (1962: 372) no traduce esta línea así, sino «no hay ya visión del ser primero, antiguo, de ellos, de sus señores esplendorosos». Tedlock y otros autores coinciden con Recinos en que el autor indígena afirma que «había un libro ahora perdido». La mención al libro que ha desaparecido es muy importante porque ratifica lo que ya se dijo de la existencia de escritura jeroglífica prehispánica, o al menos de libros traídos de las tierras bajas y de gentes que sabían leerlos, en el Quiché postclásico. Christenson, por el contrario, más cerca de Villacorta, escribe enigmáticamente que lo que se perdió fue la «esencia» de los quiché, que estaba con los señores al principio. En todo caso, el autor del *Popol Vuh* da por finalizada su relación lamentando que todo se haya acabado en su tierra, que haya desaparecido la grandeza del pasado a causa de la invasión española.

Bibliografía general

ÁLVAREZ DE MIRANDA, Ángel
  1961   *Las religiones mistéricas,* Madrid, Revista de Occidente.
AMADOR, Ascensión
  1989   «El origen del mundo en Oxkintok», en *Oxkintok 2,*
         ed. Miguel Rivera, Madrid, Misión Arqueológica de
         España en México, pp. 157-171.
ARZÁPALO, Ramón
  1987   *El ritual de los Bacabes,* México, Universidad Nacio-
         nal Autónoma de México.
BARRERA VÁSQUEZ, Alfredo (coord.)
  1980   *Diccionario Maya Cordemex,* Mérida.
BAUDEZ, Claude F.
  1988   «Solar cycle and dynastic sucession in the Southeast
         Maya zone», en *The Southeast Classic Maya Zone,* eds.
         E. H. Boone y G. R. Willey, Washington, Dumbarton
         Oaks Trustees for Harvard University, pp. 125-148.
  2002   *Une histoire de la religion des Mayas,* París, Albin Michel.
  2006   «De l'aurore à la nuit: Le parcours du roi-soleil maya»,
         Journal de la Société des Américanistes, París, tomo 92-1
         y 2, pp. 41-67.

2012   *La douleur rédemptrice. L'autosacrifice précolombien,*
        París, Riveneuve éditions.

BRASSEUR DE BOURBOURG, Charles Étienne (ed.)
1974   *Popol Vuh. Libro sagrado del Quiché,* San Salvador,
        Ministerio de Educación.

BRODA, Johanna, *et al.* (coords.)
2001   *La montaña en el paisaje ritual,* México, Conaculta,
        INAH.

BURGESS, Dora M. y Patricio XEC
1955   *Popol Vuh,* Quetzaltenango, Tipografía «El Noticiero
        Evangélico».

CARMACK, Robert M.
1979   *Evolución del reino quiché,* Guatemala, Editorial Pie-
        dra Santa.
1981   *The Quiché Mayas of Utatlán. The Evolution of a
        Highland Guatemala Kingdom,* Norman, University
        of Oklahoma Press.
1983   «El Popol Vuh como etnografía del Quiché», en *Nue-
        vas perspectivas sobre el Popol Vuh,* eds. Carmack y Mo-
        rales, Guatemala, Editorial Piedra Santa, pp. 43-59.

CAZENAVE, Michel (ed.)
1996   *Encyclopédie des symboles,* París, Le Livre de Po-
        che.

CHÁVEZ, Adrián I.
1979   *Pop Wuj. (Libro de acontecimientos),* México, Edicio-
        nes de la Casa Chata.

CHEVALIER, Jean, y Alain GHEERBRANT
1986   *Diccionario de los símbolos,* Barcelona, Herder.

CHRISTENSON, Allen J.
2000   *Popol Vuh: The Mythic Sections. Tales of the First Be-
        ginnings from the Ancient K'iche' Maya,* Ancient Texts
        and Mormon Studies 2, Foundation for Ancient
        Research and Mormon Studies, Provo.
2003   *Popol Vuh,* Londres, Allen Bell.
2012   *Popol Vuh,* México, Gobierno de México y Fondo de
        Cultura Económica.

CIRLOT, Victoria
2005   *Figuras del destino. Mitos y símbolos de la Europa medieval,* Madrid, Siruela.
CIUDAD, Andrés, *et al.* (eds.)
2003   *Antropología de la eternidad. La muerte en la cultura maya,* Madrid, Sociedad Española de Estudios Mayas.
COE, Michael D.
1973   *The Maya Scribe and His World,* Nueva York, The Grolier Club.
1977   «Supernatural Patrons of Maya Scribes and Artists», en *Social Process in Maya Prehistory*, ed. Norman Hammond, Nueva York, Academic Press, pp. 327-347.
1982   *Old Gods and Young Heroes. The Pearlman Collection of Maya Ceramics,* Jerusalén, The Israel Museum.
DOXEY, Denise M.
2003   «Tot», en *Hablan los dioses. Diccionario de la religión egipcia,* ed. Donald B. Redford, Barcelona, Crítica, pp. 283-284.
EDMONSON, Munro S.
1971   *The Book of the Counsel: The Popol Vuh of the Quiché Maya of Guatemala,* Nueva Orleans, Middle American Research Institute, Publication 35, Tulane University.
1978   «Los *Popol Vuh*», *Estudios de Cultura Maya,* vol. XI, México, pp. 249-266.
ELIADE, Mircea
1980   *Historia de las creencias y de las ideas religiosas. IV Las religiones en sus textos,* Madrid, Ediciones Cristiandad.
2001   *Nacimiento y renacimiento. El significado de la iniciación en la cultura humana,* Barcelona, Kairós.
ESTEVE BARBA, Francisco
1964   *Historiografía indiana,* Madrid, Gredos.

ESTRADA MONROY, Agustín

1973   *Popol Vuh,* Guatemala, Editorial «José de Pineda Ibarra».

FALLA, Ricardo

1983   «Desmitologización por el mito: fuerza de denuncia de la lucha de los héroes contra Wucub Caquix en el Popol Vuh», en *Nuevas perspectivas sobre el Popol Vuh,* eds. R. M. Carmack y F. Morales, Guatemala, Editorial Piedra Santa, pp. 155-161.

FIELDS, Virginia M., y Dorie REENTS-BUDET (eds.)

2005   *Los mayas. Señores de la creación. Los orígenes de la realeza sagrada,* San Sebastián, Nerea.

GARCÍA BARRIOS, Ana

2008   *Chaahk, el dios de la lluvia, en el período clásico maya: aspectos religiosos y políticos,* tesis doctoral presentada en la Universidad Complutense de Madrid.

GIBSON, Michael

1999   *El Simbolismo,* Colonia, Taschen.

GRAULICH, Michel

1987   *Mythes et rituels du Mexique ancien préhispanique,* Bruselas, Académie Royale de Belgique.

1988   *Quetzalcóatl y el espejismo de Tollan,* Amberes, Instituut voor Amerikanistiek, v.z.w., Occasional Publications 1.

GRAVES, Robert

2011   *Los mitos griegos,* Madrid, Alianza Editorial, tomo 1.

GRUBE, Nikolai (ed.)

2001   *Los mayas. Una civilización milenaria,* Colonia, Könemann.

HOUSTON, Stephen, David STUART y Karl TAUBE

2006   *The Memory of Bones. Body, Being and Experience among the Classic Maya,* Austin, University of Texas Press.

IZQUIERDO, Isabel, y Hélène LE MEAUX (cords.)

2003   *Seres híbridos, apropiación de motivos míticos mediterráneos,* Madrid, Ministerio de Educación, Cultura y Deporte.

JUNG, Carl G.
1977 «Acercamiento al inconsciente», en *El hombre y sus símbolos,* ed. C. G. Jung, Barcelona, Caralt, pp. 15-102.

KAUFFMANN, Carol
2004 «La capilla Sixtina de los primeros mayas», *National Geographic,* edición especial: *El mundo perdido de los mayas,* pp. 122-127.

KERR, Justin
1989- *The Maya Vase Book. A corpus of rollout photographs*
2000 *of Maya vases,* seis volúmenes, Nueva York, Kerr Associates.

LANDA, Diego de
2017 *Relación de las cosas de Yucatán,* edición de Miguel Rivera, Madrid, Alianza Editorial.

LIGORRED PERRAMÓN, Francisco de Asís
2017 *Consideraciones sobre la literatura oral de los mayas modernos,* México, Instituto Nacional de Antropología e Historia.

LOOPER, Matthew G.
2009 *To be Like Gods. Dance in Ancient Maya Civilization,* Austin, University of Texas Press.

LÓPEZ AUSTIN, Alfredo
1990 *Los mitos del tlacuache,* México, Alianza Editorial Mexicana.
2003 «Difrasismos, cosmovisión e iconografía», *Revista Española de Antropología Americana,* vol. 33, Madrid, Universidad Complutense, pp. 143-160.

MACLEAN EARLE, Duncan
1983 «La etnoecología quiché y el Popol Vuh», en *Nuevas perspectivas sobre el Popol Vuh,* eds. R. Carmack y F. Morales, Guatemala, Editorial Piedra Santa, pp. 293-303.

MARTÍN DÍAZ, Ana
2004 *De Arboris: Una perspectiva simbólica del pensamiento maya,* manuscrito inédito, Madrid.

MARTÍNEZ MIURA, Enrique
2004 *La música precolombina,* Barcelona, Paidós.

MILLER, Mary E.
1988 «The Boys in the Bonampak Band», en *Maya Iconography,* eds. E. Benson y G. Griffin, Princeton, Princeton University Press, pp. 318-330.

MILLER, Mary, y Karl TAUBE
1993 *The Gods and Symbols of Ancient Mexico and the Maya,* Londres, Thames and Hudson.

MONTOLÍU, María
1980 «Los dioses de los cuatro sectores cósmicos y su vínculo con la salud y enfermedad en Yucatán», *Anales de Antropología,* vol. XVII, México, tomo II, pp. 47-65.

NÁJERA, Martha Ilia
1987 *El don de la sangre en el equilibrio cósmico,* México, Universidad Nacional Autónoma de México.

NICHOLSON, Henry B.
1971 «Religion in Pre-Hispanic Central Mexico», *Handbook of Middle American Indians,* vol. 10, Austin, University of Texas Press, pp. 395-446.

NÚÑEZ DE LA VEGA, Francisco
1702 *Constituciones diocesianas del Obispado de Chiappa,* Roma.

PASTOUREAU, Michel
2017 *Los colores de nuestros recuerdos,* Cáceres, Periférica.

PITARCH, Pedro
1996 *Ch'ulel: una etnografía de las almas tzeltales,* México, Fondo de Cultura Económica.

PREUSS, Mary H.
1988 *Los dioses del Popol Vuh,* Madrid, Pliegos.

RAYNAUD, Georges (ed.)
1975 *Popol Vuh,* traducción del francés de Miguel Ángel Asturias y J. M. González de Mendoza, Buenos Aires, Losada.

RECINOS, Adrián (ed.)
1950 *Memorial de Sololá. Anales de los Cakchiqueles. Título de los señores de Totonicapán,* 1.ª edición, México, Fondo de Cultura Económica.

1957   *Crónicas indígenas de Guatemala,* Guatemala, Editorial Universitaria.

1964   *Popol Vuh. Las antiguas historias del Quiché,* 7.ª edición, México, Fondo de Cultura Económica.

REENTS-BUDET, Dorie

1994   *Painting the Maya Universe: Royal Ceramics of the Classic Period,* Durham, Duke University Press.

RIVERA, Miguel

1982   *Los mayas, una sociedad oriental,* Madrid, Editorial de la Universidad Complutense.

1982b   «Tres mitos mesoamericanos de creación», *Revista de la Universidad Complutense,* Madrid, 1982/3, pp. 193-203.

1985   *Los mayas de la Antigüedad,* Madrid, Alhambra.

1986   *La religión maya,* Madrid, Alianza Editorial.

1988   «Un punto de vista sobre el mito central del Popol Vuh», *Revista Española de Antropología Americana,* vol. XVIII, Madrid, pp. 51-74.

1991   *Códice Tro-Cortesiano. Estudio crítico,* Madrid, Testimonio Compañía Editorial.

1995a   *Laberintos de la Antigüedad,* Madrid, Alianza Editorial.

1995b   «Símbolos del Popol Vuh», *Religión y sociedad en el área maya,* eds. Carmen Varela, Juan Luis Bonor y Yolanda Fernández, Madrid, Sociedad Española de Estudios Mayas, pp. 249-263.

1999   «Puertas al Otro Mundo. Religión y ritos de los mayas», *Los Mayas, ciudades milenarias de Guatemala,* ed. Cristina Vidal, Zaragoza, Edelvives, pp. 51-56.

2000   «¿Influencia del cristianismo en el Popol Vuh?», *Revista Española de Antropología Americana,* vol. 30, Madrid, pp. 137-162.

2001   *La ciudad maya, un escenario sagrado,* Madrid, Editorial de la Universidad Complutense.

2004   *Espejos de poder. Un aspecto de la civilización maya,* Madrid, Miraguano.

2005   *El pensamiento religioso de los antiguos mayas,* Madrid, Trotta.

2014   *La risa de Ixmukané,* Madrid, Miraguano.

RIVERA, Miguel (ed.)

1987   *Chilam Balam de Chumayel,* Crónicas de América 20, Madrid, Historia 16.

2008   *Popol Vuh. Relato maya del origen del mundo y de la vida,* Madrid, Trotta.

2017   *Chilam Balam de Chumayel, libro maya de los hechos y las profecías,* Madrid, Alianza Editorial.

RIVERA, Miguel, Pilar ASENSIO y Ana MARTÍN

2004   «Pajaritos y pajarracos: personajes y símbolos de la cosmología maya», *Revista Española de Antropología Americana,* vol. 34, Madrid, Universidad Complutense, pp. 7-28.

ROBICSEK, Francis

1975   *A Study in Maya Art and History: The Mat Symbol,* Nueva York, The Museum of the American Indian, Heye Foundation.

ROBICSEK, Francis, y Donald M. HALES

1981   *The Maya Book of the Dead. The Ceramic Codex,* Charlottesville, University of Virginia Art Museum.

ROSENSTINGL, Rutta, y Emilia SOLÁ

1977   «El décimo trabajo de Hércules. Un paleoperiplo por tierras hispánicas», Barcelona-Ampurias, Comunicación presentada al Simposio «Los Orígenes del Mundo Ibérico».

SÁENZ DE SANTAMARÍA, Carmelo (ed.)

1989   *Popol Vuh,* Crónicas de América n.º 47, Madrid, Historia 16.

SATURNO, William, y Karl TAUBE

2004   «Hallazgo: Las excepcionales pinturas de San Bartolo, Guatemala», *Arqueología Mexicana,* México, n.º 66, pp. 34-35.

SATURNO, William A., David STUART y Karl TAUBE

2005   «La identificación de las figuras del muro oeste de Pinturas Sub-1, San Bartolo, Petén», en *XVIII Simpo-*

sio de Investigaciones Arqueológicas en Guatemala 2004,
eds. J. P. Laporte *et al.*, Guatemala Museo Nacional
de Arqueología y Etnología, pp. 647-655.

SCHELE, Linda
1992   *La Creación Maya,* Cuaderno para el taller sobre la
escritura jeroglífica maya, Austin Institute of Latin
American Studies, University of Texas.

SCHELLHAS, Paul
1904   *Representation of Deities of the Maya Manuscripts,*
vol. 4, Papers of the Peabody Museum, Cambridge,
Harvard University, n.° 1, pp. 1-47.

SHARER, Robert J.
1998   *La civilización maya,* México, Fondo de Cultura Económica.

STANTON, Travis W., y David A. FREIDEL
2003   «Ideological Lock-In and the Dynamics of Formative Re-
ligions in Mesoamerica», *Mayab,* Madrid, n.° 16, pp. 5-14.

TARN, Nathaniel, y Martín PRECHTEL
1983   «Metáforas de elevación relativa, posición y rango en
el Popol Vuh», en *Nuevas perspectivas sobre el Popol
Vuh,* eds. R. Carmack y F. Morales, Guatemala, Editorial Piedra Santa, pp. 163-179.

TAUBE, Karl, William SATURNO y David STUART
2004   «Identificación mitológica de los personajes en el
Muro Norte de la Pirámide de las Pinturas Sub-1,
San Bartolo, Petén», en *XVII Simposio de Investigaciones Arqueológicas en Guatemala 2003,* eds. J. P.
Laporte *et al.*, Guatemala, Museo Nacional de Arqueología y Etnología, pp. 871-880.

TEDLOCK, Dennis
1985   *Popol Vuh. The definitive edition of the Mayan book
of the dawn of life and the glories of gods and kings,*
Nueva York, Simon and Schuster.

THOMPSON, Eric S.
1970   *Maya history and religion,* Norman, University of Okla-
homa Press.

TOZZER, Alfred M. (ed.)

1941 *Landa's Relación de las Cosas de Yucatán,* Papers of the Peabody Museum of American Archaeology and Ethnology, Cambridge, Harvard University.

VALENCIA, Rogelio

2016 *El rayo, la abundancia y la realeza. Análisis de la naturaleza del dios K'awiil en la cultura y la religión mayas,* tesis doctoral, Madrid, Universidad Complutense.

VILLACORTA, J. Antonio

1962 *Popol Vuh de Diego Reinoso. Crestomatía quiché,* tomo I, Centro Editorial «José de Pineda Ibarra», Guatemala, Ministerio de Educación Pública.

WILKINSON, Richard H.

2003 *Magia y símbolo en el arte egipcio,* Madrid, Alianza Editorial.

XIMÉNEZ, Francisco

1929- *Historia de la Provincia de San Vicente de Chiapa y*
1931 *Guatemala de la Orden de Predicadores,* vols. I a III, «Biblioteca Goathemala», Guatemala, Sociedad de Geografía e Historia.

1985 *Primera parte del Tesoro de las Lenguas Cakchiquel, Quiché y Zutuhil, en que las dichas Lenguas se traducen a la nuestra, española,* edición de Carmelo Sáenz de Santamaría, Guatemala, Academia de Geografía e Historia de Guatemala, Publicación especial n.º 30.